TUS HIJOS, LOS MÍOS Y NOSOTROS

Siete pasos para tener una nueva familia saludable

Ron L. Deal

Editorial Mundo Hispano

Editorial Mundo Hispano
7000 Alabama Street, El Paso, Texas 79904, EE. UU. de A.
www.editorialmh.org

Nuestra pasión: Comunicar el mensaje de Jesucristo y facilitar la formación de discípulos por medios impresos y electrónicos.

Editor: Jorge E. Díaz
Diseño de páginas: Carol Martínez
Diseño de la cubierta: Jorge Rodríguez

Primera edición: 2008
Clasificación Decimal Dewey: 248.8
Temas: Familia y hogar
Vida cristiana

ISBN: 978-0-311-46275-8
EMH Núm. 46275

4 M 9 08

Impreso en Colombia
Printed in Colombia

A Nan, mi esposa y mejor amiga,
Tres diamantes.
Todo mi amor, durante toda mi vida.

Reconocimientos

Como cualquier familia inteligentemente reconstituida, este libro llevó un largo tiempo para desarrollarse. Y como cualquier familia inteligentemente reconstituida, este libro es el resultado de una cuidadosa integración de personas, ideas, orígenes y relaciones. Estoy agradecido a los muchos que durante el trayecto me animaron y me brindaron sus talentos. Este libro no pudo haberse escrito sin la ayuda de ellos.

Un agradecimiento especial es para Ashleigh Short Givens y David y Robbie Hutchins por las primeras revisiones del manuscrito y su aportación a los aspectos técnicos. Ustedes ayudaron a que este proyecto se notara y por último se publicara; gracias. También, un agradecimiento especial para Rebecca Warnick por su apoyo administrativo, y a los ancianos de la Southwest Church of Christ (Iglesia de Cristo Southwest) por animarme. La visión que ustedes tienen para el ministerio de la familia, que se extiende más allá de la comunidad de Jonesboro, Arkansas, dio por resultado un ministerio cuyos límites, por la gracia de Dios, se expanden diariamente. Yo no habría logrado esto sin la bendición de ustedes.

Otros cuya amistad y profesionalismo hicieron posible este peregrinaje incluyen a H. Norman Wright, Steve Laube y el equipo de Bethany House, la doctora Margorie Engel y la junta de directores de la *Stepfamily Association of America* (Asociación de Familias Reconstituidas de América), la facultad del instituto de la Asociación, y también los investigadores y clínicos cuyas obras reconozco a través de todo este libro. Debo reconocer especialmente el trabajo y la influencia de la doctora Emily Visher, cuya vida llegó a su fin, aunque su inspiración e investigaciones seguirán viviendo. Este libro reposa sobre los hombros de sus investigaciones académicas, los escritos junto con su esposo John y su experiencia personal de una familia reconstituida. Sin embargo, de igual impacto fue el ánimo que me impartió como un joven escritor y maestro. Estoy profundamente agradecido por su influencia y sabiduría. Además le doy las gracias al grupo original de Southwest Step-by-Step Education Group (Grupo de educación paso a paso del suroeste). Ustedes se apoyaron mutuamente con audacia y me contaron sus historias para que yo pudiera ayudar a otros. Ustedes han sido una bendición en mi vida, espero que a cambio también ustedes reciban bendiciones.

A mis queridísimos amigos y compañeros espirituales, Randy y Judy Lewis, Gregg y Elisa Barden, Shawn y Arlene Mayes, y Jeff y Misty Floyd (¡El Campamento Fe es tremendo!), su fe y entusiasmo me desafiaron para que Dios me usara por medio de este libro y el ministerio del seminario. ¡Démosle a él la gloria! Y por último, una palabra de aprecio muy especial para James y Dana Caldwell, cuyo interés para compartir su vida les ha enseñado tanto a otros como a mí acerca del peregrinaje de la familia reconstituida. La amistad de ustedes ha enriquecido profundamente mi vida.

Ron L. Deal es fundador y presidente de *Successful Stepfamilies* (Familias sabiamente reconstituidas), una organización que apoya a las familias cristianas reconstituidas y prepara a las iglesias para ministrar a esta creciente población, y es el creador y presentador de la conferencia *Edifiquemos una familia reconstituida con éxito*. Ron también sirve como ministro de la vida familiar en la Iglesia de Cristo Southwest, es un terapeuta autorizado para ejercer en los asuntos de matrimonios y familias, y un consejero profesional autorizado para ejercer en *Better Life Counseling Center, Inc*. (Centro de Consejería Mejor Vida, Inc.). Con frecuencia aparece en programas nacionales de televisión y radio, incluyendo *Enfoque a la Familia* y *Family Life Today* (La vida familiar hoy en día), y en la actualidad es Consultante Educativo de la familia reconstituida para *Enfoque a la Familia*. Ron y su esposa, Nan, son miembros fundadores de la Junta Nacional de Consejeros de la Asociación de Ministerios para Matrimonios y Familias. La familia Deal vive en Jonesboro, Arkansas.

Usted puede comunicarse con Ron Deal por medio de su sitio Web www.SuccessfulStepfamilies.com

Contenido

Introducción

¿Alguna vez trató usted de armar un rompecabezas tridimensional sin las instrucciones y sin el dibujo en la caja que muestre cómo debe ser el producto final? Tape sus ojos con una venda e intente armarlo. Parece imposible, ¿no es verdad? En efecto, probar esto ni siquiera parece divertido. Intente combinar los miembros de dos (o más) familias diferentes y encontrará frustraciones similares.

Unir o integrar dos familias es una de las tareas más difíciles para cualquier familia en América. La integración involucra combinar dos estilos únicos de familia, varias personalidades y preferencias, diferentes tradiciones, pasados y lealtades. Aún así la mayoría de las personas toman la decisión de reunir a dos familias sin consultar las instrucciones (es decir, la Palabra de Dios) ni desarrollar en común una imagen del producto final (el dibujo de la caja del rompecabezas). Ciegos y con una ignorancia bien intencionada, las parejas caminan hacia el altar una segunda o tercera vez, sólo para descubrir que el proceso de edificación es mucho más difícil de lo que ellos anticipaban, y las recompensas son pocas y escasas, especialmente al comienzo. Pero las probabilidades de su éxito aumentan dramáticamente cuando uno se quita la venda de los ojos y ve el cuadro de cómo es y cómo actúa una familia sabiamente reconstituida.

TRABAJAR CON SABIDURÍA MÁS QUE CON ESFUERZO

El propósito de este libro es darle precisamente eso, un cuadro de una familia cristiana saludable reconstituida con sabiduría, basándose en el manual de las instrucciones de Dios. Y créalo o no, se puede lograr si usted trabaja con más inteligencia que esfuerzo. Trabajar con sabiduría significa comprender las dinámicas de la vida y desarrollo de una familia reconstituida, y tomar decisiones intencionales de cómo ustedes crecerán juntos emocional, psicológica y espiritualmente.

Si en la actualidad usted está casado y quizás se da cuenta de que su rompecabezas tridimensional depende de un fundamento frágil, lea este libro para ver lo que puede cambiar. Una vez que haya desarrollado ideas concretas de cómo unir las piezas de su familia, comience a trabajar el plan cautelosamente pero con mucha determinación. Se maravillará del poder de Dios para sanar sus penas y cambiar su rompecabezas inestable y frágil en un edificio seguro, hermoso y edificado sobre un firme fundamento.

Si en la actualidad usted es soltero, divorciado o viudo y está considerando casarse, y si ambos tienen hijos, usted encontró la ayuda apropiada. Hay muchos desafíos escondidos en la vida de la familia reconstituida, y usted necesita estar lo más preparado que pueda. Quitarse las vendas y ver claramente el viaje que tiene por delante es la mejor decisión que puede tomar. De hecho, usted necesita informarse bien antes de decidir casarse y formar una familia reconstituida, de otra manera se lamentará de la decisión una vez que enfrente los desafíos que vendrán. Las familias sabiamente reconstituidas pueden traer mucho gozo y realización a la vida de los hijos y de los adultos. Pero, por favor, entienda que desarrollar una familia reconstituida saludable requiere mucho trabajo y determinación, y que la mayoría de los matrimonios reconstituidos sencillamente no sobreviven. Usted no puede darse el lujo de entrar al matrimonio armado sólo con la intención "será mejor que la última vez". El proceso demanda que usted sepa y comprenda más que eso; y este libro le dirá lo que necesita saber.

Por favor, sepa que este libro surgió de la creencia de que el hogar es el contexto primario en el cual aprendemos y experimentamos el carácter del amor. Por último, la experiencia del amor nos orienta a un Dios que ama. Es mi firme creencia que las familias reconstituidas pueden construir esas experiencias y demostrar el carácter de amor al igual que las familias biológicas. Una de las maneras en que llegamos a conocer a nuestro Padre celestial es mediante el amor que experimentamos en nuestras relaciones terrenales. Recíprocamente, nuestro conocimiento y compromiso con él fortalecen nuestros lazos familiares. Ciertamente la fe y la familia están intrínseca y dinámicamente unidas. Así que, edificar una familia sabiamente reconstituida es un alimento espiritual para cada miembro de su hogar (incluso para las generaciones venideras). Es mi oración que este libro le ayude a edificar un puente espiritual de dos vías con un carril moviéndose hacia Dios mientras que el carril de regreso lo llevará de vuelta al hogar con mayor compromiso y claridad en el corazón. ¡Comencemos el viaje!

Los hijos de Israel gemían a causa de la esclavitud y clamaron a Dios, y el clamor de ellos a causa de su esclavitud subió a Dios. Dios oyó el gemido de ellos y se acordó de su pacto con Abraham, con Isaac y con Jacob. Dios miró a los hijos de Israel y reconoció su condición.

Éxodo 2:23b-25

PRIMERA PARTE

¡Rumbo a la tierra prometida!

¿Se puede imaginar cómo fue la libertad para los israelitas? Los egipcios oprimieron a los israelitas durante cuatrocientos años, los tuvieron en cautiverio en contra de su voluntad y los obligaron a vivir como esclavos. Durante años el Señor escuchó su clamor, hasta que por fin les llegó el momento de la libertad. Es difícil imaginarse el gozo, el alivio y la completa exuberancia que los israelitas sintieron. ¡Iban para su casa! Pero, ¿dónde exactamente estaba su casa?

Moisés, un héroe poco reconocido en ese tiempo, se convirtió en el líder de los israelitas mediante el poder de Dios. Una columna de nube durante el día y una columna de fuego durante la noche hacían obvio que Dios estaba guiando a su pueblo hacia la tierra prometida. Aun así, el gozo y la celebración de verse libres muy pronto se apagó cuando los israelitas se encontraron atrapados en un lado por el mar Rojo y en el otro por el furioso faraón, quien cambió su opinión de dejarlos salir. En medio del pánico los israelitas clamaron: "¿Acaso no había sepulcros en Egipto, que nos has sacado para morir en el desierto? ¿Por qué nos has hecho esto de sacarnos de Egipto?... ¡Mejor nos habría sido servir a los egipcios que morir en el desierto!" (Éxodo 14:11, 12).

La libertad de la esclavitud fue lo que los israelitas pedían; sin embargo, la opresión y el cautiverio llegaron a parecerles atractivos tan pronto como el viaje se les hizo difícil. Realmente esta no fue la única ocasión en que los israelitas se quejaron y pidieron regresar a Egipto. La seguridad de la esclavitud con frecuencia parecía más atractiva que la inseguridad de viajar por un camino sin señales hacia un destino desconocido. Ellos no aprendieron a confiar en que Dios les daría provisiones y propósito para andar por un territorio desconocido.

Muchas familias reconstituidas están andando por este mismo camino.

CAPÍTULO UNO

Peregrinaje por el desierto

"¿Acaso no había sepulcros en Egipto, que nos has sacado para morir en el desierto? ¿Por qué nos has hecho esto de sacarnos de Egipto?... ¡Mejor nos habría sido servir a los egipcios que morir en el desierto! Y Moisés respondió al pueblo: '¡No temáis! Estad firmes y veréis la liberación que el SEÑOR hará a vuestro favor...'"

(Éxodo 14:11-13).

Es casi una experiencia general para los adultos de las familias reconstituidas y ocurre poco después de volverse a casar. Me estoy refiriendo a la desilusión. Creen que casarse de nuevo los librará del cautiverio del divorcio, la pérdida, la soledad y las emociones dolorosas, así que las parejas toman a sus hijos y posesiones y se dirigen al desierto hacia la tierra prometida. La boda parece marcar la liberación de la opresión. Piensan: *Al fin me aman y de nuevo soy importante. Y mis hijos tendrán el beneficio de tener una familia con padre y madre. ¡Esto será maravilloso!* Pero finalmente las realidades del viaje de una familia reconstituida tropezarán con las fantasías poco realistas y comenzarán las desilusiones.

A la mayoría de los adultos les parece que volverse a casar será la segunda (o tercera) oportunidad de su vida. La vida no resultó ser lo que ellos planeaban, y el viaje fue doloroso. Sin embargo, ahora las cosas son más prometedoras, se enamoraron de nuevo y volvió el sueño de tener una familia normal. Comenzó un nuevo viaje de esperanza. Pero casi siempre el viaje da algunas vueltas inesperadas. Por ejemplo, la dedicación de su cónyuge a sus hijos antes de la boda era noble, pero ahora parece ser un desafío al matrimonio; un adolescente que vivía en otro lado decide venir a vivir con ustedes; los estilos de crianzas de los hijos difieren más de lo esperado, y con frecuencia surge el conflicto. El viaje está lleno de incertidumbres y los padres se dan cuenta de que la mayor parte del tiempo se sienten perdidos. Continúa la diaria rutina que es agotadora, y el progreso es lento. La vida parece girar en círculos. Es fácil perderse en el desierto.

NO MIRE AHORA, ¡NOS ESTÁN PERSIGUIENDO!

Al igual que los israelitas que muy pronto se vieron atrapados entre el mar Rojo y el ejército del faraón, también las familias reconstituidas muy pronto, después que se casan, se encuentran atrapadas entre el futuro y el pasado. El dolor extenuante y las pérdidas de los días de esclavitud vienen detrás de ellos persiguiéndolos. El enojo, el resentimiento, el rechazo y la culpa absorben la energía de los tanques emocionales de las personas. Las numerosas pérdidas pasadas (especialmente para los niños) impiden la inversión emocional en la nueva familia reconstituida. El dolor del pasado realmente motiva un gran temor al futuro. Considere estas declaraciones de la familia Torres:

> JUDIT, LA MADRE BIOLÓGICA: *Temo que esto no funcionará y terminaremos divorciándonos. Y entonces habré fracasado tres veces. Temo que Francisco (su nuevo esposo) se desesperará con sus hijastros —mis hijos— y me deje, por no poder soportarlos más. Temo que mis hijos se vuelvan en mi contra por no querer a Francisco como padrastro. Esto será otro fracaso".*
>
> JUAN, EL HIJO MAYOR (DIECISIETE AÑOS): *"Temo acercarme a cualquier persona. No confío en nadie. No me sorprendería volver a sufrir todo lo que ya he pasado: que ellos se culpen*

constantemente uno al otro y que yo me vea atrapado en medio de todo esto. No permitiré que esto vuelva a suceder".

SUSANA, LA HIJA DE EN MEDIO (QUINCE AÑOS): *"No le temo a nada. Nada me da miedo. Quiero decir, si esto fracasa no sería la primera vez. Quizás me preocupe un poco a dónde iremos o algo parecido. Pero en cuanto a la separación, creo que dos veces te preparan para cuando vuelva a suceder en cualquier momento".*

RAFAEL, EL HIJO MENOR (CATORCE AÑOS): *"Algunas veces trato de acercarme, pero entonces aparece el temor y me escondo para no hacer cosas con Francisco y me mantengo más lejos de él de lo que debo... Quiero acercarme, pero no mucho, temo que algo pase en el futuro".*

FRANCISCO, EL PADRASTRO: [con relación a su matrimonio].*"Temo tener otra relación donde yo no sea nadie y no se considere mi opinión en cuanto a lo que esté pasando en la casa.* (Con relación a los hijastros) *Me temo que si las cosas no cambian de inmediato, los muchachos van a madurar y nunca tendremos una relación. Ellos sólo serán hijastros que vienen y visitan durante los días festivos. Yo no quiero que sea de esa manera".*

El dolor de las experiencias pasadas motiva los temores del futuro lo que, a su vez, los hace ser cautelosos y desconfiados en el presente. Si estos sufrimientos y pérdidas no se resuelven exitosamente para esta familia y para la tuya, el resultado será una pareja desilusionada e incapaz de acercarse uno al otro, sin considerar el satisfacer las necesidades emocionales de los hijos. Las emociones dolorosas del pasado deben resolverse para que usted y sus hijos puedan seguir adelante.

ENFRENTARSE A UN MAR DE OPOSICIÓN

Es difícil mirar el futuro cuando se avecina el temor de seguir perdiendo. Sin embargo, esto es sólo el comienzo. La mayoría de las familias con hijastros enfrenta un mar de oposición y desafíos. Los mares desconocidos comunes incluyen:

- lograr intimidad en la vida matrimonial después de haber sido herido;
- papeles y reglas para la crianza de los hijos y los hijastros;
- preguntas acerca de la integridad espiritual y la participación en la iglesia;
- cómo integrar, con el tiempo, a los miembros de una familia reconstituida;
- lidiar con el ex cónyuge y con la crianza de los hijos de ambos;
- ayudar emocional y espiritualmente a los hijos;
- lidiar con las presiones sexuales de la pareja;
- los asuntos de la administración del dinero y la autonomía financiera.

La vida de la familia reconstituida puede ser abrumadora y amedrentadora. No es nada raro que las personas se comiencen a preguntar, como lo hicieron los israelitas, si no sería mejor regresar a la esclavitud del divorcio o a la vida de padre o madre soltero(a). Desde luego, fue miserable y sin sentido de realización, pero por lo menos sabían lo que tenían. La rápida desilusión da lugar al descontento, la queja y el conflicto. Las emociones corren rápido y los problemas aumentan. El padrastro o la madrastra, que desde afuera ve y siente con más claridad la discordia en el hogar, con frecuencia es el primero en expresar la desilusión. Los padres biológicos, que todavía están ciegos con la neblina del nuevo amor, frecuentemente descartan las peticiones de cambiar. Lentamente pero con seguridad, esto da lugar al distanciamiento en la relación de la pareja en momentos en que no deben permitir que haya un quebrantamiento en la relación. La tentación de regresar a la esclavitud continúa: "¿Qué hice? Quizás debí haberme quedado soltero. Además, parece que el Dios a quien he orado durante tanto tiempo me abandonó (estoy seguro de que me lo merezco) y me condena a resolverlo solo". ¡Está equivocado! Aunque dudo que el Dios del universo le revele el camino con una columna de fuego, es seguro que le dará la fuerza y la dirección para realizar su viaje, aunque el camino parezca lúgubre.

Si hay un mensaje que las familias reconstituidas necesitan oír es este: *¡Existe una tierra prometida de intimidad matrimonial, relación* *interpersonal y redención espiritual! Dios no te abandonó, aunque vivas una vida de pecado y vergüenza, aunque dudes de la presencia de Dios en tu vida. Si tú escuchas, confías y continúas caminando por fe, escucharás a Dios confirmando tu viaje, dándote dirección, sanándote y proveyéndote un camino en tierra seca. Pero debes confiar en él.* No sea como la mayoría de las parejas que se vuelven a casar para terminar su viaje divorciándose durante los primeros tres años. Se dan por vencidas incluso antes de cruzar el mar Rojo. Dios le llama a persistir y ver a su familia llegando a la tierra prometida. Habrá una recompensa que ganar. Pero debe agarrarse de la mano de Dios y caminar a través del mar de las oposiciones.

¿ES DIFÍCIL EL VIAJE PARA TODAS LAS FAMILIAS RECONSTITUIDAS?

Hay muchas variedades de familias reconstituidas. Algunas tienen hijos de un sólo cónyuge y esto involucra sólo una casa, por ejemplo, si la muerte de uno termina la primera familia biológica. (Esto no implica que la muerte de un padre haga más fácil una familia reconstituida). Otras familias reconstituidas son mucho más complejas con hijos "suyos, míos y nuestros", dos o más ex cónyuges, y varios padrastros, madrastras y abuelos. Estos factores, además de los diferentes niveles de participación que los hijos tienen con los padres y padrastros, hacen difícil predecir lo mucho que luchará una familia. He trabajado con adultos de familias reconstituidas que tuvieron terribles experiencias en la primera familia y encuentran fácil la vida de la familia reconstituida. Otros creen que tendrán una transición fácil porque tienen una relación amigable con sus ex cónyuges, y los hijos parecen (antes de volverse a casar) sentirse a gusto con su futuro padrastro o madrastra. Sin embargo, después descubren muchas complicaciones que desafían la fortaleza del matrimonio y la fe en Dios.

No todas las familias reconstituidas tienen un viaje difícil, pero la mayoría experimentará desafíos inesperados. Algunas enfrentarán muchas y grandes barreras. Es importante recordar que la cantidad de barreras que enfrente no le dirán si debió casarse o no. Una vez que diga: "Sí, lo acepto", es irrelevante su sabiduría original, o la falta después, en la creación de esta familia. Al enfrentar la oposición muchas personas se convencen de que casarse no fue una buena idea. Entonces comienzan a buscar la manera de escapar.

Cuando la vida de la familia reconstituida se hace difícil, permanecer dedicado a su compromiso es una decisión diaria. Una vez un hombre viajó seis horas para hablar conmigo acerca de sus hijastros y su matrimonio. Él esperaba que una vez que yo lo escuchara describir el mar de oposición con el cual se enfrentaba, le daría "permiso" para dejar el matrimonio. No lo hice (y él se molestó terriblemente). Lo que hice fue estar de acuerdo con él en que el matrimonio, en esa condición, no era algo que se debía mantener, ni se honraba a Dios manteniendo una relación de ira y resentimiento. Le sugerí que con ayuda adecuada podría elegir luchar por su matrimonio y mantener la disposición de ver cómo el Dios de lo imposible intervenía en su favor. También le dije que evitar el divorcio tolerando un matrimonio miserable, no honra a Dios. El compromiso requiere que juntos luchen por una mejor vida, aunque no sientan el deseo de hacer su mejor esfuerzo para mejorar o aunque se hayan convencido de que nunca debieron haberse casado…

ASÍ QUE ESTÁ CONSIDERANDO VOLVERSE A CASAR…

Me alegra mucho que ustedes, que quizás estén comprometidos o considerando volverse a casar, estén leyendo este libro. No podría decirles cuántas parejas que asisten al seminario de *Building a Successful Stepfamily* (Cómo formar una familia sabiamente reconstituida) han dicho: "¿Por qué no nos dijeron estas cosas antes de casarnos? De haberlo sabido nos habríamos evitado muchos sufrimientos". Así que, sigan leyendo, teniendo en cuenta los siguientes propósitos:

- Usen este libro para informarse acerca de las posibles luchas que enfrentarán en el peregrinaje hacia su familia reconstituida.
- Prepárense, usted y su posible cónyuge, con estrategias prácticas para resolver los desafíos.
- Usen las historias y la información que lean aquí para ayudarles a tomar la decisión correcta acerca de si deben volverse a casar o no.

Volverse a casar y la vida de una familia reconstituida pueden resultar en muchas bendiciones, pero es probable que el peregrinaje no comience de esa manera. Tendrá que trabajar diligentemente para llegar a la tierra prometida. Con ese fin, ¿realmente ha considerado el precio? ¿Sabe cuál será el precio? Este libro le ayudará a identificarlo. Además, le recomiendo que busque a un grupo de familias reconstituidas o una familia reconstituida de su congregación y les haga algunas preguntas.

- ¿Qué les gustaría haber sabido antes de volverse a casar?
- ¿Cuáles son los tres desafíos principales?
- ¿Cómo podrían haberse preparado mejor para la vida de familia reconstituida?
- ¿Qué emociones dolorosas del pasado no resolvieron lo suficientemente bien antes de volverse a casar?
- ¿Dónde están en su peregrinaje y qué les queda por delante?
- ¿Qué bendiciones han experimentado y a qué precio?

La atracción de casarse es tremenda. Usted piensa: *Por fin, alguien me cuidará. Me siento tan bien cuando estoy con él/ella*. Pero la vida de una familia reconstituida es mucho más que sólo el matrimonio. El plan de Dios de que dos personas solteras dejen sus familias de origen y se adhieran sólidamente uno al otro no ocurre en la familia reconstituida. El matrimonio comienza con hijos que impactan dramáticamente el matrimonio. Las familias biológicas, cuando experimentan traumas, sobreviven debido a la fuerza de la relación matrimonial porque esta precede a los hijos y se espera que haya seguido fuerte durante la llegada de los hijos. En las familias reconstituidas el vínculo entre padre e hijo precede a la relación de la pareja haciendo que, a menudo, el matrimonio sea la relación más débil en el hogar. Y es difícil fortalecer el matrimonio cuando los asuntos relacionados con la crianza de los hijos constantemente toman prioridad sobre la intimidad matrimonial.

Estar enamorado de alguien que "me hace sentir bien otra vez" es sólo el comienzo de lo que se necesita para sobrevivir. Así que, hágase un favor a sí mismo y a sus hijos adquiriendo toda la información posible y considerando el costo antes de decidir volverse a casar.

Salga con la persona por lo menos durante dos años, a fin de tener suficiente tiempo para conocer y comprender a la persona con quien intenta casarse, y a sus hijos también. Son muchas las parejas que salen mientras los hijos se quedan al cuidado de otra persona, y fácilmente el compañero o la compañera llegan a apartarse de la realidad de la vida, o sea, de la experiencia diaria con los futuros hijastros. Es necesario saber qué es lo que le espera en todos los aspectos. Si se vuelve a casar, después de mucha oración y un período razonable de noviazgo, ponga todo lo que esté de su parte y confíe en que Dios lo guiará en todo el proceso.

EL DIOS QUE SANA

Poco después de que Moisés y los israelitas se liberaron del ejército de faraón, los israelitas viajaron a través del desierto Shur. Viajaron durante tres días y la única agua que encontraron era amarga y no servía para tomarse. De nuevo el pueblo se quejó y de nuevo Dios proveyó para su pueblo. Dios hizo que Moisés echara un árbol en las aguas amargas y estas se volvieron dulces. Con relación al milagro, Dios se refirió a sí mismo como Jehová Rafa, "El SEÑOR tu sanador" (Éxodo 15:26). Al hacer esto, Dios declara una promesa. Si el pueblo escuchara su voz e hiciera lo que es correcto delante de sus ojos, él sanará; él hará que las aguas amargas de sus vidas se vuelvan a endulzar. Esa misma promesa está disponible para las familias reconstituidas. Yo creo que nuestro Dios sólo está esperando la oportunidad de sanar sus sufrimientos pasados y aliviar todas sus luchas. Pero eso no es todo lo que ofrece. A aquellos que son fieles, él les proveerá fortaleza para mantener los compromisos de su familia reconstituida y proveerá sabiduría para sobreponerse a los obstáculos que puedan surgir. Él quiere que usted tenga éxito. Pero usted no puede confiar en sí mismo, dependa de Dios y él despejará su camino.

COMIDA PARA EL PEREGRINAJE

El agua no fue lo único que Dios les ofreció a los israelitas. También les dio maná y codornices que llovían sobre el pueblo. De la misma manera, yo sugiero dos clases de comida que le serán útiles para alimentarle en el viaje: información práctica y apoyo de sus compañeros de viaje. Este libro proveerá una información práctica para la familia con hijastros. Después de señalar algunos obstáculos para el peregrinaje de la familia reconstituida, expondré los desafíos comunes que se le presentan a la familia cristiana con hijastros y proveeré dirección práctica.

Pero no se detenga aquí. Le recomiendo encarecidamente que busque a otra pareja o grupo de parejas con quienes reunirse regularmente. Durante muchos años yo he estado involucrado con grupos de apoyo y terapia, y los grupos de familias reconstituidas se encuentran entre los más dinámicos que he conocido. Las historias comunes que se exponen, y las presiones y las crisis que experimentan juntos crean una unión increíble entre los miembros del grupo. Es por eso que al final de cada capítulo encontrará una guía de estudio para el uso del grupo. Un formato que se recomienda para el grupo es leer cada capítulo y luego reunirse para comentar las preguntas. Esto ayuda a procesar la información, asimilarla y aplicarla a su hogar. Después de terminar con este libro, lea otro y continúe el proceso. Entonces, una vez que su familia alcance las aguas tranquilas, invite a otras parejas para que se unan a ustedes. Usted, o la otra pareja, pueden "dirigir" el grupo, pero el formato seguirá siendo el de un grupo de intercambio de ideas y de responsabilidades compartidas. Si tiene un ministro o educador de familias reconstituidas que ayude a apoyar al grupo, pídale que se una al grupo. Se impactarán las vidas, incluyendo la suya.

¿VALE LA PENA?

Timoteo se volvió a casar, pero después de tres años comenzó a comprender cuán difícil sería el peregrinaje. La experiencia de su vida le enseñó que el viaje de la familia reconstituida puede ser difícil, y ahora me oyó confirmarlo en un seminario. Durante uno de los recesos este hombre de treinta y ocho años me hizo una pregunta honesta: "No estoy seguro de que todo este trabajo valga la pena. Quiero decir que estoy comenzando a pensar que el pago no vale todo este trabajo tan difícil. Creo que estoy casado con mi esposa, pero ella todavía está casada con sus hijos. Eso dificulta que yo haga el esfuerzo de quererlos y aceptarlos. Si uno no sabe qué tendrá en unos años ¿vale la pena el esfuerzo?".

Él habló por muchas personas que en silencio se preguntan si se dirigen a un callejón sin salida. Mi respuesta a esa duda es: no es un callejón sin salida. Esforzarse vale la pena. Los israelitas descubrieron que la tierra prometida era todo lo que ellos habían soñado. No todas las familias con hijastros tienen todo lo que esperaban pero, con trabajo arduo y entrega, vale la pena luchar por las recompensas.

RECOMPENSAS DE LA TIERRA PROMETIDA

"El cambio de una familia sola y divorciada a una familia con hijastros ha sido muy desafiante; no espere un milagro de la noche a la mañana. Dios es siempre fiel en cada situación y, con él como la parte central de todas sus decisiones, podrá lograrlo. Es un proceso de día a día y las cosas sólo mejorarán cuando deposite su fe y su confianza en Dios. Tener una familia con hijastros tiene sus recompensas y vale la pena trabajar en esto". Teresa, luego de reflexionar en el peregrinaje de su familia a través del desierto, contribuyó recientemente con estos pensamientos a mi sitio Web (*www.SuccessfulStepfamilies.com*) y ella dio en el blanco.

En el corazón del peregrinaje de la familia reconstituida se encuentra la búsqueda de la identidad de la familia. Saber cómo relacionarse unos con otros, qué esperar de sí mismo y de los roles de los demás integrantes de la familia —incluso cómo presentarse cada uno en público— son las preguntas básicas que las familias reconstituidas se hacen repetidamente a través de su peregrinaje. Y, a pesar de lo estresante que es la formación de la identidad de la familia, hay algunas recompensas a través del camino que incluyen:

- Relaciones matrimoniales de alta calidad
- Una nueva herencia matrimonial para celebrar
- Una familia saludable significa hijos más saludables
- La cooperación entre los hogares da por resultado hijos bien disciplinados
- El respeto y cuidado entre los padrastros e hijastros

- Las bendiciones multigeneracionales de las familias reconstituidas en la segunda mitad de la vida
- Experimentar el amor, experimentar la gracia de Dios

Relaciones matrimoniales de alta calidad

En las familias reconstituidas hay una luna de miel para las parejas, sólo que esta viene al final del viaje y no al comienzo. Las investigaciones continuas entre parejas de familias reconstituidas que dirigimos el doctor David Olson, presidente de *Life Innovations* (Innovaciones de la vida) e internacionalmente reconocido investigador de matrimonio y familia, y un servidor, confirman que las parejas con familias reconstituidas pueden crear relaciones de alta calidad en el matrimonio. En un libro que estamos escribiendo acerca de nuestros descubrimientos, detallamos la calidad del éxito en los matrimonios reconstituidos y revelamos cómo las parejas pueden profundizar su intimidad. En resumen, como en todos los matrimonios, ya sea el primero o el quinto, las cualidades —como ser una comunicación eficiente, la habilidad de resolver bien el conflicto, un estilo relacional que es flexible y adaptable, el disfrutar actividades de recreación juntos y la espiritualidad de la pareja— prueban ser muy predecibles en cuanto a una relación marital de alta calidad.

En otras palabras, las parejas pueden crear matrimonios que sean satisfactorios, íntimos y que honren a Dios a través de las familias reconstituidas. Indudablemente, hay cantidad de barreras únicas que se deben superar (ver el capítulo 5), pero volverse a casar puede ser relacionalmente saludable. Además, he observado que las parejas que sobrellevan la adversidad del peregrinaje, con frecuencia tienen una unión que es suficientemente poderosa para resistir cualquier cosa. Hay fortaleza y un sentido de victoria después de sobrevivir lo que para algunos es un viaje difícil.

Y, ¿cuánto tiempo les lleva a las parejas aumentar su satisfacción? E. Mavis Hetherington informa, en su excelente libro científico *For Better or For Worse: Divorce Reconsidered*[1]. (Para bien o para mal: El divorcio reconsiderado), que a la mayoría de las parejas les lleva de cinco a siete años pasar las tensiones de la vida de la familia reconstituida, de manera tal que el nivel de su estrés decline e iguale al del primer matrimonio del esposo y la esposa. Además, sobrevivir los primeros años tumultuosos parece que les da a las parejas una resistencia que los mantiene juntos y creciendo.

La satisfacción matrimonial es un proceso. ¡No se dé por vencido!

Una nueva herencia matrimonial para celebrar

Un segundo matrimonio fuerte es crítico para el desarrollo relacional de los hijos. Los hijos de las familias reconstituidas, especialmente los que vivieron el divorcio de los padres, necesitan ver y aprender lo que es una relación matrimonial saludable. Esto contrarresta los patrones negativos y destructivos de la interacción que ellos presenciaron en el matrimonio previo de sus padres (y desde el divorcio). En lugar de discusiones a grito limpio y agendas personales, ellos ven a dos personas que mantienen una actitud que hace que todos sean ganadores negociando la mejor solución para su familia. En lugar de una relación distante entre dos personas que viven vidas paralelas, ellos ven a dos personas que le dan tiempo y atención a su relación. En lugar de una relación desequilibrada, donde un cónyuge está constantemente persiguiendo al otro que cada vez está más lejos y nunca disponible, los hijos ven a un esposo y a una esposa que continuamente buscan sacrificarse mutuamente por amor. Por otra parte, si los hijos presencian separaciones repetidas del matrimonio, por consecuencia esto debilitará en los hijos el sentido de la permanencia del matrimonio y aumentará la falta de confianza en las personas que ellos aman[2].

Vale la pena mencionar que muchos hijos no reciben con agrado el que sus padres se vuelvan a casar, especialmente al comienzo. Tal vez hasta luchen en contra del esfuerzo del padrastro o la madrastra por unirse a la familia y sean antagonistas. Eso es normal mientras los hijos mantengan el sueño de que sus padres biológicos se casen de nuevo. A pesar de la resistencia de los hijos, una fuerte pareja de familia reconstituida con el tiempo tendrá beneficios positivos para esos hijos. La clave es recordar que durante los primeros años de integración los hijos pueden resentir la presencia del padrastro o de la madrastra en el hogar. Mantener una perspectiva a largo plazo y vivir como una familia saludable es precisamente lo que desean los hijos.

Algún día ellos llegarán a apreciar y hasta celebrarán su compromiso matrimonial.

Hace algún tiempo una mujer me envió una tarjeta de aniversario que ella recibió de su hijastra. Débora guardó la tarjeta por lo mucho que significaba para ella. Le hizo entender cuánto su hijastra había observado y aprendido de su matrimonio. Casi una década después de volverse a casar, Débora recibió una tarjeta que decía: "Me alegra ver que ustedes dos no han perdido el encanto. ¡Feliz aniversario, mamá y papá!". La nota escrita a mano en la tarjeta fue todavía más alentadora: "¡Feliz aniversario! Sólo quiero agradecerles el ejemplo cristiano tan maravilloso de lo que debe ser un matrimonio. Es divertido ver la manera en que ustedes resuelven los conflictos con humor. Cuando llegue el momento en que el Señor me bendiga con un compañero, ¡espero ser tan dichosa como ustedes dos lo son! Los amo, Kara".

Bueno, eso es lo que yo llamo ¡una recompensa de la tierra prometida!

Una familia saludable significa hijos más saludables

En 1998 James Bray publicó una investigación que culminó los primeros diez años de estudio longitudinal de las familias reconstituidas en América. Su investigación reveló que una amorosa familia reconstituida y que funciona bien, con el tiempo puede cancelar muchos de los impactos perjudiciales sicológicos del divorcio en los hijos. Aunque no se pueden revertir todos los efectos negativos, ciertamente es un mensaje de esperanza para los padres y los hijos. Al parecer, con el tiempo las familias sabiamente reconstituidas pueden tener algunos beneficios que contrarrestan lo negativo del divorcio.

Además, Bray dice que "la familia con hijastros que es fuerte y estable es tan capaz de nutrir un desarrollo saludable como una familia nuclear. Puede fomentar valores, afirmar límites y proveer una estructura en la que se establezcan, transmitan, prueben, se rebelen en contra y, por último, se afirmen reglas para vivir una vida moral y productiva"[3]. Aquí la clave es una "familia reconstituida fuerte y estable". Esto no se crea de la noche a la mañana, pero afirma que la dedicación a la integración de una familia reconstituida y saludable tiene recompensas importantes para los hijos. Si esa no es una razón para perseverar en el peregrinaje a la tierra prometida, entonces no sé que es.

La cooperación entre los hogares da por resultado hijos bien disciplinados

Los hijos que crecen en un hogar estable de una familia reconstituida se benefician tremendamente. Cuando los padres biológicos cooperan, los beneficios son incluso más profundos. Si aumenta la cooperación entre los padres, el resultado que se obtiene es el aumento de una conducta disciplinada en los hijos y un respeto mucho mayor por los límites. No sucede con frecuencia, pero algunos padres, como Jasón y Lety, aprendieron a no permitir que sus diferencias matrimoniales y los conflictos del pasado les impidieran velar por sus hijos. Cuando Samuel, de nueve años y Guillermo de seis años, reconocieron que no podían manipular a un padre en contra del otro, su mala conducta en la escuela disminuyó considerablemente. Obtener este nivel de cooperación no es fácil para la mayoría, pero vale la pena esforzarse luego de ver la recompensa en los hijos bien disciplinados.

El respeto y cuidado entre los padrastros y los hijastros

Conocí a Julia en una conferencia de familias reconstituidas. Ella me contó su peregrinaje de aceptación de parte de sus hijastros. Como veremos en el capítulo 7, el hijo es quien determina el paso de la relación entre padrastros e hijastros. Usted no puede forzar a los niños a aceptar y amar a un padrastro o a una madrastra. Al principio de su matrimonio con Juan, que tenía tres hijos, Julia, llena de expectativas y esperanzas, pensó que los hijos la abrazarían y la besarían todas las noches como lo hacían con su padre. Los hijos y el padre tenían una relación cariñosa y Julia, como es de suponer, quería ser bienvenida en su ritual nocturno de abrazos y besos antes de acostarse. Sin embargo, durante muchos años todo lo que los hijos de Juan le ofrecían era un "Buenas noches, Julia" de cumplido antes de acostarse. Justo unos días antes de asistir a mi conferencia, eso cambió. Julia informó que, por primera vez en cuatro años, su hijastro mayor la bendijo, sin una razón aparente, con un abrazo antes de acostarse. “No fue un abrazo completo como el que le daba a su padre”, dijo ella, “pero ¡qué bueno fue!”.

Con el tiempo, los padrastros y los hijastros pueden desarrollar una estrecha unión uno con el otro. El paso del desarrollo de esta relación varía (ver el capítulo 7), y algunos nunca serán más que amigos respetuosos (especialmente si los hijos son adultos cuando la pareja se vuelve a casar). Pero para la mayoría, un sentido básico de respeto y cuidado mutuo se obtiene genuinamente. Si todavía usted no ha llegado allí, no se dé por vencido. El peregrinaje no ha terminado todavía.

Las bendiciones multigeneracionales de las familias reconstituidas en la segunda mitad de la vida

Muchas parejas se casan tarde en la vida creyendo equivocadamente que, debido a que sus hijos son adultos, la transición a una familia reconstituida estable e intergeneracional será más fácil. Pero la mayoría del tiempo es cualquier cosa menos fácil. Al igual que con las familias reconstituidas jóvenes, volverse a casar en la segunda mitad de la vida[4] conlleva muchas transiciones emocionales para los hijastros adultos. Los temores iniciales de que los nietos no serán una prioridad, los sentimientos de abandono, el sufrimiento renovado acerca de un cambio del legado de la familia y la preocupación de las herencias y las finanzas de la familia, finalmente darán cabida a los sentimientos de la unión, conexión y bendición multigeneracional cuando los abuelastros también comiencen a consentir a los nietos. Experimentar estas recompensas en la familia intergeneracional es también un peregrinaje. Pero vale la pena.

Experimentar el amor, experimentar la gracia de Dios

Aprender a amar de nuevo, después de resultar herido, es un intento aterrador y arriesgado, muy arriesgado. Extender gracia es parte de ese riesgo. Sin esta no podemos dar ni recibir amor. Dios nos lo enseñó. Romanos 8:12-24 nos recuerda que Dios, mediante el sacrificio de Cristo, adoptó a los creyentes como hijos. A pesar de nuestra pecaminosidad, su gracia quita el espíritu de cobardía y lo reemplaza con el espíritu de esperanza. Él eligió amarnos; eligió extendernos su gracia. Al hacerlo, hizo posible que nosotros experimentáramos amor y gracia en maneras sumamente profundas.

He visto este proceso reproducirse muchas veces en las familias reconstituidas. Padrastros que extienden a los ex cónyuges la gracia que Dios les dio y deciden amar a los hijastros que son fríos en su presencia, traen cambios profundos en esas relaciones. El cariño de sus corazones finalmente suaviza el enojo del otro. He observado a hijos que una vez se sintieron vacíos por causa del abandono de sus madres o padres comenzar a florecer gracias al cuidado amoroso de un padrastro o una madrastra. Me ha inspirado ver a una madre que no tiene la tutela y, sin embargo, habla bien de la madrastra de sus hijos e insiste en que la respeten. A pesar del temor personal y el riesgo, las personas en las familias reconstituidas que eligen amar y tener gracia gentilmente invitan a otros a responder de la misma forma. Sí, cuando se comparte la gracia, suceden cosas maravillosas. Las personas reciben bendiciones y recompensas. Y se trae a Dios un poco más cerca de todos nosotros.

RECONOCER LO QUE DIOS HA HECHO

Los israelitas experimentaron muchos períodos de dudas; quizás usted también. Pero indudablemente, cuando ellos se detuvieron para mirar atrás vieron la mano de Dios y las veces en que él actuó a su favor. Tal vez usted no haya mirado hacia atrás recientemente. Quizás las barreras que se interponen frente a usted ahora están alimentando su duda y pesimismo. Deténgase durante unos momentos. ¿Qué ha hecho Dios para ayudarle en su viaje? ¿De qué maneras su Palabra le ha provisto ideas para tomar decisiones y alentarle a tener paciencia? ¿Cómo el hecho de confiar en sus verdades acerca de la fidelidad matrimonial, bondad hacia sus enemigos (quizás su ex cónyuge o hijastro) y tener un corazón de siervo le ha ayudado a usted y a su familia a superar los obstáculos del camino?

¿Existe una tierra prometida para las familias reconstituidas que no se dan por vencidas, que siguen fielmente al Señor y que aprenden todo lo que pueden acerca de cómo avanzar en el viaje? Absolutamente. ¡Y muy bien vale la pena!

Preguntas para discusión en el grupo de apoyo

Conteste solo las siguientes preguntas antes de comentarlas con su cónyuge. Algunas de las preguntas también son apropiadas para los hijos. Antes de hablar con sus hijos o hijastros, considere sus edades y su relación general con ellos. Además de comentar estas preguntas con su cónyuge (o novio/a) e hijos, comente sus respuestas con el grupo de apoyo.

PARA TODAS LAS PAREJAS

1. ¿Qué aspectos de su pasado esperan que se "curen" al volverse a casar?
2. ¿Cuáles de las siguientes emociones sintieron en el pasado? ¿Cuál les persigue todavía de vez en cuando? Enojo. Amargura. Depresión. Tristeza. Anhelo. Sufrimiento. Resentimiento. Culpa. Temor. Dolor. Rechazo.
3. ¿De qué maneras experimentaron desilusión y en qué momento se dieron cuenta de que las cosas no estaban funcionando como esperaban? ¿Cómo ajustaron sus expectativas?
4. ¿De qué maneras el volverse a casar fue otra pérdida para sus hijos? ¿Cómo pueden ser sensibles a la pérdida sin estar atormentados por la culpa (o manipulados fácilmente por su sentimiento de culpa)?
5. Vuelvan a ver la lista de los mares desconocidos en la página 20. ¿Cuáles representan aspectos de crecimiento para ustedes o su familia reconstituida? En estos momentos, ¿qué aspectos consideran que son la prioridad de crecimiento?
6. ¿De qué maneras ustedes o los miembros de su familia reconstituida experimentan la dirección de Dios o su mano sanadora? Cerciórense de decirle a su familia reconstituida cómo ven a Dios obrando en su vida.
7. ¿Qué pasajes de la Biblia les ayudaron e inspiraron recientemente? Si últimamente no han estado leyendo mucho la Biblia, ¿cómo pueden comenzar a hacerlo de nuevo?
8. Hable con su cónyuge acerca de alguna ocasión en que no estuvo seguro de si el esfuerzo valía la pena. Si esa ocasión es

ahora, ¿qué ayuda necesita para perseverar? Si confía que Dios le ayude a pasar esta experiencia, ¿qué hará diferente para lograrlo?

9. ¿Cuál de las recompensas de la tierra prometida (si hay alguna) ya experimentó hasta cierto grado?

UN CASO DE ESTUDIO ACERCA DE LOS TEMORES DE LA FAMILIA RECONSTITUIDA

Vuelva a leer los temores de la familia Torres en las páginas 18 y 19, y luego conteste las siguientes preguntas. Recuerde que cuando se deja que los temores gobiernen su conducta, usted se encontrará limitado en cuanto a la gama de respuestas. Una familia reconstituida e integrada no puede permitir que el temor la controle.

1. ¿Con cuáles temores del padre biológico y/o padrastro se puede relacionar y por qué?
2. ¿Qué está haciendo para prevenir que esos temores se conviertan en realidad?
3. Piense en sus pérdidas previas y sus experiencias familiares dolorosas (ya sean de origen familiar o del primer matrimonio). ¿Cómo se relacionan los temores actuales con esas experiencias? ¿Cómo le han hecho sensible al grado de evitar más dolor en las relaciones actuales?
4. Si usted no estuviera herido por el pasado, ¿cómo sería diferente en el presente?
5. Considere los temores que mencionaron los hijos en este capítulo. ¿Cuáles pueden sentir sus hijos también?

PARA PAREJAS QUE ESTÁN CONSIDERANDO VOLVERSE A CASAR

1. ¿De qué maneras se sienten intimidados y asustados después de leer este capítulo?
2. ¿Qué desafíos, en los que antes no habían pensado, comienzan a ver?
3. Piensen en la pareja de una familia reconstituida que puedan

entrevistar. Hágales las preguntas que están a continuación. Si es posible, comiencen a asistir a un grupo de apoyo de familia reconstituida para ayudarles a tomar una decisión más informada acerca de volverse a casar.

- ¿Qué desearía haber sabido antes de volverse a casar?
- ¿Cuáles son sus tres desafíos más grandes?
- ¿Cómo se prepararía mejor para una vida de familia reconstituida?
- ¿Qué emociones dolorosas del pasado no resolvió antes de volverse a casar?
- ¿Qué tiempo lleva viajando en este peregrinaje?
- ¿Qué bendiciones experimentó y a qué precio?

CAPÍTULO DOS

Puentes clave

"Tratar de ser la madrastra del hijo de mi esposo ha sido una verdadera lucha. Con frecuencia chocamos y mi esposo no sabe cómo ayudarme. Por lo general él y yo comenzamos a discutir acerca de su hijo, pero muy pronto terminamos discutiendo el uno con el otro. Ya han pasado tres años y yo pensaba que a estas alturas las cosas mejorarían mucho, pero van de mal en peor".

Sin duda alguna, la madrastra está luchando. Yo recibo numerosas notas electrónicas como esas, y la mayoría viene de cristianos de buen corazón que están desalentados con su peregrinaje. La tierra prometida parece estar muy lejos cuando los problemas diarios consumen continuamente sus energías. La verdadera pregunta es esta: ¿puede perseverar mientras trata de comprender qué obstáculos se interponen en el camino y qué soluciones ayudarían a vencerlos? Recuerde: continúe caminando fielmente y confíe en que Dios le proveerá fortaleza y sabiduría cuando se lo pida (Santiago 1:5-8).

Dios nos llama a ser más semejantes a Cristo. Continuamente debemos buscar la manera de vivir como Cristo vivió y tener su actitud de sacrificio. Las cualidades de Jesús forman los puentes relacionales y espirituales sobre los cuales caminamos. Unos pocos puentes clave capacitarán a las familias reconstituidas para vencer los obstáculos y aprovechar las oportunidades que vienen a su paso. Esencialmente, los puentes son actitudes y perspectivas importantes que le capacitarán para perseverar en el desierto y cruzar el mar de las oposiciones. A medida que lea estas cualidades clave, evalúe cuáles ya puso en práctica y en qué aspectos su familia necesita mejorar.

La integridad espiritual y la semejanza a Cristo

Este puente va derecho al corazón de cualquier familia que tiene éxito. Todas las personas en su familia reconstituida deben situarse voluntariamente bajo el señorío de Cristo Jesús. Esto no es sólo una "buena idea" o una declaración externa de religiosidad. Es un compromiso personal, interno, de seguir a Cristo y de aceptar su gentil perdón del pecado que nos separa de Dios. Vivir en respuesta fiel a su gracia resonará en cada aspecto relacional de su familia reconstituida. Por ejemplo, sólo cuando comprendemos verdaderamente lo mucho que hemos sido perdonados podemos extender perdón a los que nos han herido profundamente. Además, así como Cristo fue crucificado por actuar con justicia hacia los que lo acusaron falsamente, los padrastros que buscan imitar a Cristo, por ejemplo, pueden encontrar maneras de levantarse por encima de las estratagemas manipuladoras de sus hijastros. La integridad espiritual de Cristo, es decir, hacer lo que era correcto a pesar de las actitudes negativas de los que lo rodeaban, se convierte en un modelo necesario acerca de cómo debemos tratarnos unos a otros. Cuando la integridad de Cristo se convierte en la suya, comienza una transformación en su casa que cambiará lo que parece ser incambiable.

La integridad espiritual también comunica quién está a cargo de la familia reconstituida. Cuando las normas de Dios para una vida santa se convierten en la luz que guía a la familia a tomar decisiones, los esposos y las esposas no tienen que luchar más el uno contra el otro para obtener el poder y el control. Están unidos en su esfuerzo de honrar a Cristo. Pero, ¡ay; cómo nos impide nuestro orgullo seguir su dirección! Me contaron que la siguiente conversación por radio se llevó a cabo cerca de la costa de Newfoundland.

Canadienses: Por favor, desvíe su curso quince grados hacia el sur para evitar un choque.

Estadounidenses: Recomendamos que usted desvíe su curso quince grados al norte para evitar un choque.

Canadienses: Negativo. Usted tendrá que desviar su curso quince grados hacia el sur para evitar un choque.

Estadounidenses: Le habla el capitán de un barco de la Marina de los Estados Unidos. Repito, usted desvíe su curso.

Canadienses: No. Le repito. Usted desvíe su curso.

Estadounidenses: ESTE ES EL PORTAVIONES "USS LINCOLN", EL SEGUNDO MÁS GRANDE DE LA FLOTILLA ESTADOUNIDENSE DEL ATLÁNTICO. Estamos acompañados de tres destructores, tres cruceros y numerosas naves de apoyo. Exijo que usted cambie su curso quince grados al norte. Le digo de nuevo, esto es uno-cinco grados al norte, o se llevarán a cabo las contramedidas para asegurar la seguridad de esta nave.

Canadienses: Este es el faro. Usted decide.

¿No tratamos algunas veces de decirle a Jesús —nuestro faro— cuál es la manera correcta? Argumentamos con él acerca de cuál es la mejor manera a seguir cuando somos nosotros los que necesitamos seguir sus direcciones porque él no nos dirigirá incorrectamente. Pero finalmente es nuestra decisión, sea que decidamos rendirnos a su señorío o que escojamos nuestras propias medidas que sirven sólo para inflar nuestro ego.

Ser semejantes a Cristo demanda un compromiso para vivir una vida santa. Cuando los integrantes de una familia reconstituida hacen esta declaración y viven de acuerdo a la misma, se ajustan para alcanzar el éxito. Las personas no están llenas de drogas o alcohol, sino del Espíritu del Dios vivo. Los padres trabajan para evitar que sus mentes se consuman con las posesiones materiales y, en su lugar, llenan sus pensamientos con las cosas de arriba (Colosenses 3:1-14). Los límites sexuales se mantienen para protegerse de la infidelidad, la pornografía y el incesto en la familia reconstituida. Los hombres se desafían ellos mismos para ser los líderes siervos de sus hogares (Efesios 5:25) y al hacerlo, fijan una norma de sacrificio para los demás. Las personas continúan estudiando las Escrituras para mantenerse al paso con el Espíritu (Gálatas 5:25). Por supuesto, hay miles de textos bíblicos que hablan de las relaciones y enfocan una vida piadosa. Miremos el ejemplo de algunos. Lea lo siguiente y aplíquelo especialmente a las relaciones dentro de su familia con hijastros. Pregúntese cómo puede vivir y/o relacionarse con su cónyuge, ex cónyuge, hijos e hijastros.

> Por lo tanto, haced morir lo terrenal en vuestros miembros: fornicación, impureza, bajas pasiones, malos deseos y la avaricia, que es idolatría. A causa de estas cosas viene la ira de Dios sobre los rebeldes. En ellas anduvisteis también vosotros en otro tiempo cuando vivíais entre ellos. Pero ahora, dejad también vosotros todas estas cosas: ira, enojo, malicia, blasfemia y palabras groseras de vuestra boca. No mintáis los unos a los otros; porque os habéis despojado del viejo hombre con sus prácticas, y os habéis vestido del nuevo, el cual se renueva para un pleno conocimiento, conforme a la imagen de aquel que lo creó (Colosenses 3:5-10).

> Por tanto, como escogidos de Dios, santos y amados, vestíos de profunda compasión, de benignidad, de humildad, de mansedumbre y de paciencia, soportándoos los unos a los otros, cuando alguien tenga queja del otro. De la manera que el Señor os perdonó, así también hacedlo vosotros. Pero sobre todas estas cosas, vestíos de amor, que es el vínculo perfecto (Colosenses 3:12-14).

> El amor tiene paciencia y es bondadoso. El amor no es celoso. El amor no es ostentoso, ni se hace arrogante. No es indecoroso, ni busca lo suyo propio. No se irrita, ni lleva cuentas del mal. No se goza de la injusticia, sino que se regocija con la verdad. Todo lo sufre, todo lo cree, todo lo espera, todo lo soporta. El amor nunca deja de ser (1 Corintios 13:4-8a).

> En cuanto a lo demás, hermanos, todo lo que es ver-

> dadero, todo lo honorable, todo lo justo, todo lo puro, todo lo amable, todo lo que es de buen nombre; si hay virtud alguna, si hay algo que merece alabanza, en esto pensad. Lo que aprendisteis, recibisteis, oísteis y visteis en mí, esto haced; y el Dios de paz estará con vosotros (Filipenses 4:8, 9).

> Pero el fruto del Espíritu es: amor, gozo, paz, paciencia, benignidad, bondad, fe, mansedumbre y dominio propio (Gálatas 5:22, 23a).

> Ninguna palabra obscena salga de vuestra boca, sino la que sea buena para edificación según sea necesaria, para que imparta gracia a los que oyen (Efesios 4:29).

La aplicación de estos versículos puede ser de gran importancia para su familia. Por ejemplo, es posible que considere mucho más difícil discutir con su ex cónyuge si "no mantiene un registro de las injusticias". La compasión le puede ayudar a ser sensible con su cónyuge que se siente atrapado entre el amor por usted y el amor por sus hijos. La delicadeza con un hijastro que ha indicado claramente que no le quiere a su alrededor no es fácil, pero finalmente ayudará a abrir la puerta del corazón de su hijastro. Encontrar y enfocarse en lo que es "digno de elogiar", en vez de restregar las ofensas, ayuda a crear energía para resolver el problema y da esperanza para el futuro. Y, por último, es un don no dejar que sus hijos escuchen "palabras desagradables" acerca de la otra casa; así como también es un don el "fortalecer" a los padrastros de sus hijos (especialmente el padrastro de la otra casa).

Los comentarios negativos acerca del padrastro de sus hijos (el nuevo cónyuge del ex cónyuge) generalmente son un intento de mantener la lealtad de los hijos. Los padres no se dan cuenta de que ellos ya tienen la lealtad de sus hijos; un padrastro nunca puede reemplazar al padre biológico en el corazón del hijo. Los comentarios negativos son sencillamente innecesarios. Si tiene éxito en hacer que sus hijos se nieguen a cooperar y sean irrespetuosos hacia el padrastro, se creará un estrés en la otra casa que luego los niños traerán de vuelta a su casa. En otras palabras, las conversaciones desagradables acerca de la otra casa son una forma efectiva del autosabotaje. Todos debemos recordar que la forma de obrar de Dios es la mejor. Podemos discutir sus instrucciones o cumplir con las indicaciones del faro. ¿Qué está haciendo usted?

Escuchar

El segundo puente involucra una de las habilidades más difíciles en las relaciones: escuchar. Si los miembros de la familia reconstituida no están dispuestos a escucharse unos a otros, no pueden saber cómo amarse y honrarse mutuamente. Escuchar es un proceso mediante el cual las personas dejan sus propias agendas el tiempo suficiente como para sincronizarse con alguien más. Esto permite ver otra perspectiva y ganar la comprensión acerca de los sentimientos, deseos y metas de los miembros de la familia. En contraste, no estar dispuesto a escuchar y valorar la perspectiva de otros da como resultado sentimientos de anulación e insignificancia.

Los extraños en las familias reconstituidas son aquellas personas que no están relacionadas biológicamente con los otros miembros de la familia reconstituida. Con frecuencia se sienten marginados y sin poder participar en las discusiones y la toma de decisiones porque, como se les dice, "usted no comprende" lo que hay detrás de determinado problema o circunstancia. Tal invalidación trae resentimiento y sentimiento de rechazo. Aunque las opiniones diferirán, todos los miembros de la familia reconstituida necesitan que se les escuche.

Cuando surge un conflicto, la amonestación bíblica "sea pronto para oír, lento para hablar y lento para la ira" (Santiago 1:19) es de un valor tremendo. Durante el conflicto, la mayoría de las personas está tan deseosa de ser escuchada, que habla más fuerte que los demás, o está preparando su próximo comentario cuando debiera estar escuchando. Proverbios 18:13 nos recuerda que "al que responde antes de oír, le es insensatez y deshonra". Hay que tener una gran disciplina, pero las personas que pueden aplicar el principio de *escuchar primero para comprender a otros antes de tratar de ser comprendido* descubrirán que sus conflictos se reducen y son más productivos.

Comprensión

Escuchar es la habilidad que hace posible comprender. Es posible que sea difícil comprender bien la perspectiva de alguien, pero pararse en los zapatos de otros para ver el mundo desde el punto de vista de esa persona es un primer paso positivo. Cada persona en la familia reconstituida ha tenido un viaje diferente. Por ejemplo, los hijos biológicos y los hijastros experimentan de manera muy diferente su familia reconstituida. En esta familia la experiencia de los padres biológicos es diferente a la que tienen los padrastros. La experiencia del adulto es diferente a la de los niños. Ponerse en los zapatos de otra persona en su familia es un acto tremendo de valentía. Por ejemplo, es posible encontrar que el rencor de una hijastra hacia usted no sea exagerado si se toma en cuenta cómo otras personas la hirieron a ella en el pasado. O usted puede descubrir que el estilo de su esposo para disciplinar tiene sentido una vez que comprenda lo que él experimentó en su primer matrimonio y en su familia de origen.

La clave es ponerse en los zapatos de otro y preguntarse cómo se sentiría si usted fuera esa persona. Pregúntese:

- ¿Qué pérdidas sufrió él o ella? (Haga una lista de las pérdidas que sus hijos han experimentado; le humillará saber lo que ellos se han visto forzados a dejar).
- ¿Cómo tratan los otros miembros de nuestra familia reconstituida a esa persona? ¿Cómo la trato yo?
- ¿Cómo es para los niños vivir en otra casa?
- ¿Qué desafíos enfrenta él o ella en su intento de pertenecer?
- ¿Qué responsabilidades, papeles y relaciones tiene él o ella con las cuales yo no tengo que lidiar?
- ¿Qué es lo que más le gusta de esta familia?
- ¿Qué es lo que menos le gusta de esta familia?

Pídale a ese miembro de la familia que responda a algunas de las preguntas. Escuche atentamente y trate de comprender cómo estos aspectos impactan su vida diaria con usted. Tal comprensión le ayudará a compenetrarse con cada miembro de su familia, lo que a su vez le ayudará a relacionarse más eficientemente.

Perseverancia

La vida está llena de pruebas, tribulaciones y desafíos. Es la norma para todas las clases de familias (biológicas, padres solteros y familias reconstituidas). Esto es especialmente cierto al comienzo del peregrinaje de la familia con hijastros; en efecto, los primeros años por lo general se caracterizan por la incertidumbre, la desilusión y el desaliento. Sin embargo, el puente de la perseverancia le puede ayudar a superar estos tiempos difíciles.

Lo que quiero decir es que debe tener determinación y permanecer en su matrimonio y familia cuando las cosas se ponen difíciles. Henry Blackaby en *Mi experiencia con Dios*[1] habla de la "crisis de creencia" que los cristianos experimentan cuando la voluntad de Dios es evidente. Cuando Dios habla de su deseo para nosotros, ya sea por medio de las Escrituras o de las circunstancias, nos enfrentamos a una crisis de creencias. ¿Me dirigirán mis creencias a la acción y me llevarán a donde Dios me dirija —aunque personalmente no quiera ir allá— o mis creencias seguirán siendo simples palabras? Quisiera poderles contar cuántos cristianos se han sentado en mi oficina de terapia y me han dicho que no están dispuestos a perseverar aunque saben que Dios no quiere que ellos se den por vencidos en su matrimonio. La determinación no es una conveniencia. Es una crisis de creencia. En efecto, la determinación dice: "Fielmente perseveraré en mis responsabilidades matrimoniales, confiando en Dios que es fiel como el Señor de las posibilidades, aunque el matrimonio y la familia no son lo que yo quiero que sea"[2]. Entonces, la determinación puede tener un precio muy alto, pero también prepara el camino para una relación creciente.

Compromiso

Cuando la determinación se combina con la decisión de perseverar resulta en un compromiso firme a edificar la familia reconstituida. La base para este compromiso es la dedicación a su cónyuge. Nada puede ser más importante en cualquier familia porque, después de todo, la familia reconstituida comienza cuando dos personas prometen amarse, honrarse y respetarse mientras vivan. Pero a veces necesitamos recordar que nuestros votos matrimoniales no eran una selección entre muchas. Probablemente el pastor no le permitió que eligiera: "Te tomo en salud y en riqueza, pero no en enfermedad y en pobreza".

Hace algunos años escuché de un joven que, durante el ensayo para su boda, se acercó al pastor que iba a realizar la ceremonia y le hizo una oferta: "Mire, le doy $100 si cambia las palabras de los votos. Cuando me toque la parte donde tengo que prometer 'amar, honrar y obedecer' y esa otra de 'dejando a todas las otras serte fiel por siempre', le pido que elimine eso". Luego le dio el dinero al pastor y se fue. Durante la ceremonia, cuando llegó el momento en que el novio dijera sus votos, el pastor lo miró fijamente a los ojos y le dijo: "¿Prometes postrarte ante ella, obedecer cada uno de sus deseos y órdenes, servirle el desayuno en la cama cada mañana de tu vida, y jurar eternamente ante Dios y tu bella esposa que jamás vas a mirar a otra mujer mientras vivan?". El novio bajó la mirada, tragó saliva y, por supuesto, dijo "Sí". Luego se acercó al pastor y le dijo: "Creí que habíamos hecho un trato". El pastor deslizó disimuladamente el billete de $100 en la mano del novio y le dijo: "¡Ella me ofreció mucho más!".

El compromiso significa mantenerse fiel a los votos que expresamos el día de nuestra boda. Las parejas deben decidir cada día de sus vidas si van a vivir de acuerdo a esas palabras o no. Si deciden no hacerlo, su familia reconstituida no va a sobrevivir.

Paciencia

Integrar a una familia reconstituida raras veces ocurre tan rápido como los adultos quisieran que sucediera. No sucede de acuerdo al horario de los adultos. James Bray, un investigador de familias reconstituidas, descubrió que estas familias no comienzan a pensar o actuar como tales hasta el final del segundo o tercer año[3]. Además,

Patricia Papernow, autora del libro *Becoming a Stepfamily* [Cómo convertirse en una familia reconstituida], descubrió que esta familia necesita un promedio de siete años para integrarse lo suficientemente bien como para experimentar intimidad y autenticidad en sus relaciones[4]. Algunas familias pueden lograrlo con mayor rapidez, en cuatro años, si los hijos son jóvenes y los adultos tienen la intención de unir a la familia. Sin embargo, las familias más lentas, según Papernow, tal vez necesiten nueve o más años. En mi experiencia, son pocos los adultos que forman una familia reconstituida creyendo que les llevará tanto tiempo. Ellos quieren un proceso rápido y armonioso. En efecto, de haber sabido que el peregrinaje les llevaría tanto tiempo, no lo habrían comenzado.

Como puede ver, la familia reconstituida está llena de dinámicas complejas que toman por sorpresa a la mayoría de los adultos. Ya hace mucho tiempo que los terapeutas de familias reconocieron que el divorcio realmente no termina la vida familiar, sólo la reorganiza. De hecho, dispersa a su familia en múltiples casas. Las dinámicas emocionales y relacionales que preceden al divorcio continúan aunque los arreglos de la vida familiar se reestructuren. Hasta las nuevas relaciones se convierten en parte de la familia extendida. Por ejemplo, ¿ha notado que cuando la nueva suegra de su ex esposa tiene una crisis, el impacto llega hasta la casa de usted? Sus hijos reciben un impacto emocional y tal vez esto impulsa a su ex esposa a cambiar el horario de visitación, lo que por supuesto, dramáticamente afectará su vida y los planes de todos.

Las familias reconstituidas necesitan reconocer que todas las personas que comparten una casa con sus hijos e hijastros son parte de la familia "extendida". Comience a contar, y ¡el número total de personas puede ser exasperante! Desde una perspectiva matemática, la cantidad de posibles interacciones en una familia reconstituida que tiene niños moviéndose de un lado a otro entre dos casas, y con padrastros que tienen sus propios hijos biológicos, es mil veces mayor que las interacciones posibles en una familia biológica. Por eso Emily y John Visher, terapeutas y educadores de familias reconstituidas, señalan que las familias con hijastros no tienen un árbol familiar, ¡sino un bosque familiar! Este bosque complejo sencillamente necesita tiempo para integrarse.

En una ocasión, durante un seminario, un participante me preguntó qué podía haber él hecho diferente para establecer una relación con su hijastra. Me describió cómo llevaba a su nueva hijastra, de doce años, de compras y le compraba un helado cada vez que era posible. Él le preguntaba qué actividades le gustaba hacer y luego se cercioraba de que las hicieran juntos. En sus palabras "Hice todo lo que pude, pero ella nunca me dio entrada, así que me di por vencido". Desconcertado con este escenario, le pedí más información. Él era el segundo padrastro de la niña después de que su mamá se divorció de su segundo esposo. El padre biológico de la niña no se involucraba en su vida y esto dejó una profunda herida en su corazón. Su primer padrastro era distante y crítico. Le señalé al caballero que, gracias a ellos, él tenía dos en su contra cuando se casó con la madre de la niña. Pero el factor decisivo vino cuando le pregunté qué tiempo llevaba intentando ganarse el corazón de la hijastra. *Tres meses.* Él se dio por vencido después de sólo tres meses, sin siquiera considerar todo lo que esta niña había pasado ni el tiempo que lleva establecer relaciones de esta índole. Sus intenciones eran buenas. Sus acciones tenían objetivo. Pero él no tuvo la paciencia necesaria.

Flexibilidad

¿Ha tratado alguna vez de forzar una pieza cuadrada en una orificio redondo? Debido a que la familia reconstituida es diferente a la familia biológica, usted necesita aprender a ser flexible. Los rituales, las expectativas y las suposiciones que la sociedad nos impone para nuestra vida familiar se convierten en piezas cuadradas que, cuando se tratan de meter en el orificio redondo de la familia reconstituida, simplemente no encajan. Repito, no es que el molde de la familia biológica sea necesariamente mejor, sólo que es diferente.

¿Qué pasaría si mientras se pasea en su bicicleta, da una vuelta de 90 grados a la derecha girando el manubrio de la misma manera que lo haría con el volante de un automóvil? ¡Daría una voltereta por encima del manubrio y caería de cara en el suelo! La bicicleta es un vehículo distinto al automóvil y requiere movimientos diferentes para conducirla correctamente. Si procura conducir a su familia reconstituida de la misma manera que guiaría a su familia biológica, está propenso a caer y dar una o dos volteretas. Algunos rituales, estilos de criar a los hijos y algunas expectativas funcionarán casi de inmediato tal y como en las familias biológicas; otros finalmente funcionarán bien una vez que la familia se haya unido. Sin embargo, hay otras maneras de relacionarse que siempre serán diferentes y requerirán flexibilidad en el manejo.

Humor

En medio de un momento caótico, el humor es definitivamente la mejor medicina para las familias reconstituidas. El humor trae una perspectiva que le ayuda a retroceder y ver la crisis o circunstancia de una manera diferente. De hecho, hasta es posible que disfrute de una buena carcajada.

Con frecuencia uso dos tiras cómicas para ilustrar este punto. En el primer dibujo aparece un hombre que está leyendo una carta a su esposa. Él dice: "Malas noticias, Ana. La jueza que asignaron para determinar nuestra infracción de tráfico es mi primera esposa". La habilidad de reírse de los apuros de la vida salvará su alma de preocupaciones y ansiedades. En la segunda caricatura aparecen dos niños parados en el jardín de su casa. La niñita está señalando al niño mientras le recuerda: "Tú papá no le puede pegar a mi papá porque tu papá ahora es *mi* papá, ¿recuerdas?".

A propósito, la tira cómica toma un nuevo significado si la aplico a Jesús, el hijo adoptivo más famoso que haya vivido. Piense en esto: Su padre natural no es quien lo crió. José fue su padrastro. Sí, es una circunstancia singular, pero usted no puede olvidar el hecho de que el Creador del universo confió su Hijo a la crianza de un padrastro. Imagínese a Jesús siendo un niño de ocho años y hablando con su medio hermano. "Ah, no. ¡Créeme, tu papá no le puede pegar a mi Padre!"

Aprender a reírse de sí mismo y de sus circunstancias no significa negar los problemas ni las responsabilidades. Significa no tomarse tan en serio que no pueda obtener una nueva perspectiva de sus circunstancias.

COMPARTA EL DIARIO DE SU PEREGRINAJE: UN INSTRUMENTO PARA APRENDER A ESCUCHAR Y COMPRENDER

¿Cuántos puentes clave posee su familia ahora? ¿Dónde se encuentra su familia reconstituida en el peregrinaje hacia la tierra prometida? ¿Está comenzando ahora, está terminando, o anda por en medio? Estoy seguro de que usted tiene ideas definidas, pero quizás sus hijos vean la situación de manera diferente. Como mencioné anteriormente, existen similitudes en cuanto a cómo las personas experimentan su vida familiar, pero las diferencias en las familias con hijastros pueden ser profundas porque cada persona en la familia ha viajado por un camino diferente al que se encuentra ahora. Escuchar demuestra que respeta la experiencia de los demás al mismo tiempo que esta le ayuda a mantener una actitud de humildad hacia la propia experiencia. La comprensión viene cuando ve a su familia reconstituida a través de los ojos de otros. Ambos le ayudan a satisfacer sus necesidades.

Patricia Papernow ha sugerido mantener un diario de su peregrinaje[5], como un medio eficiente para ayudar a las familias reconstituidas a escucharse y comprenderse unos a otros. La técnica se basa en la noción de que si las personas en su familia fueran a un país extranjero durante un mes, al regresar probablemente usted les pediría su diario, es decir, la narración de su viaje. Les preguntaría qué comieron, qué comidas les gustaron, qué lugares famosos vieron, qué fue lo más emocionante del viaje o lo que más los decepcionó, y otras cosas. Usted querría saber cómo fue el viaje. Demostrar un interés similar en el peregrinaje de cada uno como padre biológico, padre soltero, miembro de una familia biológica y de una familia reconstituida afirma la experiencia de la persona y le enseña cómo sería estar con él o ella. Precaución: Aunque este medio puede facilitar el crear puentes entre los miembros de la familia, también puede revelar un gran dolor en algunos y revelar cosas de sí mismo que usted necesita cambiar. Sólo deben seguir leyendo los que son valientes y perseverantes.

En una reunión familiar (ver el capítulo 8), pídale a cada persona que narre la historia de su viaje, es decir, el relato de su peregrinaje como parte de una familia reconstituida. Recuerde, la tarea es mantener suficiente interés ("cuéntame más") y empatía ("esto debe haber sido difícil") a la luz de las diferencias y desilusiones, a fin de que cada persona sea capaz de compartir gozos, dolores, disgustos y experiencias sin temer represalias o rechazos. A medida que las personas hablan, nadie debe estar a la defensiva. Enfóquese en escuchar, no en defenderse a sí mismo.

Para comenzar, diga algo como esto: "Como ustedes saben, todos en esta familia hemos viajado un largo camino para llegar hasta aquí. Y, aunque estamos en la misma familia, es probable que para llegar hasta aquí hayamos viajado por diferentes caminos. Quizás podamos contarnos cómo ha sido hasta este momento. Comenzando con la primera familia y los años como padres solteros, tomemos turnos y hablemos acerca de lo que este viaje representó hasta el momento. El resto escucharemos como si estuviéramos escuchando el relato de alguien que llegó de un país extranjero. Haremos preguntas y trataremos de imaginar cómo ha sido esta experiencia para la persona que está hablando"[6].

Una vez que haya abierto la puerta a la honestidad y a la comprensión siendo usted el primero en contar la historia de su peregrinaje, haga que fluya la conversación, dándoles oportunidad a los hijos. He aquí algunas preguntas que pueden ser útiles:

- ¿Qué fue, para ti lo bueno o lo malo del divorcio de tus padres (nuestro divorcio)?
- ¿Cómo cambió tu vida después del divorcio?
- ¿Qué perdiste que todavía no has recuperado?
- ¿Qué crees que haya cambiado para otros?
- Durante los años en que tu padre/madre estuvo solo/a, ¿qué fue lo que más te gustó? ¿Qué fue lo más desagradable? ¿Cómo cambió la vida para ti?
- ¿Cuál fue la primera impresión de tu futuro padrastro/madrastra o hijastro/hijastra?

- ¿Cómo cambió la vida con tu mamá/papá/hijos una vez que ocurrió el nuevo matrimonio?
- ¿Qué esperanzas o sueños tenías para esta familia reconstituida que no se han cumplido todavía?
- ¿Qué emociones dolorosas has sentido últimamente?
- ¿Qué temores tienes acerca de esta familia reconstituida o acerca de ti mismo?
- Permita a los hijos mayores describir los papeles en los que se sienten incluidos o los que los hacen sentir excluidos. Primero, pídale a cada uno que diga si se siente incluido o excluido y por qué. Luego, comenten cómo se sentirían si estuvieran en los zapatos del otro (incluido o excluido).
- Comenten el mito común acerca del amor instantáneo (ver el capítulo cuatro) y explique cómo se imaginan el amor que se desarrolla entre los miembros de la familia reconstituida.
- Termine la reunión de la historia del peregrinaje con oración.

El ejercicio de la historia del peregrinaje se puede repetir después de algún tiempo. Las reuniones familiares son el momento perfecto para hacer preguntas y ponerse al día en cuanto al peregrinaje de cada uno. Los padres biológicos también pueden separar tiempo para reunirse individualmente con cada hijo y hablar acerca de su peregrinaje actual.

SIGA CRUZANDO LOS PUENTES

El viaje hacia la tierra prometida no es siempre fácil, pero de nuevo, ¿qué es fácil en la vida? En este capítulo sugiero que mantener actitudes y cualidades clave —los puentes clave— facilitará su peregrinaje en el Señor.

- *Integridad espiritual* demanda que le permitamos a Jesús ser el Señor de nuestro corazón y hogar.
- *Escuchar y comprender* ayuda a los miembros de la familia a desarrollar compasión y empatía mutua.
- *Perseverancia* ayudará a mantener el curso cuando el viaje parezca difícil.

- *Compromiso* se expresa a sí mismo en la dedicación para cumplir los votos matrimoniales.
- *Paciencia* significa disfrutar de la familia reconstituida tal y como es, en lugar de empujar a cada uno para que llegue a la tierra prometida cuando usted quiere.
- *Flexibilidad* incluye cambiar sus suposiciones de cómo deben ser las cosas y dar oportunidad a soluciones creativas para los problemas comunes.
- *Humor:* el don que enfoca la parte positiva en los momentos oscuros.

En este capítulo busqué darle esperanza en su peregrinaje. En la próxima sección examinaremos siete pasos inteligentes que casi todas las familias reconstituidas deben dar para llegar a la tierra prometida. Las dinámicas de la vida pueden ser desafiantes, pero no son imposibles. Siga caminando.

Preguntas para discusión en el grupo de apoyo

PARA TODAS LAS PAREJAS

1. ¿Han conversado informalmente acerca de la historia de su peregrinaje? ¿Qué aprendieron?
2. Hablen sobre los pro y los contra de tener a todos presentes durante las narraciones de la historia de sus viajes en vez de que sólo estén los padres biológicos y los hijos.
3. ¿Cuál es una de las frustraciones o quejas principales acerca de su familia reconstituida en estos momentos?
4. En una escala del 1 al 10 (siendo el 10 lo más alto) califiquen su nivel personal de integridad espiritual. ¿Qué desafíos espirituales están enfrentando y cómo les están haciendo frente?
5. Describan alguna ocasión en que trataron de imponerle sus deseos a Dios. ¿Cuál fue la consecuencia?
6. Seleccionen uno de los pasajes bíblicos de las páginas 40-41 y expliquen cómo la aplicación de este versículo les puede ayudar a desarrollar a su nueva familia.

7. Si le preguntara a sus hijos y a su cónyuge si ellos consideran que usted es un buen oyente, ¿qué dirían ellos? ¿Cómo el ponerse a la defensiva le impide escuchar bien?
8. Identifique a la persona con la cual tiene más conflictos o al hijo con el cual está menos unido. ¿Cómo cree que se sentiría si usted fuera ese miembro de la familia reconstituida? Considere las pérdidas de él o ella, sentido de pertenencia, temores, responsabilidades y sufrimientos.
9. Lea Santiago 1:2-4. Si la prueba de nuestra fe produce paciencia (que a su vez nos ayuda a madurar), ¿cómo le ha ayudado la prueba de su familia reconstituida a desarrollarse como individuo?
10. Enumere tres cosas que pudiera hacer esta semana para expresar su dedicación (compromiso) a su cónyuge.
11. ¿De qué maneras ha sido impaciente con el grado de unión de su familia reconstituida? ¿Ha tratado de forzar o presionar a las personas para que se amen unas a otras?
12. ¿Cuáles son las diferencias entre su familia reconstituida y su familia biológica? Describa algunas de las soluciones flexibles que ya ha descubierto que son útiles.
13. Cuente acerca de ocasiones o historias cómicas de la vida de su familia reconstituida. Si de inmediato no puede pensar en una, trate de alejarse un poco de sus circunstancias para ver el lado humorístico.

SEGUNDA PARTE

Los siete pasos en el peregrinaje

Un antiguo proverbio chino dice que un viaje de mil millas comienza con el primer paso. Aunque el viaje de la familia reconstituida involucra muchos desafíos, hay unos pasos importantes que deben darse con cuidado. Esta sección del libro presenta los elementos prácticos para integrar una familia reconstituida.

Cada capítulo que sigue presenta un paso clave en el proceso de integración. Es muy posible que usted no dé cada uno de estos pasos en el mismo orden. Quizás se encuentre dándolos una y otra vez a medida que los niños crecen y cambian las relaciones en el hogar y en los demás hogares. Estos siete pasos crean un baile que se debe practicar repetidamente antes de alcanzar la armonía en la pista del baile de la vida.

CAPÍTULO TRES

Primer paso inteligente:

Un paso hacia adelante

Descubra al Dios redentor que ama, perdona y provee fortaleza y dirección para el peregrinaje

Porque aún siendo nosotros débiles, a su tiempo Cristo murió por los impíos. Difícilmente muere alguno por un justo. Con todo, podría ser que alguno osara morir por el bueno. Pero Dios muestra su amor para con nosotros, en que siendo aún pecadores, Cristo murió por nosotros. Luego, siendo ya justificados por su sangre, cuánto más por medio de él seremos salvos de la ira. Porque si, cuando éramos enemigos, fuimos reconciliados con Dios por la muerte de su Hijo, cuánto más, ya reconciliados con Dios, seremos salvos por su vida. Y no sólo esto, sino que nos gloriamos en Dios por medio de nuestro Señor Jesucristo, mediante quien hemos recibido ahora la reconciliación

(Romanos 5:6-11).

Cuando comencé a dar terapia y a hablar con las familias reconstituidas no sabía lo importante que sería el paso uno en su desarrollo total. Estaba consciente de la necesidad que cada uno tenía de disfrutar de una relación personal con Dios (esto era un requisito). Pero lo que no comprendía era con cuánta frecuencia los miembros de la familia reconstituida (los adultos en particular) parecían paralizarse al creer que no eran dignos del amor y el perdón de Dios. Comúnmente hay temor, confusión y sentido de distanciamiento de Dios.

LA RESPUESTA AL GRITO DE SOCORRO

Creo que Dios me llamó a educar y preparar a las familias reconstituidas para que tengan una vida saludable. Además, considero que parte de este llamado es un grito de socorro a los líderes de la iglesia, invitándolos a ministrar mejor a las familias reconstituidas en sus comunidades (ver el capítulo 12). Sin embargo, la respuesta al grito de socorro se ha encontrado con la oposición de aquellos a quienes les inquieta que el ministerio a las familias reconstituidas de alguna manera tolere (o anime) el divorcio o el adulterio. Además, en algunos existe la duda sobre si ministrar a los que se vuelven a casar es el equivalente a abandonar el diseño de Dios para el matrimonio. Quede establecido que yo quiero mantener y enseñar el ideal de Dios: que un hombre y una mujer se casen para toda la vida (y cualquiera persona que se casó de nuevo y tiene una perspectiva de la vida semejante a la de Cristo estará de acuerdo en que el ideal de Dios es el mejor). Bajo ningún concepto se debe alterar el plan de Dios para el fundamento de nuestros hogares. Por lo tanto, mi deseo de educar y preparar a las familias reconstituidas no tiene relación alguna con la aprobación de un pasado. Por el contrario, es un esfuerzo para ayudar a las familias reconstituidas a caminar mano a mano con el Señor en el presente.

Los problemas y las presiones en la vida de las familias reconstituidas son una distracción de lo que verdaderamente importa: que Jesús sea el Señor de la vida y lleve esa fe a los hijos que están bajo nuestro cuidado. Satanás sabe que una de las influencias más grandes en la vida es la familia, y si él puede destruirla, entonces le destruirá a usted también (¡y hasta las próximas cuatro generaciones futuras!). Sin embargo, si usted dedica su familia a Dios, entonces ha tomado el camino correcto para encontrar la fortaleza y las respuestas que necesita para tener éxito con su familia. ¡Satanás preferiría que se distrajera, se desalentara y se viera derrotado!

Y aquí es exactamente donde muchas familias reconstituidas terminan sintiendo que no pertenecen a la iglesia y creyendo que no son lo suficientemente buenas para recibir la gracia de Dios. ¿Qué contribuye a eso? Primero, examinemos la relación de la familia reconstituida con la iglesia.

Marginados espiritualmente del hospital de Dios en la iglesia

- "Gracias por reconocer que nosotros no somos los problemitas vergonzosos de la iglesia".
- "Nunca pensé que podría regresar de nuevo a la iglesia".
- "Una vez que sucedió el divorcio, la mayoría de los miembros de la iglesia no quiso tener trato alguno con ninguno de nosotros, incluyendo a mis hijos. Yo estaba trabajando en un banco, y uno de los diáconos no quiso pararse en mi línea por ser yo una persona divorciada. Cuando usted pasa por un divorcio, necesita el apoyo de su familia y de sus amistades de la iglesia. No recibí apoyo de la iglesia, y por el contrario, me trataron como un ciudadano de segunda clase".

Ciudadanos de segunda clase. Eso resume cómo se sienten muchas familias reconstituidas. No reflejan la constelación de la familia ideal de Dios, así que no son lo suficientemente buenas. Una pareja que he aprendido a amar y a apreciar mucho estaba estudiando con un predicador que trató de ayudarlos a regresar al Señor, después de varios años de pródigos. Cuando el predicador descubrió que eran divorciados y vueltos a casar, cerró su Biblia, los miró y dijo: "Lo siento. Su origen y pasado pudiera infectar a los demás, por lo tanto, no podemos tenerles en nuestra iglesia". Después se levantó y se fue.

¿Se imagina algo así? Un hombre que dice proclamar la gracia de Dios les dijo que ellos estaban tan enfermos que necesitaban estar en ¡cuarentena fuera del hospital! Pensé que los hospitales eran para los enfermos, para aquellos que necesitan curarse. Creo que perdí la parte de la Biblia que dice que sólo las personas perfectas pertenecen a la iglesia. Debo añadir que Dios no había terminado con esta pareja.

Después de oír la condenación del predicador, ellos visitaron la iglesia donde sirvo como ministro de familias. Luego de mucha oración y arrepentimiento, esta pareja renovó su relación con Cristo y finalmente los pusimos a trabajar dirigiendo nuestro grupo de apoyo para las familias reconstituidas. Juntos han bendecido numerosas vidas y continúan sirviendo a su Rey.

Sin embargo, a veces el mensaje que las personas divorciadas y vueltas a casar reciben de la iglesia es sólo la mitad del problema. Los adultos en las familias reconstituidas con frecuencia son marginados espiritualmente debido a su propio sentido de culpabilidad y falta de valía.

Vergüenza espiritual

- "No estoy seguro de que Dios me acepte porque me volví a casar. Casi temo leer la Biblia porque no estoy seguro de lo que encontraré".
- "He tratado de volver a arreglar mi vida pero, como divorciado, ese estigma y mi propio sentimiento de culpabilidad se combinan para hacerme sentir como una persona excluida. Sentirme excluido no me permite interesarme en dejar la vida pecaminosa. Satanás vendrá y dirá: "¿Por qué comprometerte con esta iglesia? Ellos te miran como una rareza, saben que tú eres divorciado. Si tú no les importas, ¿por qué interesarte en ellos y consagrarte a su Dios?". Así que, antes de llegar a desarrollar cualquier relación con una iglesia local, perderé mi interés en tener una vida recta. Rápidamente regresaré a mi vida de pecado: perdido, frustrado y ahora, todavía más, avergonzado".

Con frecuencia, el sentimiento de no merecer el amor de Dios es auto impuesto. Sí, algunas veces es una excusa para evitar la responsabilidad, y algunas veces surge de una teología legalista que cree que tenemos que ganarnos nuestra salvación. Pero cualquiera sea su origen, el impacto es el mismo: personas que se mantienen alejadas de Dios y de la iglesia.

"Esta bien, Ron", me han dicho algunas personas, "exactamente,

¿cómo se siente Dios acerca de mí y de mi situación en mi familia reconstituida? Es decir, si pudieras preguntarle, ¿qué diría él?". Bueno, quizás él piensa de ti lo mismo que piensa acerca de las familias imperfectas de la Biblia. Permíteme ilustrarlo.

LA FAMILIA DE LA PROMESA

Nan, mi esposa, y yo, esperamos varios años antes de tener hijos. Una vez que comenzamos a hacer los planes para concebir un hijo, comencé a pedirle a Dios que me diera comprensión y sabiduría para saber cómo ser un padre. Además, comencé a buscar en las Escrituras una familia saludable y fiel que pudiera servirme de modelo. Mi preparación en terapia matrimonial y familiar se enfoca principalmente en las dinámicas de cambio con familias disfuncionales, así que necesitaba ver más de cerca cómo era una familia funcional. Además, yo quería saber cómo la fe y las dinámicas de la familia se podían integrar para hacer una "combinación perfecta". Así que comencé a examinar las familias del Antiguo Testamento.

El asesinato no es nuevo para nadie. Además, la violencia en las calles se ha convertido en algo común en nuestras escuelas, en los barrios suburbanos e incluso en nuestros hogares. Sin embargo, el primer incidente de homicidio en una familia se produjo en la familia de Adán y Eva. Caín estaba tan celoso del favor que tenía su hermano ante los ojos de Dios que con toda premeditación lo atrajo a un lugar solitario y lo mató (Génesis 4:1-8). Este no fue un buen comienzo para nuestro mundo, ¿verdad?

Y luego encontramos a Noé y a sus hijos Sem, Cam y Jafet (Génesis 9:20-27). Todos estamos conscientes de su increíble viaje de fe en el arca, pero, ¿sabe lo que pasó después? Una noche Noé se embriagó, quedó desnudo y su hijo Cam lo vio así. Los hermanos mayores respetuosamente cubrieron a su padre, pero el daño ya estaba hecho. Noé maldijo a Cam por la vergüenza experimentada (¿no era Noé en parte responsable?) y bendijo a sus dos hermanos mayores. En efecto, Noé puso a los hermanos unos en contra de los otros, y un patrón de celos y competencias continuó durante otra generación.

Luego mi búsqueda me llevó a la "familia de la promesa".

Abraham es bien conocido por su fiel andar con Dios y por la promesa de Dios de hacerlo una gran nación. En efecto, finalmente la semilla de Abraham traería al Mesías, el Salvador, el mismo Jesucristo. Después de examinar las familias bíblicas, recuerdo que pensé: las familias de Adán y Noé fueron una desilusión, pero seguramente encontraré aquí un buen modelo de familia.

En Génesis 12:13-20, Abram coaccionó a su esposa Sarai para que esta les mintiera a los egipcios y así él salvar su vida. Abram le dijo a ella: "Dí que eres mi hermana". Sarai era una mujer hermosa y Abram temió que el faraón lo matara para quedarse con Sarai. Esposa: si su esposo la rechazara en público y estuviera dispuesto a ponerla en peligro con tal de salvar su pellejo, ¿cómo se sentiría usted? Además, ¿si él la entregara a otro hombre sabiendo que el otro la haría su esposa y tendría relaciones sexuales con usted? ¿Cómo se sentiría? ¿Qué si lo hiciera dos veces?

Créalo o no, Abraham (Dios cambió su nombre) dijo nuevamente, esta vez a Abimelec, que Sara era su hermana (Dios también cambió el nombre de ella). Él temía que Abimelec, rey de Gerar, lo matara, así que entregó a Sara para que fuera la esposa de otro hombre. En caso de que esté asombrado, ¡este no es el ideal de los Guardadores de la Promesa para los esposos! Abraham era un hombre de gran fe, pero estuvo muy lejos de ser el esposo perfecto (ver Génesis 20).

Sin embargo, el patrón de esposos egoístas no se detiene aquí. Isaac, el hijo de Abraham, que probablemente no había nacido cuando su padre repudió a su madre, dijo la misma mentira acerca de su esposa Rebeca. Él también temió por su vida, así que le dijo al rey de los filisteos que Rebeca era su hermana (Génesis 26:1-11). Las mentiras de Abraham e Isaac finalmente se supieron, pero no antes de que muchas personas resultaran perjudicadas por el engaño. La mentira y el engaño, ¿le han costado la paz en su hogar?

En el capítulo 5 examinaremos con más detalles las dinámicas de la familia expandida del hogar de Abraham. Pero por ahora recuerde que mientras Sarai era estéril, ella le sugirió a Abraham que tomara a Agar, su sirvienta, para que fuera su segunda esposa y pudieran concebir un hijo por medio de ella (Génesis 16). Pero una vez que Agar concibió, el celo y la competencia se convirtieron en el nombre del juego entre Sarai y Agar. El enojo, las amarguras y el favoritismo, fueron los resultados.

Yo llamo a este hogar "la familia expandida" porque había esposas múltiples y una competencia para ver cómo Abraham, el padre biológico, trataría a los hijos. Algunos llaman "familia expandida" a la familia reconstituida. En realidad, las dinámicas de Abraham, Sarai y Agar reflejan las dinámicas de la familia reconstituida de hoy con ex esposas e hijos moviéndose entre los hogares. En el capítulo sobre el matrimonio examinaremos más esas dinámicas. Basta por ahora decir que el hogar expandido de Abraham estaba lleno de enojo, celo, competencia, amarguras y conflictos de lealtad. Y estas cualidades negativas se pasan incluso a otra generación.

En Génesis 27 leemos cómo Rebeca —la nuera de Abraham— conspiró con Jacob, su hijo favorito, para engañar a su esposo, Isaac. Si esto funcionaba, Jacob recibiría una bendición que era muy importante para Esaú. Jacob ya había engañado a su hermano acerca de su primogenitura, pero él quería más. Él quería una posición especial, porque el otro hermano y su descendencia servirían al que recibiera la bendición. El plan de Rebeca y Jacob funcionó, y una casa que ya estaba dividida se convirtió en una todavía más dividida cuando Esaú trató de vengar su pérdida y matar a Jacob. ¡Qué rivalidad entre hermanos! Pero no hemos terminado de estudiar a "la familia de la promesa".

Después Jacob pasa el patrón de favoritismos de la familia a su hijo José, quien era el favorito de su padre. Jacob hasta le dio una túnica especial para expresarle su amor. Sin embargo, los hermanos de José no apreciaron este favoritismo, así que tramaron un plan para matarlo. Pero en el último instante no lo mataron porque decidieron venderlo como esclavo. ¿Se imagina? Y usted creía que sus hijastros eran desconsiderados con sus hijos biológicos.

No, mi intento de buscar una familia bíblica modelo no fue un éxito. Por el contrario, en las primeras generaciones después de Abraham hubo luchas de poder en las familias, incapacidad para individualizarse de los padres, secretos familiares, relaciones de explotación y coacción, juegos matrimoniales que dieron lugar a triángulos amorosos, alianzas de un padre con el hijo, venganza, enojo y rivalidad entre hermanos. Pero eso no fue todo.

La patología de la familia dentro de la familia de la promesa continúa aumentando mediante la familia de David. Aunque en la Biblia se refiere a él como un "hombre según el corazón de Dios", la conducta de David incluye asesinato premeditado para cubrir una aventura amorosa, un embarazo fuera del matrimonio y un hijo que reproduce la desgracia de su padre violando a su media hermana. Más tarde, otro de los hijos de David se venga de la humillación de su hermana buscando y matando al hermano que la violó.

¿Se siente mejor en cuanto a la situación de su familia reconstituida?

¡Mire qué clase de modelo es esta familia de la promesa! Y las otras familias de la Biblia, tanto en el Antiguo como en el Nuevo Testamento, no son mucho mejores. En realidad, el ideal de Dios para la familia es evidente en las Escrituras. Sin embargo, en la Biblia no existe un modelo de la familia ideal que imitar. Entonces, ¿por qué insiste Dios en que las generaciones de familia disfuncionales se detallen en la Biblia y sirvan de testimonio eterno para la historia de su pueblo? *Porque Dios está más interesado en proveerles redención a las personas de su pueblo que en promover autosuficiencia y logro personal.* Los fracasos de la familia de la promesa dieron por resultado su dependencia de Dios. Es Dios quien nos perdona y nos restaura; ni siquiera Abraham, Isaac, José o David fueron merecedores de su misericordia.

LA REDENCIÓN DE DIOS

> Porque en él habita corporalmente toda la plenitud de la Deidad; y vosotros estáis completos en él, quien es la cabeza de todo principado y autoridad. En él también fuisteis circuncidados con una circuncisión no hecha con manos, al despojarse del cuerpo pecaminoso carnal mediante la circuncisión que viene de Cristo. Fuisteis sepultados juntamente con él en el bautismo, en el cual también fuisteis resucitados juntamente con él, por medio de la fe en el poder de Dios que lo levantó de entre los muertos.

> Mientras vosotros estabais muertos en los delitos y en la incircuncisión de vuestra carne, Dios os dio vida juntamente con él, perdonándoos todos los delitos. Él anuló el acta que había contra nosotros, que por sus decretos nos era contraria, y la ha quitado de en medio al clavarla en su cruz. (Colosenses 2:9-14)

¿Escuchó esto? El apóstol Pablo está gritando las buenas nuevas: no podemos ganarnos nuestra dignidad. Nuestro valor, la posibilidad de perdón y la relación correcta con Dios es posible gracias a la obra salvadora de Cristo. Aunque estábamos esclavizados en nuestros pecados, Cristo murió por nosotros, dándonos la esperanza de la redención. No todas las familias reconstituidas nacen de una conducta pecaminosa, pero algunas sí. Y la buena noticia es que no importa qué decisiones o pecados cometidos en el pasado le llevaron a la situación actual de familia reconstituida, Dios quiere que usted regrese. Y, mediante Cristo, él proveyó un medio para que esto sucediera.

El cuadro de las familias en la Biblia es una serie de relaciones quebrantadas y necesitadas de redención. Ninguna familia en todo el Antiguo o Nuevo Testamentos fue tan ejemplar como para que Dios la expusiera como un modelo o patrón para que nosotros siguiéramos. A propósito, los grandes hombres fieles de la Biblia también tuvieron que confiar en la gracia de Dios. Y, a pesar de sus imperfecciones, Dios los usó para su propósito.

La respuesta a la pregunta: "¿Qué siente Dios acerca de mí y mi situación familiar, que es menos que perfecta?" es esta: Dios ama y perdona a las personas imperfectas en las familias reconstituidas de la misma manera que ama y perdona a las personas imperfectas en las familias biológicas. Además, los miembros de las familias reconstituidas no son "cristianos de segunda categoría" sencillamente porque no existe eso de "cristianos de primera clase". Todos somos pecadores y todos somos menos que perfectos. Todas nuestras familias son menos que ideales. Y todos necesitamos un Salvador.

Tal vez usted se encuentre atormentado por causa de la culpa, vergüenza y remordimiento de su pasado y su presente. Quizás tuvo una aventura amorosa o abandonó a su cónyuge, y esto terminó en divorcio; quizás abandonó a sus hijos después del divorcio y la fe de ellos está sufriendo por su culpa. Tal vez le guarda rencor a su ex cónyuge por el sufrimiento que él o ella le causó a usted y a sus hijos. O quizás un líder malintencionado de la iglesia le hizo creer que no será perdonado, y sus amistades previas se alejaron. Quizás haya perdido la relación con Dios y encuentre difícil orar y pasar tiempo con la familia de la iglesia. Si así es, no mire hacia atrás porque hay alguien que le persigue. Es un Dios que le persigue y le busca desesperadamente y que desea que usted dé un paso hacia delante para encontrarse con él.

El deseo de Dios para usted es el mismo que tuvo para Abraham, Isaac, Jacob y David: Dios quiere que se rinda diariamente a su voluntad y lo siga. Su deseo para su familia es el mismo que tuvo para cualquier familia imperfecta de la Biblia: que usted lo convierta en la piedra angular sobre la cual se edifique la casa (Salmo 127:1).

Si existe un distanciamiento entre usted y Dios, decida hoy mismo aceptar humildemente el ofrecimiento que Cristo le hace para perdonarle, dedique su vida y matrimonio al Señor, y hágalo el arquitecto de su nueva casa. Nunca se arrepentirá de esa decisión. Si no lo hace, estará destinado a repetir el pasado. Si su andar con el Señor es sólido, siga dando esos pasos.

Espero que este capítulo le haya abierto los ojos a la redención increíble de Dios o le anime a continuar en el camino de su gracia. Al fin de cuentas, la familia sabiamente reconstituida tiene como objetivo ayudar a todos sus miembros a fortalecer su relación con el Creador de la vida. Realmente, ¿qué beneficio tendría desarrollar una familia sabiamente reconstituida que no tenga una relación con Dios? Y Jesús se preguntaría: "¿De qué le sirve al hombre si gana el mundo entero y pierde su alma?" (Mateo 16:26).

El peregrinaje de la familia reconstituida hacia la tierra prometida comienza y termina al tomar un paso para encontrarse con el Dios redentor. Ningún otro paso es tan importante. Y aunque ningún otro paso cueste tanto como vaciarse uno mismo para llevar la cruz, éxito gracias a la disposición de nuestro Salvador para bajar hasta el punto de nuestra mayor necesidad.

Preguntas para discusión en el grupo de apoyo

PARA TODAS LAS PAREJAS

1. ¿Cómo se siente respecto a su familia reconstituida después del estudio de las familias del Antiguo Testamento?
2. En una escala del 1 al 10 (siendo el 10 lo más fuerte), ¿cuán fuerte es su relación con Cristo? ¿Cuán fuerte es la relación de su cónyuge con Cristo?
3. ¿Hasta qué grado se separó de él en el pasado? ¿Qué estaba pasando en ese tiempo?
4. ¿Qué mensajes recibió de la iglesia que le desalentaron en su andar?
5. ¿De qué maneras se siente indigno de la gracia y el perdón de Dios?
6. ¿A qué aspectos de su vida (tales como la independencia, el orgullo y los deseos egoístas) todavía se siente atado? ¿Qué es más difícil dejar?
7. ¿Qué sufrimientos y penas se le hace más difícil dejar? Hable sobre su peregrinaje hacia el perdón.
8. Luego de reconocer que todos estamos al mismo nivel a los pies de la cruz (es decir, que todos necesitamos un Redentor), ¿qué necesitan hacer, individualmente y como pareja, para comenzar a vivir en una relación correcta con Cristo?
9. Ya sea que su relación con Cristo esté comenzando o haciéndose más fuerte, enumere tres hábitos que profundizarían su conocimiento de la Palabra de Dios y su voluntad para su vida.

CAPÍTULO CUATRO

Segundo paso inteligente:

Un paso hacia atrás

Ajuste sus expectativas y aprenda cómo tener una familia reconstituida

Por tanto os digo: No os afanéis por vuestra vida, qué habéis de comer o qué habéis de beber; ni por vuestro cuerpo, qué habéis de vestir. ¿No es la vida más que el alimento, y el cuerpo más que el vestido? Mirad las aves del cielo, que no siembran, ni siegan, ni recogen en graneros; y vuestro Padre celestial las alimenta. ¿No valéis vosotros mucho más que ellas? ...No os afanéis, pues, diciendo: ¿Qué comeremos, o qué beberemos, o qué vestiremos?... Mas buscad primeramente el reino de Dios y su justicia, y todas estas cosas os serán añadidas. Así que, no os afanéis por el día de mañana, porque el día de mañana traerá su afán. Basta a cada día su propio mal (Mateo 6:25, 26, 31, 33, 34).

De haber sabido los israelitas que se iban a enfrentar con el mar Rojo, que el faraón y su ejército los iban a perseguir y que tendrían que hacerle frente a grandes pruebas de fe, ¿cree usted que se hubieran embarcado en el viaje hacia la tierra prometida? Más de una vez consideraron regresar porque el precio del viaje era mucho más de lo que esperaban. Casi siempre es así. Tal vez fue por eso que Dios no les dijo de antemano lo que les esperaba. En su lugar, sólo los invitó a confiar en él para resolver lo que encontraran directamente frente a ellos. Todo lo que los israelitas tenían que hacer era confiar en la fidelidad de Dios en cada paso que dieran. Creo que el viaje de la vida nos parecería mucho menos inquietante si fuéramos fieles a Dios cuando encontramos obstáculos delante de nosotros y quizás así dejaríamos de preocuparnos tanto con lo que el mañana pueda traer.

No es posible dejar de tener expectativas acerca de lo que nos espera en el futuro. Y debido a que el amor y el romance son naturalmente ciegos, con frecuencia las expectativas están llenas de visiones irreales de cómo procederá la vida de la familia reconstituida. Luego de saber que la proporción de los divorcios en las personas que se vuelven a casar es por lo menos de un sesenta por ciento, ¿formaría usted una nueva familia reconstituida si cree que muy pronto llegará a ser parte de esa estadística? Por supuesto que no. Nadie cree que él o ella está destinado al fracaso matrimonial o incluso a la aflicción. Nosotros asumimos que el amor lo conquistará todo, ya sea durante el primer matrimonio o si se vuleve a casar.

Durante la consejería antes del matrimonio, considero que es mi trabajo romper la "niebla" de ilusión en que se encuentra uno cuando está enamorado y darles a las parejas un cuadro real de los desafíos, como también de las recompensas, de la vida en la familia reconstituida. Pero me maravilla ver la facilidad con la que se descartan y se les resta importancia a los desafíos. "Puedo ver cómo eso impactaría a otros" dicen ellos, "pero nosotros somos diferentes. Nuestros hijos se llevan bien y es obvio que Dios nos ha unido, así que esto tiene que salir bien". Lector, cuidado: Si permite que las expectativas irreales marquen el paso que, según usted, unirá a la familia, está listo para una gran desilusión.

Cuando no se cumplen nuestras expectativas de lo que debe suceder en una familia reconstituida, seguramente el resultado serán la decepción y la desilusión. Si no se pueden encontrar soluciones y la desilusión se solidifica, por lo general las personas comienzan a preguntarse si fue una equivocación casarse. "Después de todo, no fue una buena idea. Yo no sabía que sus hijos iban a ser tan rebeldes o que él sería tan controlador respecto a cómo educo a los hijos. Me pregunto si debía haber salido más tiempo con él antes de casarme". ¿Escuchó eso? Arraigada en su duda esta fue su primera mirada hacia el pasado, en Egipto. "Quizás yo *deba* regresar a mi vida previa". Esto es sutil, pero comenzó la erosión del compromiso.

Ya sea que todavía no esté casado, o que ya lo haya estado por varios años, use este capítulo para examinar sus expectativas y escuchar lo que es real. Aprender a aceptar "lo que es" en contra de "lo que usted cree que debe ser" es crítico para su bienestar emocional y dedicación. También le ayuda a descansar en el tiempo del Señor, en vez de abrumarse con el mito de la "familia mezclada".

ESPERANZAS, EXPECTATIVAS Y REALIDADES

En sus recuerdos intrigantes describiendo su peregrinaje desde madre soltera hasta volverse a casar, Wendy Swallow escribe:

> "Al volverme a casar, yo creía que iría a casa y regresaría al calor de lo que es la familia... pero en realidad, volverse a casar no es regresar a casa. Es ir a un lugar completamente nuevo, casi como si estuviera pisando lo que parece un espejo. Las cosas parecen normales, pero hay toda clase de contorsiones extrañas para la vida, surgen cosas que no se ven de inmediato. En fin, volverse a casar es completamente diferente a lo que yo me imaginaba, realmente, de lo que la mayoría de nosotros nos imaginamos..."[1].

Ya sea el primero o el quinto matrimonio, todos tenemos expectativas en cuanto a cómo será la vida. Pero como descubrió esta autora, la vida en la familia reconstituida está llena de "contorsiones extrañas" que no coinciden con nuestras expectativas. Me imagino que usted puede culpar a la esperanza. Todos esperamos lo mejor en la vida y asumimos que el amor lo resolverá todo. Sin embargo, la realidad debe templar la esperanza, de otra manera, esas realidades golpearán a la familia reconstituida.

Por ejemplo, considere a Carol, una viuda que se preguntaba si ella y el novio estaban listos para casarse. Su historia estaba llena de esperanzas; y expectativas irreales. Ella y Miguel se conocieron por Internet, mediante una agencia matrimonial electrónica y todavía no se habían conocido personalmente. Ella vivía en la costa del este y él en la región central de los EE.UU. Hacía seis meses que se venían comunicando por Internet. Carol tenía cinco hijos, de cuatro a quince años, y hacía menos de dos años que su esposo había fallecido. Miguel estaba divorciado y tenía cuatro hijos (en edades de once a dieciocho años). Su primera esposa tuvo una aventura amorosa que terminó con el matrimonio y, además, abusaba físicamente de los hijos. Las continuas luchas legales acerca del tiempo y el impacto en los hijos de la ex esposa estaban muy lejos de resolverse.

Mientras hablábamos, Carol dijo cosas como estas: "Si no fuera por los hijos, creo que Miguel y yo tenemos todos los ingredientes para estar felizmente casados". Bueno, eso es posible, pero ¿quién puede obviar a los hijos? Carol hasta pensó que mudarse para la región del medio oeste no molestaría a sus hijos porque ella les daba la enseñanza escolar en la casa. Esa no era la única consideración respecto a los hijos, especialmente los adolescentes. Ella admitió que su meta era volverles a dar un padre a sus hijos y, basándose en los seis meses de relación cibernética, creyó que Miguel podía ser el padre reemplazante que sus hijos necesitaban. Ella también creyó que aceptar a los cuatros hijos de él, a quienes nunca había conocido, tampoco sería un problema.

Las esperanzas de Carol estaban moldeando sus expectativas irreales para un nuevo matrimonio y familia. Sus actitudes reflejaban una falsa idea acerca de la vida de una familia reconstituida. Por ejemplo, pensaba que las funciones de padrastros y madrastras eran las mismas que las de los padres biológicos; esperaba que los hijos se adaptarían rápida y fácilmente a la nueva familia y estilo de vida; pensaba que el amor por sus hijastros, y sin duda el amor entre los hijos, se desarrollaría sin problemas; y creyó que un pasado lleno de pérdidas y sufrimientos para los diez hijos no impediría lograr el éxito en su nueva familia[2].

Obviamente ella quería una familia "combinada".

Combinar no es la meta

El término más común que se usa para referirse a la familia reconstituida es "familia combinada". Sin embargo, los terapeutas, educadores e investigadores no usan el término "familia combinada" sencillamente porque la mayoría de las familias con hijastros no se mezclan, y si lo hacen, ¡generalmente alguien termina siendo una víctima de la mezcladora!

La razón clave no es el término seleccionado: Combinar no es la meta. Cuando se cocina, mezclar es un proceso mediante el cual usted combina los ingredientes en una mezcla líquida: piense en un batido de frutas o en una sopa de crema. Raras veces se puede decir que una familia reconstituida se convierte en una familia en el sentido relacional. Más realista es considerar un proceso por el cual varias partes se integran o se relacionan una con la otra, como un guisado compuesto de distintas partes. Por ejemplo, los padres biológicos y sus hijos siempre tendrán una unión más fuerte que los padrastros y los hijastros, aunque todo vaya bien. Y los hijos biológicos siempre tendrán una relación más fuerte con los familiares de sangre. Esto no quiere decir que los diferentes miembros de una familia reconstituida no se unan. Muchos desarrollarán profundos lazos emocionales, pero siempre habrá una diferencia cualitativa.

Juan era un padrastro muy consciente. Me impresionó con su dedicación al Señor y su deseo de ser una influencia positiva en su familia reconstituida. Sin embargo, él anhelaba algo más profundo y se preguntaba: "¿Por qué mi hijastro no demuestra un deseo de relacionarse conmigo igual que se relaciona con su papá? Su papá es un estúpido, no cumple las promesas de pasar un tiempo con David, olvida su cumpleaños y cuando están juntos, lo deja en la casa de la abuela. Yo he estado con David desde que tenía cuatro años y todavía, después de diez años, él prefiere estar con su papá. ¿Por qué me duele tanto?".

Yo había pasado una buena cantidad de tiempo con David y sabía que él respetaba y amaba a su padrastro. No obstante, el impulso de conocer a su papá era tremendo (como es frecuente en el caso de un padre que no está disponible y no tiene la tutela). Para David, el lazo de sangre era más fuerte que el matrimonio de su mamá. La razón por la cual Juan estaba tan dolido era que todavía tenía la esperanza de que él y su hijastro fueran una mezcla fluida. Ellos no lo son y probablemente jamás "combinarán", pero se han integrado bastante bien. Sencillamente, Juan tenía expectativas muy altas. Rebajar sus expectativas daría por resultado menos dolor y más conciencia de su relación actual con el hijastro.

Así que, si combinar no es la meta, entonces, ¿cómo se cocina una familia reconstituida?

CÓMO SE COCINA UNA FAMILIA RECONSTITUIDA: QUÉ NO HACER

Lo reconozca o no, lo más probable es que usted tenga un estilo de integración de la familia lleno de suposiciones. Lo que quiero decir con esto es que se imagina cómo debe unirse su familia. Usemos la experiencia de cocinar como una analogía para identificar algunos estilos de integración que, por lo general, no funcionan.

Batidora. Ya notamos que esta mentalidad cree que todos los ingredientes se pueden batir juntos hasta obtener una mezcla batida. Esto da por sentado que cada ingrediente se relacionará con los otros de modo uniforme. No se concede singularidad a los diferentes ingredientes y hay poco espacio para la diversidad.

"¿Por qué no puedo establecer una buena relación con mi hijastra? Ella tenía dieciséis años cuando me casé con su mamá. Los otros hijos tenían ocho y diez años respectivamente, y no he tenido ningún problema para relacionarme con ellos". Recordemos que el tiempo es esencial para desarrollar una relación, que edificar la unión con los adolescentes es un proceso lento porque ellos están en el proceso de apartarse gradualmente de la familia. Para un padrastro es bastante normal vincularse más a uno de los hijastros, estar trabajando en su relación con los demás mientras que experimenta una relación distante con el hijo mayor. Las relaciones serán diferentes en la misma familia reconstituida, no es una mezcla fluida.

Procesador de alimentos. Estas familias reconstituidas muelen la historia de unos y otros e intentan combinar de inmediato todos los ingredientes a una velocidad rápida. Cuando el amor no ocurre enseguida, las personas se sienten hechas añicos; nadie permanece completo.

Un ejemplo clásico de esta mentalidad es el padrastro que le demanda al hijastro que le llame "papá" o "mamá". Es como si se le dijera al niño: "Hemos molido a tu verdadero padre y lo tiramos a un lado. Este es tu nuevo padre". ¡Algunos padres hasta piensan que sus hijos aceptarán eso!

Otro ejemplo es el de las familias reconstituidas que creen que no pueden honrar las tradiciones que la primera familia o la familia de un solo padre o madre estableció, porque dejarán a alguien afuera. Pero no se dan cuenta de que al moler la tradición también muelen a las personas que la honran. Esto da por resultado otra pérdida e invita a resentir a la nueva familia.

Microondas. Estas familias rechazan que las definan como una familia reconstituida y tratan de calentar los ingredientes de una manera rápida para convertirse en una familia nuclear. Evitan que se les llame familia reconstituida y también evitan las implicaciones de ser diferentes a cualquier otra familia. La gente me dice que ellos resienten que se les llame familia reconstituida porque los hace sentirse de segunda clase. No hay nada intrínsecamente erróneo en ser una familia reconstituida, no es mejor ni peor que otras clases de familias, sólo diferente.

Permítame recalcar este punto. A pesar de lo desesperado que esté porque su familia reconstituida sea como las familias biológicas, no lo es. Es verdad que cada familia reconstituida tiene aspectos que reflejan las familias biológicas, pero cada familia reconstituida también tiene características únicas que difieren de las familias biológicas. Algunas partes funcionan igual, otras no.

Una barrera importante para el ajuste de una familia reconstituida saludable es un equipo de padres que nieguen esta realidad. Las personas, consciente o inconscientemente, con frecuencia tratan de hacer que su hogar sea como el de su familia de origen o el de su primera familia, aunque mejor. Después de todo, la familia de la comedia "La Tribu Brady" lo logró. ¿Por qué nosotros no podemos lograrlo?

Una madrastra demostró su mentalidad de microondas mediante un correo electrónico que cuestionaba un artículo que yo publiqué: "Me inquieté después de leer su artículo", comenzó ella. "Soy una madrastra de dos niñas maravillosas. Me convertí en su madrastra cuando ellas tenían cuatro y dos años. Poco después su madre biológica las abandonó, y hace casi cuatro años que no la hemos visto ni oído de ella. No me tome a mal", continuó ella; "considero esto una bendición". [Bendición ¿para quién?, me pregunté.] "Mi punto es este: yo soy la madre de las niñas. No mitad madre o madrastra o cualquier otro calificativo... Nuestra familia puede funcionar y funciona como cualquier otra familia".

Es obvio que en estos momentos esa madrastra se siente bien acerca de su función y su familia reconstituida. Me alegro de eso. Pero me pregunto cómo se sentiría ella, creyéndose "madre de las niñas", si la madre biológica de las niñas apareciera en el panorama esperando resucitar su relación con sus dos hijas. O si quizás las niñas comenzaran a tener fantasías acerca de su mamá y la mantuvieran presente aunque fuera sólo en el pensamiento. Quizás algún día hasta la busquen tratando de descubrir más acerca de su herencia genética y cultural (como muchos hijos adoptados). Me alegro de que esta madrastra se sienta tan unida a sus hijastras. Pero, ya sea que lo acepte o no, ella vive en una familia reconstituida, no en una familia biológica.

Llegar a aceptar sus desafíos y las oportunidades únicas como una familia reconstituida es un primer paso tremendo para encontrar soluciones creativas a sus dilemas Si rehúsa admitir la diferencia, está desconectando inadvertidamente su habilidad de aprender maneras nuevas y eficientes de relacionarse.

Una mujer rechazó creer que su segundo esposo trataría a su hijo diferente que a los hijos de él. "Si él me ama, amará a mi hijo", pensó ella. Ese, por supuesto, no fue el caso. Aunque la mayoría de los padrastros procuran diligentemente tratar a sus hijastros de la misma manera que a sus hijos biológicos, por lo general surgen diferencias. Hay varios niveles de vínculos que influyen nuestras reacciones naturales hacia las personas. Mientras que este padrastro debe luchar para igualar la manera en que trata a sus hijos y a los de ella, su esposa debe comprender que ocurrirán diferencias.

Olla a presión. El estilo de cocinar de esta familia consiste en poner los ingredientes y las especies (es decir, rituales, valores y preferencias) a presión para que se fusionen por completo. La familia está bajo gran coacción y, como las expectativas son tan altas, con frecuencia hace saltar la tapa.

"Sé que tu padrastro es un poco exigente y más estricto que yo pero, ¿no se pueden llevar bien?". Este hijo siente la gran presión de llegar a adaptarse porque su mamá lo necesita. La salud emocional de ella parece depender de la aceptación que el hijo le dé a su padrastro. ¡Qué desilusión les espera!

Otro ejemplo de la mentalidad de la olla a presión son las familias reconstituidas que creen que la respuesta a cada conflicto respecto a los rituales de las fiestas es combinar las tradiciones. Pablo y sus hijos desarrollaron una tradición especial de Navidad en la que cada persona abría un regalo en la Nochebuena y el resto de los regalos a la mañana siguiente. Sin embargo, su nueva esposa, Sharon y sus hijos tenían la tradición de abrir todos los regalos el día de Navidad por la mañana después de un desayuno especial. En un estado de pánico, Pablo me llamó unas semanas antes de su segunda Navidad juntos. "Le tengo temor a las Navidades de este año. El año pasado Sharon y yo combinamos nuestras tradiciones y fue un desastre. Para respetar a mi familia hicimos que todos los niños abrieran un regalo en la víspera de Navidad y para respetar a la familia de Sharon tuvimos el desayuno navideño y abrimos el resto de los regalos. Pero a nadie le gustó esta manera de hacerlo. Todos actuaron como si estuviéramos en un funeral en lugar de estar en una celebración y, por otra parte, Sharon y yo terminamos en una pelea que duró hasta el día de Año Nuevo. ¿Qué debemos hacer este año? ¿Ir cada uno a una esquina y orar pidiendo que nadie dé un puñetazo?". En el capítulo 8 explicaré cómo sobrevivir las festividades, pero por ahora entienda que combinar los rituales algunas veces funciona; sin embargo, presionar a las personas para que estén de acuerdo con la combinación puede sabotear los resultados.

Mezclar. Como en una ensalada, este estilo tira cada ingrediente al aire sin considerar a dónde caiga. Los ingredientes mantienen algo de su integridad, pero se espera que caigan juntos con las otras partes. Los ejemplos de este estilo pueden ser sutiles o extremos.

Cuando un niño pasa un tiempo en la otra casa, los otros niños piensan que pueden jugar con los juguetes o pertenencias del que está ausente. A los niños se les debe enseñar que, aunque alguien esté temporalmente en otra casa, las cosas del niño ausente no son para usar libremente. Si Susana quiere usar el suéter de la hermanastra, primero debe llamarla a la otra casa y pedirle permiso. Si Betty quiere jugar con los juegos de vídeos de Carlos, ella debe llamarlo y pedirle permiso o establecer las normas antes de que él salga de la casa. Respetar las posesiones de otros es importante porque enseña a las personas a honrar a otros; también le comunica al niño ausente la exclusividad de esas pertenencias. "Tú puedes estar en la casa de tu papá, pero aquí todavía tienes un lugar".

Los ejemplos más extremos de la integración de este estilo son los padres que no tienen la tutela y que se mudan con frecuencia y esperan que sus hijos manejen emocionalmente las interrupciones del horario de visitación. Los padres que exponen a sus hijos a una serie de personas con quienes salen o al amante, y aquellos que se involucran en el matrimonio Velcro (una serie de matrimonios de pegarse y despegarse) también están mezclando a sus familias. Esto expone a los hijos a una variedad de entornos inestables, cambios de escuelas y arreglos sociales, inseguridad financiera y modelos de relaciones no saludables.

Una madre mantuvo en secreto de sus dos hijos pequeños que el hermano mayor tenía un padre diferente (de un matrimonio previo). Su vergüenza personal por haber tomado algunas decisiones pobres al comenzar la vida y el temor de la reacción de sus hijos la llevó a esconder la verdad. Mezclar a los niños mientras se cubre el sabor de la verdad con el «aderezo» correcto no trae integridad a la integración de la familia reconstituida. Por suerte, esta madre por fin pudo decirles la verdad a sus hijos antes de que la oyeran de alguien más.

IDEAS CULINARIAS PARA COCINAR UNA FAMILIA RECONSTITUIDA

"Si todos estos estilos de integración no son prácticos, ¿qué estilos usaremos?". Yo recomiendo el estilo de cocción lenta. Las familias con hijastros que escogen este estilo comprenden que el tiempo y la llama bajita hacen una combinación eficiente. Todos los ingredientes se combinan en el mismo caldero, pero cada uno se queda intacto, dando afirmación a su origen y características peculiares. Lentamente y con mucha intención, la llama baja hace que los ingredientes se unan. Cuando los jugos comienzan a fluir juntos, se purifican las imperfecciones y entonces las cualidades deseables de cada ingrediente se agregan al sabor. El resultado es un plato de sabor delicioso hecho de diferentes ingredientes que dan de sí para producir una maravillosa creación.

La clave para cocinar las familias reconstituidas a fuego lento es el *tiempo* y la *llama baja*. Ya he destacado la importancia de ser pacientes con el proceso de integración y no tratar de forzar el amor, el cuidado o la unión. Quizás haya notado que uno de los elementos comunes de los estilos de integración del procesador de alimentos, el microondas, la olla a presión y la batidora es el intento de combinar rápidamente los diferentes ingredientes (las personas, los rituales y los orígenes). Tal esfuerzo casi siempre fracasa, trayendo una reacción violenta de enojo y resentimiento.

Las familias con hijastros necesitan *tiempo* para ajustarse a las nuevas condiciones de vida, los nuevos estilos de criar a los hijos, nuevas normas y responsabilidades. Ellos necesitan *tiempo* para experimentar uno con el otro y desarrollar confianza, dedicación y una historia compartida. Necesitan *tiempo* para encontrar el sentido de pertenencia y una identidad como una unidad familiar. Ninguna de estas cosas puede apresurarse. Las personas que están tratando de demostrar a sus padres, amigos, iglesia, ministro o *a ellas mismas* que la decisión de volverse a casar era lo correcto para todos, necesitan que su familia se "mezcle" rápidamente. Pero lo que sucede es que con frecuencia se decepcionan mucho y se sienten como fracasados. Sin embargo, la mentalidad de cocción lenta trae alivio a la presión de demostrarles a todos lo bien que se pueden llevar porque desde el principio usted supo que la integración tomaría años. También es una invitación para relajarse por el momento y disfrutar los pequeños pasos que la familia reconstituida está dando para integrarse, en lugar de presionar a los miembros de la familia a avanzar.

Cocinar a fuego lento se refiere a sus esfuerzos graduales e intencionales para unir las partes. Es trabajar con inteligencia, no más arduamente. Para ilustrar la mentalidad de cómo cocinar a fuego lento, permítame aplicar algunos métodos para cocinar lentamente a los ejemplos anteriores de qué no hacer.

Un padrastro al estilo de cocción lenta, que es el opuesto al padrastro mezcladora, no se preocupará en exceso acerca de por qué no se lleva bien con su hijastra adolescente ni asume que él y los hijos deban todos mezclarse al mismo grado. Los padrastros que cocinan al estilo de fuego lento comprenden la norma fundamental del desarrollo de las relaciones con los hijastros: Dejar que los hijastros marquen el paso de las relaciones. Si ella acepta al padrastro, permita que él devuelva el afecto a la niña. Si ella se mantiene distante, él no debe forzar caerle bien a ella. Él busca cómo manejar las normas y seguir adelante con la vida (ver el capítulo 8), pero no insista en que el niño acepte su autoridad o afecto físico.

Los adultos estilo procesador de alimentos tuvieron una lucha similar. Esperaban que sus hijos desearan referirse a su nuevo padrastro o madrastra con expresiones de cariño. Cuando esto no sucede de manera natural, los padres al estilo de procesador de alimentos lo demandan. Sin embargo, el adulto que cocina a fuego lento comprende (aunque lo desee de otra manera) que un padrastro puede ser "papi" para su hijastro más pequeño, "Santiago" para el hijo que sigue y "señor Santiago" para el adolescente. Las familias al estilo de cocina a fuego lento reconocen el apego que los hijos tienen emocional y psicológicamente con los padres biológicos y no los fuerzan para que ellos cambien esos afectos.

La madre-microondas convertida en olla-de-cocción-lenta aceptará que su esposo luche para responder con justicia a sus hijos. Como una madre olla-de-cocción-lenta, la frustrada ex madre olla-de-presión no reaccionará con enojo inmediato ante el hijo que no coopera con su padrastro. Ella disimulará su conducta de oposición al ver que el niño está luchando con la pérdida, que es incapaz de comunicarse con su padre biológico y que está desalentado con las circunstancias de la familia. Y Pablo, el padre olla-de-presión que trató de unir las dos tradiciones de Navidad, dará lugar para que la familia reconstituida desarrolle una tradición completamente nueva de Navidad. Por ejemplo, él y su esposa pudieran tener una serie de reuniones familiares con sus hijos para exponer sus preferencias y deseos. Tal vez ellos decidan comenzar una tradición completamente nueva para honrar la historia de cada familia alternando cómo abrir los regalos, o quizás decidan dejar que cada padre y sus hijos mantengan sus propias tradiciones.

Esta última idea se refiere a las actividades "minifamilia". Al principio del proceso de integración de una familia reconstituida tal vez sea beneficioso mantener las tradiciones y rituales familiares separados permitiendo que los padres pasen tiempo con sus hijos sin que los hijastros estén presentes. Los padrastros o madrastras necesitan dar a su nuevo cónyuge y a sus hijastros un tiempo para estar solos, sin interrupciones. El padre biológico puede jugar con sus hijos, mientras que los padrastros disfrutan de un entretenimiento personal o se van de compras con sus hijos. Tales actividades de minifamilia ayudan a los hijos a tener un tiempo ininterrumpido con su padre y hermanos biológicos, honrando su necesidad para atender a los que ellos aman más. También les afirma a los hijos que ellos no han perdido por completo el acceso a sus padres. Sin embargo, por buenas que sean las actividades de las minifamilias por separado, es frecuente que los que no tienen una mentalidad de olla-de-cocción-lenta perciban el tiempo segregado como una indicación de división en la familia.

Troy y Meredith me llamaron con una lucha típica de integración: qué hacer con el tiempo libre los sábados por la tarde. Antes de volverse a casar, Troy y sus hijos, Josh de 11 años y Emily de nueve años, disfrutaban pasar los sábados haciendo actividades juntos. A veces iban al golf en miniatura, jugaban a la pelota con los amigos o montaban bicicletas en el parque; su prioridad era hacer algo juntos. Meredith y sus hijos, Terry de trece años y Joe de ocho años, tenían preferencias diferentes para el tiempo libre. Ellos valoraban separarse uno del otro durante el tiempo independiente de manera que cada uno podía dedicarse a sus intereses en particular. Meredith consideraba esto su "tiempo de quietud" para relajarse y leer un buen libro. Terry disfrutaba jugando con sus amigos, mientras que Joe dominaba su último juego de la computadora.

Cuando me llamaron, Troy y Meredith habían probado hacer todas las cosas posibles para crear una "familia mezclada". Se desafiaron uno al otro y también los hijos tomaron turnos para pasar los sábados haciendo actividades juntos o separados. Una semana iban a jugar golf en miniatura sólo para descubrir que los hijos de Meredith se quejaban porque extrañaban su manera de divertirse. Cuando se aburrían, Joe molestaba a Emily y con rapidez la situación se convertía en un problema. Primero los hijos lloraban y se quejaban, y entonces Troy le decía a Meredith que ella necesitaba controlar mejor a su hijo. Ella se sentía atacada y defendía su manera de criar a los hijos y resentía la conducta "controladora" de Troy.

A la semana siguiente intentaron dejar que cada uno experimentara el gozo de "hacer sus propias cosas". Pero inevitablemente, uno de los hijos de Troy quería unirse a los hijos de Meredith en alguna actividad, y al final terminaban discutiendo y dando portazos.

Ellos me dijeron:

—Lo hemos probado todo.

—No —respondí yo—, ustedes sólo probaron muchos estilos de cocinar, esperando crear una familia biológica que se uniera para hacer todas las cosas. Lo que necesitan hacer es dar un paso atrás, respetar el pasado de cada uno y pasar tiempo con sus hijos para que ellos hagan lo que más les guste.

—¿Quiere decir que él debe irse a jugar golf con sus hijos, mientras los varones y yo hacemos cosas separadas? Eso no sería un sábado familiar —me dijo Meredith.

Mi respuesta fue aleccionadora.

—Sí, sí lo será. Será una tarde de familia reconstituida.

Seguí explicándoles que presionar varios ingredientes para mezclarlos daría por resultado volar la tapa de la olla. Troy y Meredith necesitaron aceptar que su familia era diferente para luego descubrir soluciones creativas. Quizás las actividades de la minifamilia no parezcan una buena solución porque ellos estaban tratando de mezclar su familia como si fuera una familia biológica. Aceptar su familia reconstituida como una en el proceso de integración los ayudaría a ver que, por ahora, esa era la mejor solución. Después de cocinar un poco más, dándole tiempo a la familia para unirse, es posible que aparezca otra solución más apropiada.

Las expectativas irreales con frecuencia hacen que las parejas cocinen demasiado a su familia reconstituida. Tratar de forzar, presionar o cocinar rápidamente los ingredientes de su hogar probablemente dé por resultado un plato arruinado. Pero disminuir sus expectaciones y dar a su familia reconstituida un tiempo para que se cocine lentamente los llevará más cerca de la tierra prometida.

Recomendaciones para la actividad familiar

Como pareja, pídanle a todos los hijos que ayuden a cocinar un proyecto. Prepare una receta para un plato en la olla de cocción lenta. Permita que cada uno ponga un ingrediente en la olla. A medida que lo hagan, hable acerca de la semejanza de la familia con este plato que están preparando. Haga notar a los niños que usted no está revolviendo o mezclando los ingredientes a mano, sino que está dejando que la olla los mezcle lentamente durante un tiempo. También mencione cuánto tiempo es necesario emplear para cocinar los alimentos en una olla de cocción lenta y que cada hora puede representar un año para su familia reconstituida. Permita que le hagan preguntas. Cuando terminen de cocinar, siéntense todos juntos como familia y disfruten la comida. Mientras comen, preguntś a los niños qué sabor tendría la comida al comenzar a cocinar. Oren juntos al final de la comida, pidiéndole a Dios que le dé paciencia a su familia mientras se "cocinan juntos".

Preguntas para discusión en el grupo de apoyo

PARA TODAS LAS PAREJAS

1. ¿Cómo le desanima este capítulo? ¿Cómo le da esperanzas?
2. ¿Cuándo se dio cuenta por primera vez que sus expectativas no se convertían en realidad?
3. ¿De qué maneras sus expectativas se cumplieron con éxito? Festeje sus éxitos y explique lo que va bien en su hogar.
4. ¿Cuáles de los siguientes mitos es usted culpable de creer? Identifique cada uno y exprese lo que esperaba como resultado.
   - El amor aparecerá instantáneamente entre todos los miembros de la familia.

- Esta vez todo saldrá mejor.
- Todas las cosas caerán rápidamente en su lugar.
- Nuestros hijos se sentirán tan felices acerca del nuevo matrimonio como nosotros.
- Mezclar es la meta de esta familia reconstituida.

5. ¿De cuáles de los siguientes estilos de integración es culpable?
   - Mezcladora
   - Procesador de alimentos
   - Microonda
   - Olla a presión
   - Mezclar

6. ¿Cómo la mentalidad de olla de cocción a fuego lento va en contra de sus deseos e imposiciones naturales de cómo una familia reconstituida debe integrarse?
7. ¿De qué maneras es un alivio saber que el tiempo es importante en el proceso de integración?
8. ¿Qué métodos de «cocción lenta» ya utilizó (aunque hasta ahora no sabía que era importante)?
9. ¿Qué temores tiene que le fuerzan a usar el modo acalorado?
10. ¿De qué maneras necesita implementar la mentalidad de cocción lenta? ¿Qué tendría que cambiar en su persona?
11. En este momento, ¿cuán apropiadas son las actividades de mini-familia para su familia reconstituida? ¿Cómo pudiera implementar esta idea en el próximo mes? Prepare un plan y presente el resultado a su grupo de apoyo. Evalúe la efectividad y decida si debe hacerlo de nuevo.

PARA PAREJAS ANTES DE CASARSE

1. ¿Cómo este libro está abriendo sus ojos a los desafíos de la vida de la familia reconstituida? Enumere sus esperanzas y cómo su futura familia reconstituida será una excepción a la norma.
2. Ahora enumere las razones por las que cree que la familia de su nuevo matrimonio se integrará con éxito.
3. ¿Cómo pueden estas esperanzas y razones cegarle a la realidad?

4. Como pareja, comenten las siguientes expectativas. Una madrastra las expresó después de dos años en su nuevo matrimonio. ¿Cómo se identifica usted con sus deseos? ¿Cuán realistas cree usted que sean?

    - Pensé que mi esposo apreciaría lo abrumador y difícil que sería para mí cuidar de sus hijos.
    - Pensé que criar a sus hijos llenaría mi necesidad de ser madre.
    - Pensé que tendría algo más que decir en cuanto al horario de visitación de los hijos (por ejemplo, cuando los cuidamos en lugar de su mamá, cuando pasan la noche en la casa de un amigo, etc.).
    - Esperaba sentirme integrada, que me dieran la bienvenida y me trataran bien.
    - Esperaba que de inmediato yo pasaría a tener prioridad sobre todas sus otras relaciones, incluso la de sus hijos.

CAPÍTULO CINCO

Tercer paso inteligente: **Un paso doble**

Su matrimonio debe ser su primera prioridad

Él respondió y dijo:
¿No habéis leído que el que los creó en el principio, los hizo hombre y mujer? Y dijo: "Por esta causa el hombre dejará a su padre y a su madre, y se unirá a su mujer; y serán los dos una sola carne". Así que ya no son más dos, sino una sola carne. Por tanto, lo que Dios ha unido, no lo separe el hombre" (Mateo 19:4-6).

Cada familia, incluyendo la familia reconstituida, se funda en la relación matrimonial. No obstante, la complejidad de la vida de la familia reconstituida hace que nutrir la relación matrimonial sea un tremendo desafío. Es fácil para el matrimonio perderse en el bosque de la familia reconstituida.

En los Estados Unidos de América, la tasa de divorcios entre primeros matrimonios ha comenzado a disminuir por primera vez en más de tres décadas. Las últimas predicciones estiman que se divorciarán del 42 al 45 por ciento de los que se casan por primera vez. Sin embargo, hasta recientemente la proporción de los divorcios, incluyendo a todos los matrimonios, se mantenía alrededor del 50 por ciento, y en los últimos años de la década de 1980 los investigadores de la Universidad de Wisconsin estaban prediciendo que entre las parejas que se casaban por primera vez había un 67 por ciento de probabilidad de que se divorciaran[1]. Gracias al Señor, el índice de divorcio está comenzando a disminuir.

Sin embargo, parece ser que el índice de divorcio entre los casados por segunda vez permanece igual. Las personas que se casan de nuevo componen el 46 por ciento de todas las bodas que se celebran actualmente en los Estados Unidos[2] y un buen número, el 60 a 65 por ciento de estas, terminarán en divorcio (la mayoría dentro de los cinco años)[3]. Otra manera de ver el impacto de esta estadística es a través de los ojos de los hijos. La mitad de todos los hijos verán, en algún momento, a sus padres divorciarse; la mitad de estos verán, por lo menos a uno de los dos divorciase por segunda vez.

No hay duda alguna de que es alta la tasa de divorcio entre los que se casan más de una vez. Y la presencia de los hijos tiene mucho que ver con esto. El índice de divorcios es 50 por ciento más alto entre los que se casan nuevamente y tienen hijastros que entre los que se casan de nuevo, pero no los tienen[4].

Así que debemos preguntarnos: ¿Por qué el divorcio entre las parejas que se casan por segunda vez es más alto que el de los matrimonios que se casan por primera vez? ¿Cuál es la dinámica singular de la familia reconstituida que hace tan difícil el matrimonio? Antes de contestar estas preguntas recordemos las cualidades de un matrimonio exitoso.

EL DISEÑO DE DIOS DESDE EL COMIENZO

La hermosa historia de Génesis 2 es la de un Dios que proveyó un compañero para la mujer y una compañera para el hombre. Dos personas que se complementarían una a la otra, compartirían intimidad, trabajarían juntos para criar a los hijos y reflejarían mutuamente el amor de Dios. El misterio de la unidad matrimonial (Efesios 5:31, 32) fue creado por Dios para la humanidad. Y el matrimonio se creó con un propósito.

Me gusta pensar en el matrimonio como el sistema espiritual de Dios para el cuidado mutuo. Desde el comienzo Dios fue el centro de la relación matrimonial. Él fue el foco central para la relación de Adán y Eva, dándole propósito e instrucción a la vida. El matrimonio, como toda actividad de Dios en este mundo, se formó para guiar a las personas a tener una relación con él. Él nos ama con todo su corazón y desea que lo conozcamos. Por lo tanto, el objetivo del matrimonio es conocer a Dios y compartir su amor con otra persona que, a su vez, nos ama de manera tal que nos sentimos atraídos hacia Dios. Es un triángulo de amor completamente diferente a cualquiera que exista en Hollywood. La realidad es que, mientras más cerca a Dios estemos como personas, más cerca estaremos a nuestro cónyuge; y mientras más cerca estemos en nuestro matrimonio, más intimidad tendremos con Dios.

Esta intimidad espiritual está en el corazón del matrimonio cristiano y forma el propósito divino básico del matrimonio para todos los tiempos, lugares y culturas. Los matrimonios saludables y en desarrollo buscan edificarse sobre este fundamento. Las parejas que ponen a Dios en el centro de su existencia, ya sea el segundo, el tercero o el cuarto matrimonio, ponen a Dios a cargo de sus voluntades, sus selecciones, su dinero, su vocación y sus relaciones. Una pareja así, aunque nunca alcance la perfección matrimonial, indudablemente experimentará algunas de las más ricas bendiciones de Dios. Este triángulo de amor santo tiene dos partes: la relación de cada cónyuge con Dios y su relación el uno con el otro.

LA RELACIÓN DE CADA CÓNYUGE CON DIOS

En el centro del matrimonio cristiano hay dos personas que se rinden completamente al señorío de Cristo Jesús. El desafío del discipulado —negarse a sí mismo, tomar su cruz y seguir a Cristo (Marcos 8:34, 35)—, es una decisión diaria para el cristiano. Anteriormente hablamos de los desafíos espirituales que traen vergüenza y culpabilidad a causa de un pasado inalterable. Las familias reconstituidas necesitan que les recuerden el poder redentor de Dios para salvar. Segunda Corintios 5:21 audazmente proclama nuestra posición ante Dios: “Al que no conoció pecado, por nosotros Dios le hizo pecado, para que nosotros fuéramos hechos justicia de Dios en él”. No hay un mensaje más grande para cualquier persona, de cualquier familia. La prioridad en la vida es la relación con Dios, no la relación con sus hijastros o ni siquiera con su cónyuge. Pero la relación con Dios sí provee fortaleza y sabiduría para nuestro viaje juntos en la tierra.

Muchas de las ideas que ofrecemos en este libro para edificar las relaciones en la familia reconstituida son tan contrarias a la manera de pensar de nuestra cultura acerca de cómo tener una familia, que usted no podrá practicarlas si no tiene el poder del Espíritu Santo obrando en su vida. Por ejemplo, Jesús dijo: "Amad a vuestros enemigos, bendecid a los que os maldicen, haced bien a los que os aborrecen, y orad por los que os ultrajan y os persiguen" (Mateo 5:44, RVR, 1960). Bien, ¿qué si su enemigo es su ex esposa… o su hijastro? ¿Cómo puede sobreponerse a las acciones de ellos y amarlos si no tiene la fortaleza del Espíritu? La motivación para vencer el mal con el bien (Romanos 12:21) se debe alimentar negándose a sí mismo y reconociendo que Cristo le perdonó.

Otro resultado significativo de nuestra relación de amor con el Padre Celestial es la identidad y el valor que se nos brinda mediante el sacrifico de Cristo en la cruz. Escuche las palabras de Tito 3:4-7:

> Pero cuando se manifestó la bondad de Dios nuestro Salvador y su amor por los hombres, él nos salvó, no por las obras de justicia que nosotros hubiésemos hecho, sino según su misericordia; por medio del lavamiento de la regeneración y de la renovación del Espíritu Santo, que él derramó sobre nosotros abundantemente por medio de Jesucristo nuestro Salvador. Y esto, para que, justificados por su gracia, seamos hechos herederos conforme a la esperanza de la vida eterna.

¿Se da cuenta? A pesar de nuestra pecaminosidad somos renacidos y hechos nuevos en Cristo Jesús. Más que eso, nos hemos convertido en herederos del Rey. Allí descansa nuestra identidad: soy un heredero de Dios, una persona de valor incomparable. El valor que tengo en Jesús no tiene que ganarse, sino que es sencillamente un producto de la gracia salvadora de Dios.

Como terapeuta, comprendo la importancia de la autoestima y el significado que tiene en la vida de las personas. Pero creo que el "aprecio de Dios" es aún más importante. Este viene cuando las personas reconocen y aceptan su valor en Dios, no por lo que hayan hecho para obtener aprobación, sino por lo que Jesús hizo por ellas en la cruz. El aprecio de Dios nos hace sentir humildes porque no se puede ganar. Sin embargo, es libertador para aquellos que somos discípulos de Cristo porque nos libera para que podamos ofrecer nuestras vidas a Dios, no por una obligación o pago, sino en respuesta de amor por su don de gracia.

Además, aceptar la verdad del aprecio de Dios es un don para su matrimonio. Permítame explicar esto. Hace muchos siglos Bernard de Clairvaux describió cuatro niveles de amor[5]. Difícilmente, desde ningún punto de vista bíblico, podemos llamar amor a los primeros dos niveles pero, por desgracia, estos describen muchas relaciones de nuestro mundo actual. El primer nivel es "amarme únicamente a mí". Aquí la meta es el amor propio o el narcisismo y no se interesa en las necesidades de otra persona. La segunda forma de amor no es mucho mejor: "te amo por mi propio bien". Esta forma de amor tiene sus raíces en el egoísmo, es la persona que usa a la otra para beneficio personal. La tercera forma de amor es un gran salto en calidad comparada con los dos anteriores: "te amo por tu bien". Esta forma de amor respeta el valor de la otra persona y quiere buenas cosas para él o ella. Busca los intereses de la otra persona. Para la mayoría, esta forma de amor parece ser la mejor, una relación mutuamente respetuosa, donde cada persona sirve a las necesidades de la otra. Sin embargo, Bernard de Clairvaux pensó que debía existir una forma de amor más alta que esa.

"Amarme a mí mismo por tu bien" es un amor de dignidad propia que le ofrece lo mejor a la otra persona. Está arraigado en la conciencia que tengo del aprecio de Dios hacia mi persona. Cuando usted acepta su valor en Cristo Jesús, puede honrar a su cónyuge, hacerle frente a las luchas y hasta discrepar en cuanto a la vida de su familia, sin temer el rechazo personal, porque su identidad está segura. Usted no depende de su familia para saber quién es, sino que depende de Dios.

A propósito, esta última forma de amor se parece mucho a la de Jesús, que dijo que el segundo y más grande mandamiento es "amarás a tu prójimo como a ti mismo"; eso implica que un saludable autorrespeto hace posible el amor hacia otro. ¿De dónde viene ese autorrespeto saludable? El gran mandamiento: "Amarás al Señor tu Dios con todo tu corazón y con toda tu alma y con toda tu mente" indica que es a través de mi relación de amor con Dios (Mateo 22:37-39).

Entonces, ¿cómo el aceptar mi identidad en Cristo es un don para mi matrimonio? Cuando lo que valgo como persona viene de Dios, no tengo que obtenerlo de otra persona. Cuando el matrimonio nos afirma, nos sentimos bien, pero tener el aprecio de Dios significa que cuando el matrimonio no nos afirme, esto no nos devastará. Al enfrentar el rechazo, puedo mantenerme firme porque la distancia momentánea no desintegrará mi valor.

Mi observación es que esto es crítico para las familias reconstituidas porque el rechazo es muy común. Por ejemplo, si usted es un padrastro o una madrastra, necesita saber que su identidad está en Dios cuando su cónyuge está confundido acerca de sus necesidades y es más atento con sus hijos que con usted. Usted necesita saber que tiene un valor que no le pueden quitar aunque un hijastro repetidamente ignore sus intenciones de unir a la familia o incluso rechace su presencia en la habitación. Y un padre biológico necesita una dosis saludable del aprecio de Dios cuando su hijo adolescente escoge vivir en la otra casa. Sin duda alguna, tal transición traerá una tremenda pérdida y tristeza. Pero esto no define su identidad ni su valor, Dios lo hace. Las personas en las familias reconstituidas necesitan conocer la fuente de su valor. Hace que sea mucho más fácil soportar el peregrinaje.

LAS RELACIONES ENTRE LOS CÓNYUGES

Edificar un matrimonio saludable en un hogar de familia reconstituida requiere dos discípulos comprometidos firmemente y una relación saludable entre los cónyuges. Es imperativo que las parejas en la familia reconstituida aprendan todo lo que puedan acerca de las relaciones matrimoniales saludables y le den constante atención y energía al fortalecimiento de su matrimonio. Es bastante evidente que muchos de los problemas que enfrentan los hijos y las familias tienen sus raíces en un matrimonio débil. Y las parejas de la familia reconstituida tienen más que el promedio normal de factores y presiones que desgastan su relación. Si edificar y solidificar el matrimonio no es una prioridad para ambos cónyuges, sin duda alguna sufrirán las consecuencias de la mediocridad. Yo recomiendo que por lo menos una vez al año las parejas asistan a un fin de semana de enriquecimiento matrimonial, y que también aprovechen de las clases para matrimonios que se ofrezcan en su congregación, lean libros y escuchen programas cristianos radiales sobre la familia. Ambos necesitan toda la ayuda que puedan obtener.

Más allá de los aspectos espirituales que ya se presentaron, las parejas de la familia reconstituida deben aprender a fijarse metas para su matrimonio, desarrollar confianza y un sentido de compañerismo, establecer compromisos, cultivar una relación sexual satisfactoria y establecer comunicación y habilidades para solucionar conflictos. Presentar todas las áreas de un matrimonio saludable va más allá del tema de este libro. Sin embargo, antes de pasar nuestra atención a dos barreras específicas que las parejas de la familia reconstituida enfrentan, repasemos brevemente unas pocas de esas cualidades que son más pertinentes para los matrimonios de la familia reconstituida.

Establecer el compromiso de llegar hasta el final

Max Lucado fue el primero en contar la siguiente historia. El relato capta la clase de dedicación que deben tener las parejas de la familia reconstituida para asegurar un amor que perdure toda la vida.

Las personas con las rosas

> John Blanchard se levantó del asiento, se enderezó el uniforme del ejército y observó a la multitud de personas que entraba y salía por la Gran Estación Central de Ferrocarril. Él buscaba a una muchacha cuyo corazón conocía, pero no su cara, la muchacha con la rosa.
>
> Su interés por ella comenzó trece meses antes en una biblioteca en Florida. Al tomar un libro del estante, se intrigó no con las palabras del libro, sino con las notas escritas a lápiz en el margen. La letra suave reflejaba un alma reflexiva, amable y una mente perspicaz. En las primeras páginas descubrió el nombre de la dueña anterior: la señorita Hollis Maynell.

Con tiempo y esfuerzo, localizó su dirección. Ella vivía en la ciudad de Nueva York. Él le escribió una carta presentándose e invitándola a que le escribiera. Al próximo día lo embarcarían hacia el extranjero para servir en la Segunda Guerra Mundial. Durante el siguiente año y un mes, los dos se conocieron mejor por medio del correo. Cada carta era una semilla que caía en un corazón fértil. Un romance estaba brotando.

Blanchard le pidió una fotografía, pero ella rehusó enviársela. Creía que, si él verdaderamente estaba interesado, no le importaría cómo era ella.

Cuando por fin llegó el día en que él regresaría de Europa, ellos programaron su primera reunión: a las 7:00 p.m. en la Estación Central de Nueva York. Ella escribió: "Me reconocerás por la rosa roja que estaré usando en mi solapa".

Así que exactamente a las siete de la noche, él estaba en la estación buscando a una muchacha que su corazón amaba y cuyo rostro nunca había visto.

Dejaré que el señor Blanchard diga lo que sucedió[6].

Vi a una joven mujer que venía hacia mí, su figura era alta y esbelta. Su rubio cabello caía en una cascada de bucles desde sus delicadas orejas; sus ojos eran tan azules como las flores azules. Sus labios y su barbilla tenían una delicada firmeza, y con su traje verde pálido, era como si la primavera hubiese llegado. Comencé a caminar hacia ella, olvidando por completo que esta muchacha no estaba usando una rosa. Cuando me acerqué, una pequeña sonrisa provocativa salió de sus labios. Ella murmuró: "Marinero, ¿vas por mi camino?".

Casi de manera incontrolable me acerqué un paso más a ella, y entonces vi a Hollis Maynell.

Estaba parada casi directamente detrás de la muchacha. Una mujer que bien pasaba de los cuarenta, y tenía cabellos canosos metidos debajo de su desgastado sombrero. Era más que rolliza, sus pies de tobillos gruesos entraban en unos zapatos de tacón bajo. La muchacha en el traje verde se alejó caminando rápidamente. Me sentí como si estuviera dividido en dos. Tenía mucho interés en seguirla; pero, por otra parte, sentía un profundo deseo de conocer a la mujer cuyo espíritu sostuvo el mío y me sirvió de verdadera compañía.

Y ahí estaba parada ella. Su cara gruesa y pálida era delicada y sensible; sus ojos grises tenían un brillo cariñoso y amable. No vacilé. Mis dedos se aferraban al pequeño y usado libro de piel azul que me identificaría. Esto no sería amor, pero sí sería algo precioso, algo quizás mucho mejor que el amor: una amistad por la cual siempre he estado y debo estar agradecido.

Me erguí, saludé y le di el libro a la mujer, aunque mientras hablaba me sentí disgustado por la amargura de mi decepción. "Soy el teniente John Blanchard, y usted debe ser la señorita Maynell. Me alegra mucho que nos hayamos conocido, ¿puedo invitarla a cenar?".

El rostro de la mujer se iluminó con una sonrisa complaciente. "Hijo, yo no sé de qué se trata esto", contestó ella, "pero la muchacha del traje verde que acaba de pasar me rogó que usara esta rosa en mi saco. Y ella me dijo que si usted me invitaba a cenar, le dijera que ella estaría esperando en el restaurante al cruzar la calle. ¡Ella dijo que esto era una prueba!"[7].

La clave para cualquier relación matrimonial es tener determinación y dedicación, incluso a la luz de alternativas más atractivas. Cuando lo que usted espera en su nuevo matrimonio no es lo que ve venir hacia usted, lo que le ayudará a permanecer en el camino y tomar las decisiones correctas será la dedicación. John y Hollis disfrutaron más de cuarenta años de matrimonio. Comenzó con dedicación y perduró con dedicación. Casi todas las parejas de familias reconstituidas enfrentan tiempos en los que se sienten atrapadas entre el mar de la oposición y su pasado. En esos momentos parece ser mucho más atractivo regresar a la vida de soltero. Pero mantenerse firmes para cumplir con el compromiso hecho y alcanzar la tierra prometida les dará poder para tomar las decisiones difíciles pero correctas. Su familia reconstituida no puede sobrevivir sin el compromiso de ambos.

Habilidades de comunicación y resolución del conflicto

El compromiso es la actitud que lo mantiene invirtiendo en su matrimonio. Las buenas técnicas de comunicación y la habilidad de resolver el conflicto le ayudan a atravesar el mar de la oposición. Uno nunca aprende lo suficiente acerca de cómo comunicarse con su cónyuge, o su ex cónyuge, los hijos y los ex suegros o suegras.

La comunicación es la parte vital de la relación. Hace algunos años una publicidad de la empresa de lubricantes Castrol demostró que sacar el aceite sintético de esa marca del motor de un automóvil no detendría el motor. Pero si a los motores se les saca el aceite común, se trancan muy pronto. Sencillamente no pueden funcionar sin algo que reduzca la fricción. La comunicación efectiva reduce la fricción en su matrimonio.

Las familias reconstituidas experimentan altos niveles de conflicto durante los primeros años, precisamente cuando la pareja está tratando de unir su relación. Si las parejas no pueden hablar, discutir y negociar decisiones de manera constructiva, fácilmente experimentarán un "paro" matrimonial. Sin embargo, las parejas que manejan competentemente el conflicto descubrirán profundidad en su confianza y seguridad en su matrimonio. No subestime la importancia de la comunicación y la capacitación para resolver el conflicto y así tener éxito en el matrimonio.

EL BANCO DE AMOR MATRIMONIAL

El doctor Tom Milholland, uno de mis profesores en la universidad, hizo una declaración acerca del matrimonio que nunca olvidaré: "Las parejas que no invierten en su matrimonio, siempre lo encontrarán en declive. El matrimonio es como el reloj de péndulo en el comedor, si no le da cuerda de vez en cuando, dejará de trabajar". Esto es muy cierto.

Yo conocía la historia de Estela y Tomás. Cuando llegaron a la primera sesión de terapia se les veía el resentimiento en sus ojos, la postura física hacía evidente el distanciamiento que había entre ellos. "Después de que nos casamos, él cambió por completo", comenzó ella a explicar. "Antes de casarnos él me invitaba a salir, me enviaba regalos y decía cosas preciosas acerca de mis hijos. Era como si él estuviera cazando y yo fuera su recompensa. Y eso me gustaba. Pero ahora todo lo que hacemos es hablar acerca de los horarios de los niños, el último novio de su ex esposa, o lo que está pasando en el trabajo. Hace muchos meses que él no demuestra interés en mí".

Es muy común que después de la boda ocurra un cambio emocional. Las parejas dejan de concentrarse en cómo ganar el corazón del otro y cambian a los intereses de su familia reconstituida. Como es de esperar y comprender, disminuye la energía dedicada a la relación. Sin embargo, las parejas deben recordar que de tiempo en tiempo tienen que invertir en su cuenta de amor o, de lo contrario, despertarán un día para descubrir que la cuenta está en bancarrota. Considere el banco del amor matrimonial.

Cada persona y cada relación tiene un banco de amor emocional. Las cuentas matrimoniales, por ejemplo, están en rojo o en negro. Algunas veces las cuentas están en bancarrota y algunas veces están pagando grandes dividendos por la inversión hecha.

La cuenta funciona igual que la de un banco. Usted mantiene su cuenta matrimonial en buen estado, asegurándose de que el balance siempre esté a su favor. Esto requiere, como mínimo, depositar más de lo que retira y los depósitos deben tener un valor acumulativo mayor que los retiros. Los depósitos son cualquier cosa positiva con la cual uno contribuye a la relación; los retiros de dinero son cualquier cosa negativa que uno le quite al matrimonio o que dañe la relación.

Para mantener las cuentas en negro, las parejas hacen dos clases de depósitos: cantidades grandes ocasionalmente e inversiones pequeñas regularmente. Las cantidades grandes ocasionales incluyen cosas como unas vacaciones de fin de semana, un crucero, o dar un regalo caro. Estos depósitos significativos pueden aumentar una relación durante meses, pero por lo general son caros y, por lo tanto, no se pueden hacer con mucha frecuencia. Por otro lado, las inversiones pequeñas regulares son más productivas a largo plazo. Estas inversiones vienen en forma de conductas sencillas, pequeñas y diarias que afirman la relación como también a cada cónyuge y le dan solidaridad al matrimonio.

Hasta existe una fórmula que le indica cómo les está yendo. John Gottman, un investigador matrimonial, concluyó que las parejas que se comprometen a conservar una relación durante largos años mantienen un intercambio de conductas positivas y negativas en una proporción de cinco a uno[8]. En otras palabras, *hacen cinco depósitos por cada extracción.* "¿Usted quiere decir que para hacer un inventario del banco del amor matrimonial, podemos examinar cuántos depósitos (y el valor de cada uno) hacemos en comparación con lo que retiramos?". Exactamente. Por ejemplo, por cada acción de egoísmo necesita haber:

- Un acto de amabilidad: cortesía o consideración básica de las necesidades del otro.
- Un acto de sacrificio: hacer algo por el otro, poner primero al cónyuge.
- Una conversación considerada: hablar de manera que edifique a la otra persona y escuchar lo que ella quiere, necesita y desea. Además, la manera como enfrente el conflicto debe unirlos en vez de separarlos.
- Expresiones románticas de afecto y/o sexualidad: agarrarse las manos, una tarjeta cuando no sea el Día de los Enamorados, un masaje en el cuello o en el pie, cocinar un plato favorito, sexualidad creativa.
- Un acto de amistad:
  Amabilidad
  Lealtad a su cónyuge frente a otros
  Halagos
  Compartir los sentimientos, sueños, frustraciones
  Apoyo en tiempos de crisis
  Honrar al cónyuge

Practicar lo mencionado es una inversión vital para mantener la proporción mágica de cinco a uno. Pero, entienda, nadie está restringido a la proporción de cinco a uno. Para tener un matrimonio estupendo, ¡esfuércese por alcanzar la proporción de diez a uno!

Recuerde, nadie más que usted deposita dinero en su cuenta del banco, y si usted no invierte, no tendrá nada para el futuro. Lo mismo sucede en el matrimonio. Los dividendos para usted y sus hijos merecen la inversión.

Entonces, ¿qué deben hacer las parejas si la cuenta está en rojo o en bancarrota? Tengo tres sugerencias para que comiencen. Primero, comience lentamente a hacer depósitos. Deje de enfocarse en cuán vacía que está la cuenta y haga depósitos *aunque no tenga deseos de hacerlos*. Esto refleja las sugerencias de Juan a la iglesia en Éfeso, en Apocalipsis 2:4, 5. Ellos olvidaron su primer amor por Cristo y se les dijo: "¡Arrepiéntete! Y haz las primeras obras". Las personas que por cualquiera razón se encuentran distantes de su cónyuge deben arrepentirse primero; esto es, renovar su compromiso y su actitud hacia su primer amor matrimonial. Después deben comenzar a hacer las cosas que los unieron en el primer lugar. Saber cómo amar a alguien a veces está tan cerca como nuestro pasado reciente. Durante el noviazgo con facilidad mostramos un amor desinteresado y abnegado, pero con frecuencia perdemos de vista el esfuerzo que esto requiere. Comiencen de nuevo a hacer esos mismos depósitos y vuelvan a darle energía a su relación.

Segundo, si se encuentra en bancarrota con su cónyuge, comience a hacer depósitos, pero entienda que es probable que al principio estos queden descontados. El resentimiento y los sufrimientos hacen difícil dar un recibo de reconocimiento por un depósito. No permita que esto impida hacer más depósitos. Y tercero, si es necesario, encuentre a un terapeuta calificado en matrimonios y familias para que le ayude a reconstruir su relación. No todos los consejeros están igualmente preparados, así que asegúrese de que sea alguien con preparación en terapia matrimonial y en especial en la dinámica de la familia reconstituida. Por esta razón, no sé de por vencido ni se declare en bancarrota.

¿Cuál es la proporción actual entre su conducta positiva y su conducta negativa? Tome un minuto para reflexionar en esto y anotar sus respuestas y las del siguiente ejercicio en un diario o en su agenda.

En la actualidad, creo que nuestro matrimonio tiene la proporción de ___________ conductas positivas por cada ___________ conductas negativas.

He aquí algunas cosas que puedo hacer la próxima semana para servir a mi cónyuge:

____

____

____

He aquí algunas cosas que puedo comenzar a hacer para aumentar nuestra relación positiva y disminuir nuestra interacción negativa:

____

____

____

Este puede ser un ejercicio revelador y deprimente, o puede afirmar sus esfuerzos actuales. De cualquier manera, hable con su cónyuge (o persona con quien esté saliendo) y explíquele cuáles son sus pensamientos acerca de este aspecto de la relación. Hágalo con franqueza, sin ponerse a la defensiva, de manera que pueda compenetrarse con la perspectiva del otro y renovar las inversiones mutuas. Recuerde, los dividendos bien valen la inversión.

Hasta ahora, este capítulo ha presentado cualidades del matrimonio cristiano que se aplican a toda pareja. Es posible que todavía esté pensando por qué el índice de divorcio para las parejas que se vuelven a casar es más alto que el de las parejas que se casan por primera vez. Yo creo que existen dos barreras clave para la unidad matrimonial en las familias reconstituidas que contribuyen al índice tan alto de divorcio: la lealtad del hijo al padre y el fantasma del matrimonio anterior. Estas barreras impactan profundamente a las parejas de las familias reconstituidas de maneras negativas y deben tratarse si el matrimonio va a crecer y a madurar.

ALIANZA ENTRE PADRE E HIJO: *VOLVERSE A CASAR CON HIJOS*

El diseño de Dios para la familia es que un hombre y una mujer comiencen su matrimonio separándose emocionalmente de su familia de origen. Cuando los dos "dejan a su padre y a su madre" y se "unen" uno con el otro se establece un nuevo fundamento para su hogar. La relación del matrimonio se establece antes de que los hijos nazcan y continúa a través de los años de crianza de los hijos. La

Biblia hasta afirma la necesidad de un período de luna de miel cuando la pareja solidifica su relación. "Si un hombre ha tomado recientemente esposa, no irá al ejército, ni se le impondrá ninguna obligación. Estará libre en su casa durante un año, para alegrar a su mujer que tomó" (Deuteronomio 24:5). Pero las parejas de las familias reconstituidas no tienen tiempo para vincularse emocionalmente. En efecto, debido a que la unión de la relación entre padre e hijo es por sangre y tiene más historia, la relación matrimonial, en vez de ser el lazo más fuerte en el hogar, es con frecuencia el más débil.

La progresión normal es que la relación de la pareja se expanda de una caracterizada por un romance antes de la llegada de los hijos a una relación de trabajo en conjunto después de los hijos. Sin un período de luna de miel, las parejas de la familia reconstituida se ven forzadas a negociar su relación al mismo tiempo que ellos solidifican su romance. De más está decir que el proceso es complicado y con frecuencia se pierde la relación personal de la pareja en el bosque de la familia reconstituida.

Entonces, el desafío de las parejas de la familia reconstituida es hacer que su relación sea la prioridad número uno. "Espere un momento", dijo Carol. "¿Quiere usted decir que tengo que poner a mi esposo antes que a mis hijos? Comprendo su punto, pero ellos son mi carne y mi sangre. Él es sólo alguien a quien yo escogí en algún lugar de mi camino". El significado de sus comentarios irónicos era evidente, como también su temor. "No le puedo hacer eso a mis niños. Ni siquiera quiero que ellos piensen que yo lo amo más a él que a ellos".

Sus declaraciones llamaron la atención a una serie de temores legítimos de los padres biológicos que sus nuevos cónyuges/padrastros deben comprender. Primero, los hijos sufren intensamente cuando un padre muere o sus padres se divorcian, y los padres biológicos se sienten culpables por esto. La culpa es una emoción poderosa que fácilmente puede motivar que los padres protejan a sus hijos de un futuro dolor. Este esfuerzo de proteger a los hijos puede tomar diferentes formas. Controlar la cantidad de encuentros entre los hermanastros y controlar el dinero para que a los hijos no les falte nada son sólo unos pocos ejemplos. Pero las conductas que protegen la relación entre padre e hijo en detrimento del matrimonio son peligrosas para la viabilidad a largo plazo de la familia. Gabriel y Emilia entienden lo que quiero decir.

Ana, la hijastra de dieciséis años de Gabriel, entró a la cocina mientras él preparaba la cena. Cortésmente él le pidió que pusiera la mesa mientras que terminaba la comida. Ella no le hizo caso. Él se lo pidió por segunda vez, y ella le contestó con poco entusiasmo, "Lo haré en un minuto". Diez minutos más tarde, ella no demostró ninguna intención de ayudar, así que él repitió su petición, esta vez con rigidez en su voz. Emilia, la mamá de Ana, entró en el momento en que él levantaba la voz. En ese momento, Emilia recordó lo importante que era apoyar a Gabriel, así que echó una mirada amenazante a Ana. Ana respondió a regañadientes. Después, cuando la familia se sentó para cenar, Gabriel hizo un comentario insidioso acerca de cómo Ana había olvidado los cuchillos. Emilia se disgustó. "¿Por qué tienes que criticarla? ¿No hubiera sido mejor que te quedaras callado?". De inmediato Gabriel sintió que Emilia, una vez más, estaba de parte de Ana y se ofendió. En un instante el conflicto de Gabriel con Ana se convirtió en un conflicto con Emilia y terminó cuando él le dio un portazo a la puerta del frente y gritó algo acerca de divorciarse.

Las parejas de la familia reconstituida deben aprender dos cosas de esta historia. Primero, Gabriel no debió criticar los esfuerzos de Ana en la mesa. Él podría haber expresado su preocupación a su esposa más tarde (detrás de las puertas cerradas), y juntos hubieran decidido una norma de conducta para el futuro. Después él confesó que su comentario surgió de la frustración de que Ana no lo aceptaba como padrastro y se negaba a respetar su autoridad. Él debería haberse contentado con lo que llamamos "pequeña victoria". El apoyo inicial de Emilia a la petición de Gabriel era un paso en la dirección correcta. Pero Gabriel, al querer obtener una gran victoria con el comentario acerca de la pobre actuación de Ana, cambió la situación en una gran derrota. Pequeñas victorias o grandes derrotas.

Segundo, el esfuerzo inicial de Emilia de apoyar a Gabriel produjo un corto circuito debido a su necesidad de proteger a Ana de otros daños. El divorcio de Emilia había sido difícil, y a menudo Ana se quedaba atrapada en medio del conflicto matrimonial. Emilia pudo haber expresado sus sentimientos acerca de los comentarios negativos de Gabriel detrás de la puerta cerrada o hacerlo en la mesa sin atacar, pero cuando salió a relucir su alianza con Ana, perdió su habilidad de contestar apropiadamente.

Permítame señalar que el conflicto acerca de la lealtad a los hijos no es único en las familias reconstituidas de la actualidad. En Génesis 16 y 21, leemos cómo Abraham, en más de una ocasión, se vio atrapado por los celos y la competencia que existían entre Sara y Agar. Sara hasta se acercó a Abraham para insistir en que quitara del testamento a su hijo Ismael porque le había nacido a Agar. "Por eso dijo a Abraham: Echa a esta sierva y a su hijo, pues el hijo de esta sierva no ha de heredar junto con mi hijo, con Isaac" (21:10). Ella estaba protegiendo los intereses de Isaac e insistió en que Abraham le diera a ella el primer lugar. Pero la decisión no era muy fácil para él. Las Escrituras siguen diciendo "Estas palabras preocuparon muchísimo a Abraham, por causa de su hijo" (21:11).

Las parejas de la familia reconstituida experimentan ocasiones interminables en las que los padres biológicos se sienten atrapados entre sus cónyuges y sus hijos. Quizás sea una decisión que tenga que ver con el postre que la familia disfrutará después del culto. Los hijos quieren helado, pero su esposa quiere un pastel. Tal vez la decisión no parezca ser importante, pero representa una elección de lealtad. Si usted decide ir a comprar el pastel con su esposa, es posible que sus hijos se sientan desairados y se enojen. Si usted decide comprar el helado, es posible que su esposa se queje.

El verdadero culpable de levantar la barrera de la alianza entre padre e hijo se manifiesta cuando el padre/la madre biológico/a no toma el riesgo necesario para darle la prioridad a su cónyuge. Amalia estaba convencida de que una vez que Roberto, el hijo mayor de su esposo se fuera, ella disfrutaría de nuevo las atenciones de su esposo. Seis meses después de que Roberto se fue a la marina la llamé, y ella había llegado a una conclusión diferente. "Realmente pensaba que era la culpa de Roberto, pero mi esposo sólo cambió sus energías a los otros dos hijos. Ahora soy la tercera en la línea, en vez de la cuarta". Poner el matrimonio en el lugar de prioridad depende de los padres biológicos. De otra manera, no ocurrirá.

Cómo los padrastros o las madrastras contribuyen al problema

Esta moneda dinámica tiene dos lados. Los padres biológicos sienten resentimiento cuando los padrastros o las madrastras los obligan a escoger. Como Sara, con frecuencia los padrastros se sienten inseguros cuando el cónyuge biológico invierte tiempo y energía en los hijos y, por lo tanto, el padrastro o la madrastra procura obligar al cónyuge biológico a decidir sus prioridades. Esto resulta en un gran problema. Los padrastros o las madrastras no pueden darse el lujo de ponerse en competencia con sus hijastros. Además, no es una comparación justa.

¿Recuerda los comentarios de Carol: "Ni siquiera quiero que ellos crean que yo lo amo a él más que a ellos"? El amor que un padre siente por un hijo es cualitativamente diferente al amor que un cónyuge siente por su esposo/a. El temor de Carol está equivocado porque ella piensa que tiene una cierta cantidad de puntos de amor para regalar, pero una vez que se agoten, todos los demás tendrán que pasársela sin recibir ese amor. Esto, sencillamente, no es cierto. Dios nos provee una reserva de amor interminable. Con frecuencia los hijos se sienten inseguros cuando sus padres se vuelven a casar y quizás hasta intenten practicar el juego: "tú lo amas más a él" y así manipular a los padres para que los escojan a ellos. Pero los padres biológicos que saben que pueden amar a muchas personas a la vez no se dejarán manipular. Tampoco los padrastros deben colocar a su cónyuge en una posición en la que tengan que decidir "ellos o yo" para comprobar su dedicación. En cambio, deben reconocer su valor personal en Jesucristo, reconocer que durante los años de cocinar lentamente, los hijos constantemente necesitan que se les asegure del amor de sus padres, y además deben trabajar con su cónyuge para buscar cómo pasar un tiempo unidos. Los padrastros no pueden darse el lujo de ser inseguros. (Las familias reconstituidas no se hicieron para los emocionalmente frágiles).

Entonces, ¿cuál es la respuesta?

La respuesta a esta enorme barrera para la compatibilidad matrimonial es la unidad. El estrés en una familia reconstituida generalmente divide a las personas en la línea biológica. Cuando se llega a una encrucijada, la alianza (o lealtad) entre los padres y los hijos con frecuencia gana sobre el matrimonio, a menos que la pareja tome una posición unificada de liderazgo. Si ellos no pueden gobernar a la familia como un equipo, la casa irá en camino al enojo, el celo y la no aceptación. La unidad entre las relaciones de la pareja es el puente que une la distancia emocional entre el padrastro y los hijastros, y coloca a ambos adultos a dirigir la familia. Si un padre biológico no está dispuesto a edificar tal puente con el padrastro, los hijastros recibirán un poder enfermizo en el hogar. Todo lo que tienen que hacer es clamar "injusto" y los padres los protegerán del padrastro "malo y cruel". Casi siempre esto da por resultado tensión, conflicto, resentimiento y aislamiento en el matrimonio.

Las familias reconstituidas se dividen en "los de adentro y los de afuera"; esto es, los que están relacionados biológicamente y los que no lo están[9]. Los de adentro tienen una fuerte unión que los une en caso de estrés o conflicto. Los de afuera, con frecuencia, no se sienten parte del núcleo y frecuentemente tratan de forzar su entrada con los de adentro. Los padres biológicos en la familia reconstituida mantienen una relación tanto con los de adentro (sus hijos) como con los de afuera (nuevo cónyuge y sus hijos), y por lo tanto, tienen que colocar al padrastro/madrastra como su compañero/a de equipo. La pareja debe darle tiempo y energía al matrimonio y no dejar que sus hijos los mantengan separados. Incluir al nuevo cónyuge en las decisiones de la crianza (ver el capítulo 7), poner una fecha para salir una noche solos y mantenerla, y diariamente tomar unos minutos para relacionarse como pareja sin interrupciones, son unas pocas y sencillas maneras de comunicar a los hijos la unidad de la pareja. Si el padre biológico no ayuda al padrastro de afuera a tener una posición de liderazgo, el padrastro actúa como si estuviera forzando su entrada. De nuevo el celo, el rechazo y el enojo son los resultados comunes de estas emociones.

Ahora permítame balancear esta verdad haciéndole notar que los padres biológicos deben tomar una postura de "ambos/y" con sus hijos y el nuevo cónyuge. Deben invertir tiempo y energía en ambos. Por ejemplo, al comienzo del matrimonio es especialmente importante mantenerse relacionados con sus hijos. Pero finalmente el matrimonio debe ser una prioridad, incluso frente a los hijos.

Regresemos al dilema del helado o el pastel. Sugiero que las parejas de la familia reconstituida resueltamente escojan al principio el helado por el bienestar de los hijos y que en privado disfruten juntos el pastel. Si la madrastra o el padrastro está de acuerdo con esta solución, la pareja está unida en el interés de sacrificarse por los hijos. Cuando cocinar lentamente funcione con el tiempo, el padre biológico podrá decir más abiertamente que no a los hijos mientras dice sí al cónyuge. Tal transición casi siempre provoca enojo e inseguridad, por lo menos a un hijo, si no a todos. Pero la pareja de una familia reconstituida que no esté trabajando para afirmar la importancia de su relación antes que la de los hijos, es una pareja que está destinada a la mediocridad. La pareja que gradualmente lleva su relación a la primera prioridad está poniendo el fundamento para una familia que durará un largo tiempo.

Esperar que esto suceda es difícil para muchos padrastros. De nuevo, es importante que el padre biológico los afirme y que también dedique tiempo y energía al matrimonio. Pero en lugar de competir por el tiempo, los padrastros necesitan animar a su cónyuge a involucrarse con sus hijos biológicos. Los padrastros que se interponen a la relación de padre e hijos están buscando un problema. Procure recordar que los padres biológicos, en el núcleo de una casa con padre y madre, con frecuencia hacen sacrificios matrimoniales por el bienestar de sus hijos. Su hogar debe hacer lo mismo. Únanse en sus sacrificios por los hijos y también encuentren tiempo para estar solos.

Paso doble

Como podrá notar, el consejo anterior requiere un balance delicado de trabajar en equipo matrimonial. Es un baile que necesita armonía y práctica. Ahora ya sabe por qué titulé este paso inteligente "paso doble". Las parejas en Texas conocen bien este baile que se llama paso doble. Como todos los bailes, requiere que las parejas trabajen juntas para mantenerse balanceadas. Esforzarse para hacer que su matrimonio sea la prioridad número uno significa balancear los compromisos de los hijos y de los cónyuges. A medida que moverse en el salón de baile se convierte en algo más natural, se obtiene una mejor armonía y un mayor placer. Pero algunas veces aprender a bailar significa pelear algunas batallas.

Divida y conquiste

No todas las familias reconstituidas luchan con el tira y afloje de la alianza de padre e hijo, pero para la mayoría esta tarea es difícil y hasta lleva a algunas parejas al borde del divorcio.

He estado trabajando con Jorge y Nélida, su nueva esposa, durante algunas sesiones. Pero la última vez ellos llegaron con una mirada de preocupación en sus rostros. Los estaba ayudando a darle un lugar a Laura, la hija de catorce años de Jorge, que recientemente había venido a vivir con ellos. Sin duda alguna, la transición fue difícil. Antes de la llegada de Laura, la pareja se había integrado bastante bien. Nélida trajo al matrimonio a Rebeca, de cuatro años, y el padrastro la aceptó con cariño. La pareja disfrutó tres años libres de complicaciones, hasta que llegó Laura.

"Laura me escribió esta carta después de nuestra última sesión", dijo Jorge. Laura estaba muy celosa de su madrastra y no dejaba de reclamarle a su padre por haberse casado nuevamente. Siguiendo mis instrucciones, Jorge ya había hablado con Laura acerca de cómo él podía amarla a ella y a Nélida sin que existiera la competencia, y le aseguró que no tenía que inquietarse por temor a perderlo. "Ella sigue insistiendo", dijo él mientras me enseñaba la carta que comenzaba con la herramienta clásica de la manipulación de los adolescentes: complejo de culpa.

> Querido papá:
>
> Escucha, ¡perdóname por ser tan fastidiosa! ¡Pero siento que ya no puedo seguir así! Estuve pensando en lo que me dijiste: Primero Dios; segundo tu esposa y tercero ¡tus hijos! No puedo vivir contigo [creyendo] que en el momento que se presente una situación de vida o muerte, salvarías a Nélida primero antes que a tu propia carne y sangre... No puedo vivir contigo sabiendo que eso sucedería. No puedo vivir aquí sabiendo que tú amas a Nélida más que a mí. Y que

Nélida ama a Rebeca más que a ti. Y no me digas que hay diferentes clases de amor, porque tú la pones a ella primero que a mí. No puedo resistirlo más. Conocí a una muchacha en la escuela que se dio en adopción. ¡Verdaderamente creo que quiero hacer eso! No lo deseo, pero es la única opción.

Te quiere,

Laura

¿No es razonable que un padre sienta temor ante esta situación? Por supuesto. Todos pierden una relación con alguien cuando una familia termina debido a la muerte o el divorcio, y Laura estaba amenazando con retirarse de su padre. Después del divorcio, el tiempo con Laura había sido muy limitado. El cambio de residencia representaba una oportunidad para que Jorge disfrutara de su hija, pero aparentemente ahora su relación con Nélida amenazaba sus oportunidades.

Antes de desarrollar un plan para el juego, le pedí a la pareja que se pusiera en los zapatos de Laura por un momento. Eso fue difícil para Nélida que sólo veía a una adolescente manipuladora que sistemáticamente socavaba su matrimonio. Nélida no quería que Laura "invadiera" su hogar, pero no tenía otro remedio debido a las dificultades con la mamá de Laura. Nélida se enfureció cuando le sugerí que Laura tenía miedo y sencillamente estaba tratando de encontrar su lugar en el corazón de su padre. Todavía fue más difícil para Nélida escucharme decir que ninguno de los dos lo debía tomar como algo personal. "Por favor, comprendan, Laura no pidió que sus padres se divorciaran y no pidió que ustedes se casaran. Ella necesita alguna seguridad de amor". Nélida tendría que buscar la manera de sentir alguna compasión por Laura; la pareja no podía permitir que esta estratagema los dividiera o Laura ganaría. En este momento la tarea de Nélida era no tomar esto personalmente y sentir compasión. Jorge tenía que prepararse para batear y pegarle a la pelota que Laura le había tirado.

Y Jorge hizo exactamente eso. Tomó el método de "ambos/y" con Nélida y Laura, dándole un tiempo a cada una. Él y Laura pasaron juntos un tiempo exclusivo y renovaron su relación. Jorge se aseguró de salir con Nélida regularmente sin importarle las quejas de Laura.

Además, Jorge asumió una posición firme al establecer los límites con Laura, aunque temía hacerla enojar y que se "separara". En un momento dado le hizo saber, sin duda alguna, que si el empujón era muy fuerte, su lealtad sería para Nélida. Pero de alguna manera Laura fue capaz de saber que su padre no la había olvidado porque ya estaba involucrado en su vida. Finalmente, con el tiempo y un esfuerzo continuo, Laura dejó a un lado la competencia con su madrastra.

En esta situación la función de Nélida como madrastra era evitar que un fuego apagara el otro fuego. Para los padrastros o las madrastras cuyos hijastros los empujan, es una tentación desquitarse, insistiendo en que su cónyuge los escoja a ellos en todas las circunstancias. Por desgracia, esa clase de padrastro o madrastra fácilmente termina por ser la víctima de la inseguridad y el resentimiento si el padre biológico no hace exactamente lo que hizo Jorge. Nélida necesitaba ponerse a la altura y apoyar a Jorge mientras él lidiaba con su hija. Ella necesitaba darle a él espacio para pasar tiempo con Laura y reafirmarle a ella su amor. Ella también necesitaba expresarle a Jorge sus temores, privada y apropiadamente, en lugar de acusarlo y despreciarlo. Era crítico confiar en que él estaba a su lado y darle tiempo a la olla de cocción lenta. Juntos, ellos pasaron el mar de las oposiciones de Laura. Y usted y su cónyuge también pueden hacerlo.

EL FANTASMA DEL MATRIMONIO ANTERIOR

El pasado tiene muy poca sustancia, pero se mantiene cerca de nuestros talones.

—Autor desconocido

El gato que se sienta en una hornilla caliente nunca más se volverá a sentar en una hornilla caliente; ni tampoco se sentará en una fría.

—Mark Twain

La naturaleza humana ve las nuevas relaciones a la luz de las anteriores. Es como ponerse anteojos para el sol que tienen los cristales amarillos o negros: todo lo que ve tiene la tonalidad amarilla o negra. Con frecuencia vemos nuestra relación actual a través de los lentes del matrimonio previo (y los lentes de la familia de origen), y esto nos lleva a suposiciones y expectativas negativas. Algunas veces el significado que se atribuye a conductas específicas también se interpreta negativamente. Si estas suposiciones no se examinan o no se quitan los lentes, el nuevo matrimonio fácilmente puede tener el tinte de las experiencias del primero (o segundo). Esa es la razón por la cual es crítico que las personas divorciadas tomen un tiempo para resolver asuntos relacionados con la terminación de su matrimonio antes de saltar a otra relación. Yo recomiendo que las personas esperen, por lo menos, tres años antes de comenzar relaciones serias. Sin embargo, con mucha frecuencia las personas van de un matrimonio fracasado a otro y llevan el tinte de sus anteojos con ellos. Cuando las circunstancias en el nuevo matrimonio les recuerdan algún suceso negativo en el matrimonio previo, la persona se atemoriza y reacciona. La segunda barrera para la unidad matrimonial en la familia reconstituida es lo que yo llamo dejarse perseguir por el fantasma del matrimonio pasado.

El primer esposo de Teresa tuvo una aventura amorosa. Un día, ella llegó a la casa y descubrió que él había empacado sus cosas y se había mudado con una mujer que tenía la mitad de su edad. La consecuencia de este rechazo casi fue más de lo que ella pudo soportar. Pero con la ayuda de la iglesia que los apoyó, ella y su hijo de ocho años sobrevivieron.

Guillermo hizo que ella volviera a sentirse bien. Ellos se conocieron mediante un amigo mutuo y se gustaron desde el primer día. Él supo valorar el enojo que ella sentía, la apoyó durante la batalla por la custodia, y ayudó a su hijo con las tareas de la escuela. Teresa se fue dando cuenta de que cada día le confiaba más su vida a él.

Sin embargo, después de la boda, Teresa cuestionaba a Guillermo si no llegaba a casa a tiempo. Cuando hablaron, ella le confesó sus pensamientos, pero no del todo. A menudo, ella sentía que era sabio medir sus pasos y no ser tan transparente. Después de todo, mire lo que le pasó la última vez. Cuando tenían relaciones sexuales, Teresa le ofrecía su cuerpo a Guillermo, pero no su pasión. En otras palabras, ella estaba dispuesta a satisfacer la necesidad sexual básica de

Guillermo, pero cuidaba su corazón de manera tal que nunca se unía completamente al alma de él. Un año después del matrimonio, ella decidió que era prudente poner dinero en una cuenta secreta en el banco, por si algo no salía bien. Finalmente, Teresa llegó a invertir mucho de su tiempo con su hijo "porque su papá los había herido mucho". Un fantasma perseguía a Teresa y lentamente saboteaba su matrimonio.

La segunda esposa de Daniel despilfarraba el dinero. Continuamente olvidaba anotar los cheques en el libro, usaba al máximo las tarjetas de crédito y escribía cheques sin fondos. Aún antes del divorcio, ella había arruinado el crédito de Daniel. Él tuvo que pedirle dinero prestado a sus padres para comprar un automóvil para su tercera esposa, Judit. La primera vez que Judit olvidó registrar un cheque en el libro, Daniel comenzó a transpirar balas. Se retiró emocionalmente y, en cuanto a las finanzas, demandó control de la chequera. Le concedía a Judit una cantidad, pero él tenía que aprobar todos los gastos que se pasaran de esa cantidad. Controlar esto parecía ser la única manera de prevenir otra mala situación. Pero la conducta controladora de Daniel hizo que Judit se resintiera y por consecuencia se creó una nueva situación mala.

Lo que es verdaderamente irónico en la persecución del fantasma del pasado matrimonio y en reaccionar de acuerdo a ese temor es que sistemáticamente puede acarrear el cumplimiento de la profecía. Si durante mucho tiempo usted trata a alguien con desconfianza, es posible que esa persona se dé por vencida en su empeño de ganar su confianza y comience a actuar con desconfianza. Después de todo, usted va a reaccionar como si él o ella de todos modos le engañara. Entonces, ¿qué se pierde?

Tengo una caricatura de un hombre que le grita a su esposa mientras ella se va con su equipaje: "Marie, no me dejes. Mi ex esposa creerá que ella tenía razón cuando dijo que nadie podía vivir conmigo". Este es un hombre que está casado con una mujer, pero emocionalmente sigue atado a la otra. En efecto, su atención dividida lo ha dejado incapaz de satisfacer las necesidades presentes de su esposa y como resultado acarrea su propia profecía. Nadie puede vivir con él.

Llegar a ser un cazador de fantasmas

Para la mayoría de las parejas que se vuelven a casar, lidiar con el cónyuge actual requiere convertirse precisamente en un cazador de fantasmas. Usted debe examinar cómo las relaciones previas los influyeron y entonces ajustar sus reacciones ante circunstancias similares. A veces es difícil reconocer las interpretaciones negativas de la conducta del otro. Con frecuencia el esposo o la esposa dirá: "¿Por qué reaccionas exageradamente a esto?" o "Espera un momento. ¡Yo no soy tu ex!". Cuando esto suceda, tome un tiempo para reflexionar. Examine si su pasado sigue siendo parte de su presente. Entonces, reemplace su conducta reaccionaria con respuestas más apropiadas. Es posible que también tenga que luchar con el tema del perdón cuando surjan emociones y recuerdos difíciles. En el próximo capítulo hablaremos más acerca del perdón, pero por ahora procure llevar sus fantasmas al trono de Dios y dejarlos allí. Nunca se arrepentirá de haberlos dejado atrás. Confiésele los fantasmas a su cónyuge y además busque ayuda para tratar de cambiar su comportamiento. Pídale a su cónyuge que ore por usted y que compasivamente le señale cuándo crea que su pasado le está persiguiendo. Hable con sus amistades, llore su pasado y desarróllese en su nuevo matrimonio.

"Pero no sé que más hacer", tal vez diga alguien. Entonces, pregúntese, "si nadie me hubiera herido anteriormente, ¿cómo respondería ante esta situación? De tratar a mi cónyuge como si fuera digno de confianza, ¿cómo actuaría?". Las respuestas a estas preguntas son un gran comienzo para saber cómo debe actuar y en qué está tratando de convertirse.

CONCLUSIÓN

El matrimonio es difícil bajo cualquier circunstancia. Con mucha frecuencia los que se vuelven a casar caen presa de los conflictos comunes que se intensifican en cuanto al dinero, el sexo y los suegros, igual que los demás matrimonios. Sin embargo, existen algunas barreras únicas e imprevistas. Esa es la razón por la cual las parejas de la familia reconstituida deben hacer de su relación una prioridad y deben trabajar más arduamente —y con más inteligencia— que cualquier otra persona.

Las barreras mencionadas pueden destruir un matrimonio rápida y sutilmente, sobre todo si trabajan juntas unas con otras y agravan el impacto. Por ejemplo, ¿por qué una esposa va a querer hacer de su esposo una prioridad y arriesgar el alejarse de sus hijos cuando la persigue el fantasma de la desconfianza? Si ella no está segura de que su esposo esté allí después de dos años, ¿por qué no mantenerse cerca de sus hijos? Después de todo, ellos no van a ninguna parte. Realmente, el riesgo del matrimonio es inmenso. Pero así también son las recompensas para aquellos que entregan todo lo que tienen.

Los desafíos de volverse a casar son reales. Reúna todos sus recursos, invierta en programas para enriquecer el matrimonio, hable con otras parejas que se volvieron a casar y mantenga a Dios en el centro de su relación. Su familia reconstituida depende de usted.

Preguntas para discusión en el grupo de apoyo

CASO DE ESTUDIO: PRIMERA PRIORIDAD

Instrucciones. Trabaje los siguientes casos de estudio y después hágalo con su cónyuge o en un grupo pequeño. Comente sus respuestas y examine qué aspectos se aplican a usted.

Lea la declaración y explore las preguntas. Anote sus respuestas en un diario o cuaderno de notas.

Un hombre le hizo las siguientes declaraciones a su esposa poco tiempo después de casados. Él trajo dos hijos al matrimonio, ella no tenía ninguno: "Nunca te interpongas entre mis hijos y yo. Ellos no podrán tener otro padre, pero tú siempre podrás tener otro esposo".

1. Esta declaración comunica, muy claramente, sus prioridades. ¿Cuáles son?
2. ¿Cómo cree que ella se sentirá después de su declaración? ¿Cómo puede llevarla a sentir como si caminara sobre cascaras de huevo y hacerla dudar del compromiso de él hacia ella?
3. ¿Cómo se imagina que esto afectaría la relación entre la madrastra y los hijos?
4. ¿Qué temores están grabados en la declaración del hombre, especialmente en relación con sus hijos?

5. Aunque los matrimonios de la familia reconstituida comienzan con un vínculo más fuerte entre los padres y los hijos, se le debe dar la prioridad al vínculo matrimonial. Aunque a veces esto genera inseguridad y enojo entre los hijos, finalmente provee la estabilidad que la familia debe tener para sobrevivir. ¿Por qué es difícil aceptar esta declaración?
6. ¿Qué desafíos ha enfrentado al tratar que la declaración anterior sea una realidad en su familia reconstituida?

PARA TODAS LAS PAREJAS

1. Comente su relación personal con Dios y sus ideas de cómo sería una vida fiel. ¿De qué maneras necesita desarrollarse espiritualmente?
2. ¿Cómo dirigirá Dios su matrimonio? ¿Cuál es su deseo respecto a tener intimidad espiritual con Dios?
3. ¿Qué inquietudes siente con relación al compromiso de su cónyuge con Cristo?
4. ¿Cómo necesita mejorar su comprensión del aprecio que Dios siente por usted y el valor que Cristo le da? ¿Cómo el reconocer esto haría una diferencia en su hogar?
5. ¿Qué temores tiene para sus hijos, y cómo los protege más naturalmente?
6. ¿Qué barreras existen debido a la lealtad que alguien le brinda a sus hijos? Trabaje para establecer confianza en una dirección unificada y planee cómo manejar las situaciones difíciles. No se obliguen, uno al otro, a tener que decidir sus prioridades.
7. Identifique y nombre los fantasmas en su matrimonio (por ejemplo, el fantasma de la desconfianza, el fantasma de no tener espacio). Hagan un contrato para ayudarse unos a otros a borrarlos de su relación.
8. ¿Qué haría diferente si nunca hubiera sufrido anteriormente?

PARA PAREJAS QUE ESTÁN CONSIDERANDO VOLVERSE A CASAR

Mientras llevaba a cabo una consejería premarital, le pregunté a una pareja qué fantasmas podrían estar persiguiéndolos. Ellos, como la mayoría de las parejas antes de casarse, rápidamente descartaron la posibilidad. "Yo tengo una relación decente con mi ex, y él está inmune a cualquier dificultad que tuviera con su ex", dijo ella. Él estuvo de acuerdo: "Sí. He dejado todas mis cosas pasadas para seguir adelante. No dejo que me afecten mucho". Dudé acerca de esto y muy pronto se comprobó que yo tenía la razón.

A los cinco minutos la pareja estaba discutiendo sobre un asunto en el que cada uno sentía que el otro estaba actuando como alguien de su pasado. La verdad es esta: No queremos creer que las relaciones previas impactarán las futuras, pero sí afectan, especialmente si negamos los fantasmas que nos persiguen. Preste atención cuidadosa a las siguientes preguntas e identifique honestamente sus fantasmas:

1. ¿Han pasado tres años desde que terminaron las relaciones anteriores (ya sea por muerte o divorcio)? Si asumimos que usted mantiene sus pasiones sexuales controladas, ¿cuáles son los beneficios de ir más despacio en su noviazgo?
2. ¿Hasta qué grado he o hemos logrado el divorcio emocional con el cónyuge anterior y sanado de las emociones difíciles? (Califíquese del 1 al 10).
3. ¿Hasta qué punto he o hemos sido capaces de renovar nuestra autoestima y aceptar mi/nuestra identidad de soltero? (Califíquese del 1 al 10).
4. ¿He tratado de reconciliarme con las relaciones perdidas anteriormente (hijos y/o familia extendida)? ¿Cuál ha sido el resultado?
5. ¿Cuánto deseaba sentirme necesitado cuando comenzamos a salir?
6. ¿Qué le asusta en cuanto a comprometerse de nuevo?

CAPÍTULO SEIS

Cuarto paso inteligente: **Un paso en línea**

(Primera parte)

Con el equipo de padres

"Ser padres es una sociedad con Dios. No está fundiendo hierro ni tampoco tallando mármol: está trabajando junto al Creador del universo en la tarea de moldear el carácter humano y determinar su destino".
—Ruth Vaughn

"El mejor uso de la vida es invertirla en algo que dure más que la vida".
—William James

El divorcio no termina con la vida familiar: la reorganiza. Esta verdad fundamental primeramente mencionada en el capítulo 2 puede aplicarse mejor en este contexto que en el que se refiere al papel que desempeñan los adultos en la crianza de los hijos en familias reconstituidas. Después del divorcio, es probable que se hayan reorganizado en distintos hogares, pero aun así deben trabajar en equipo. Muchas veces esto se conoce como copaternidad o paternidad compartida. De hecho, una de las grandes ironías del divorcio es que en el momento en que se separó posiblemente haya odiado a su ex cónyuge, pero ahora tiene que encontrar la forma de cooperar con él o con ella por el bien de sus hijos*.

Después de todo, ser padres es velar por el bienestar, el desarrollo y la educación espiritual de los niños. Me gusta decir que el ser padres significa que "todo gira alrededor de los hijos". Esto quiere decir que sus decisiones, sus actitudes (incluso buscar formas de tratar con gente que no le cae bien) y objetivos deben estar orientados a lo que será de provecho para la vida de sus hijos y aumentará el deseo de ellos por conocer al Señor. Aun así, la mayoría encuentra que es muy difícil dejar de lado los deseos egoístas por causa de los niños.

En Génesis 21, Sara se negó a que Agar e Ismael tuvieran un lugar en la vida de Abraham. Fue muy dura y egoísta al insistir en que Abraham excluyera a Ismael de la herencia. Estaba pendiente de su hijo y de sus propios intereses. Es más, sus acciones fueron impulsadas por el miedo (de que Isaac no tuviera toda la bendición de Abraham), el enojo (porque Agar e Ismael se burlaban de Isaac) y los celos (porque Agar le había dado a Abraham el tan preciado primogénito). Pero, ¿por qué tendría esa reacción? ¿No sabía lo que se le venía cuando alentó a Abraham a que le diera un hijo por medio de Agar (Génesis 16)?

No. Y la mayoría de los adultos no se dan cuenta de lo que deben abandonar si quieren integrar una familia reconstituida con éxito. Juana pensó que se sentiría realizada al ayudar a su esposo a criar a sus dos hijas. Descubrió a dos niñas confundidas que no querían que estuviera con ellas, un esposo que la obligaba a hacerse cargo de las niñas porque él no entendía las "cosas de mujeres", y muy poco tiempo (debido a las actividades de las niñas) para estar con el hombre del que se había enamorado.

---

* No todos los que integran familias reconstituidas se han divorciado, aunque hoy la mayoría de ellas en los Estados Unidos surgen como consecuencia del divorcio o de hijos nacidos fuera del matrimonio. Muchas familias reconstituidas nacen por la muerte de uno de los cónyuges y, por lo tanto, no tienen que negociar asuntos de paternidad compartida. La primera mitad de este capítulo trata específicamente de lo que ocurre en la paternidad compartida. Si este tema no le concierne, por favor vaya a la sección donde se analizan los roles de los padrastros en la página 163.

Cuando Miguel volvió a casarse, pensó que sus hijastros lo aceptarían rápidamente. El padre biológico de los hijastros era un alcohólico irresponsable que pasaba muy poco tiempo con ellos. Miguel supuso que su presencia positiva significaría un cambio que Branon, de nueve años y Rebeca, de once, recibirían con gusto. Lo que recibió de Branon fue hostilidad y resentimiento, pues deseaba desesperadamente pasar más tiempo con su padre y culpaba a Miguel por no poder hacerlo. Tanto Branon como Rebeca defendían a su padre, minimizaban sus problemas con el alcohol y siempre que podían se ocupaban de él. Miguel, pese a las cualidades cristianas de su carácter, recibía a cambio oposición y miradas hostiles.

Mantener la actitud de "todo gira alrededor de los hijos" es un desafío muy grande, especialmente cuando no puede satisfacer sus necesidades ni alcanzar sus sueños. Sin embargo, eso es exactamente lo que se necesita para hacer que funcione una familia reconstituida: la actitud y la disposición para sacrificar las necesidades que uno tiene por el bien de otros. Juana aprendió a dejar que algunos de los golpes negativos que recibía de sus hijastros rebotaran, en lugar de que penetraran en su corazón. Se dio cuenta de que los comentarios no tenían que ver con ella, sino que representaban el enojo de las niñas ante el divorcio de sus padres. Más aún, disminuyó sus expectativas en cuanto a contar con un tiempo exclusivo con su pareja y, junto a su esposo, procuró aprovechar el tiempo disponible. Miguel se negó a competir con el padre idealizado de sus hijastros. Dejó de criticarlo y de señalar sus errores (con la esperanza de que los niños se acercaran más a él). Aprendió que sólo mediante el ejemplo y con el tiempo podría llegar a influenciarlos. Miguel se dedicó a convertirse en un hombre de Dios y en un buen siervo espiritual en casa, aunque a sus hijastros les costaba reconocer sus esfuerzos.

¿UN PASO EN LÍNEA CON QUIÉN?

Nunca lo hice, pero he visto a gente bailando en línea, haciendo la misma coreografía. No lo intento porque no tengo mucha coordinación y seguramente haría perder el paso a todo el grupo. Después de todo, si no puedo alinearme con otros y seguir el ritmo y los pasos, el efecto se pierde. Lo mismo sucede con los adultos que forman parte de las familias reconstituidas y que tienen a su cargo la tarea de cuidar a los niños.

Hubo un tiempo en nuestra cultura cuando los padres tenían muchos hijos. Hoy decimos que los hijos tienen muchos padres. El equipo de padres está compuesto por toda persona que tenga la responsabilidad de criar al niño. Esto incluye principalmente a los padres biológicos y a los padrastros, pero puede también comprender la participación de los abuelos, la ex familia política, abuelastros y otros parientes que participan en el proceso del cuidado del niño. A mayor unidad o coordinación, mejor trabajo en equipo en beneficio de los hijos.

El trabajo en equipo es uno de los aspectos más desafiantes de la vida de la familia reconstituida. El dolor de las relaciones pasadas, las promesas rotas y la envidia, a menudo caracterizan cómo los ex y los nuevos cónyuges se sienten con respecto a los adultos que ahora viven en la otra casa. Se levantan paredes de desconfianza con ladrillos emocionales y con las experiencias dolorosas que se van acumulando una junto a la otra. No es fácil derribar aquellas paredes y dejar de lado los propios planes por causa de los niños. Además, los adultos en hogares separados que tienen éxito en formar un equipo de paternidad funcional descubren que la armonía crece en ambos hogares.

Dos relaciones clave en un equipo paterno son la relación de copaternidad (paternidad compartida) entre los padres biológicos y la relación padre-padrastro. Las relaciones entre un padre privado de la custodia y un padrastro, entre ambos padrastros (cuando cada uno de los ex cónyuges se ha vuelto a casar) y entre los abuelos, generalmente quedan determinadas por la salud de estas dos relaciones clave. Comencemos por considerar la relación de copaternidad entre los ex cónyuges.

¿CUÁL ES EL OBJETIVO DE LA COPATERNIDAD?

Los padres biológicos deben ser capaces de, como mínimo, contener el enojo y evitar conflictos para poder cooperar y negociar asuntos que involucren el bienestar de los hijos. Como objetivo máximo, los padres que ejercen la patria potestad compartida pueden esforzarse en hacer valer normas de conducta similares en cada hogar. A la mayoría les resulta difícil lograr el primero de los objetivos. Sólo algunos son capaces de alcanzar el segundo. No obstante, los padres involucrados en la paternidad compartida deben hacer todo lo que esté a su alcance para que los dos hogares cooperen en este sentido.

No puedo dejar de recalcar la importancia que tiene este concepto con respecto al bienestar de los hijos. Las investigaciones muestran claramente que los niños consiguen adaptarse a la idea de que el matrimonio de sus padres ha terminado y pueden comportarse razonablemente bien si: (1) los padres son capaces de terminar con su relación *sin demasiadas peleas*; (2) los niños *no están en medio* de cualquier conflicto que pueda existir y (3) los padres *se comprometen a cooperar* en asuntos relacionados con el bienestar económico, físico, educativo, emocional y espiritual del niño[1]. Es fundamental que, ya sea que los padres estén casados, divorciados o casados con otra pareja, trabajen juntos. Los hijos lo necesitan.

El hecho de que haya una buena relación entre los padres que comparten la paternidad no significa que los hijos no vayan a sufrir emocional o psicológicamente. "Numerosos estudios muestran que los niños cuyos padres se divorcian tienen más problemas de conducta, más síntomas de desajuste psicológico, menor rendimiento académico, más dificultades sociales y un concepto inferior de sí mismos comparado con los de niños que tienen una familia intacta, con los dos padres presentes"[2]. La investigación longitudinal llevada a cabo por Judith Wallerstein descubrió que los efectos del divorcio son traumáticos y duran de por vida[3]. Hasta Mavis Hetherington, en su investigación con resultados alentadores que señalan que el 80% de los hijos de hogares separados finalmente se adaptan a su nueva vida, reconoce que el 20% manifestará depresión continua y un comportamiento antisocial, irresponsable e impulsivo.[4]

Además, los niños enfrentan mayores niveles de conflicto familiar en el proceso de integración de la familia reconstituida (comparado con los niños de familias nucleares)[5] y corren más riesgos de desarrollar problemas de conducta, de salud y abuso de narcóticos[6]

Los conflictos que surgen entre los miembros de una familia reconstituida y entre los ex cónyuges afectan negativamente a los hijos y son factores determinantes en cada uno de los siguientes casos: Los niños que integran familias reconstituidas tienen menos probabilidades de completar los estudios secundarios[7], menor rendimiento académico[8], abandonan su hogar a una edad más temprana[9] y tienden a cohabitar antes de casarse[10]. Por último, vale la pena notar que el divorcio afecta más a los varones, mientras que un segundo matrimonio afecta más a las niñas[11].

Los padres que quieren disminuir estos efectos negativos en la vida de sus hijos deben esforzarse por mantener un acuerdo de paternidad compartida adecuada, ya que reduciría los conflictos entre casa y casa y aumentará la cooperación. Por ejemplo, un aspecto crítico de la cooperación es dominar la lengua. La Biblia señala que la lengua es un órgano pequeño pero que puede causar graves consecuencias. "¡Mirad cómo un fuego tan pequeño incendia un bosque tan grande!" (Santiago 3:5b). El conflicto comienza a contenerse cuando controla lo que dice. No puede desempeñar un rol eficaz en la relación de paternidad compartida si no logra controlar la lengua.

¿Qué características tiene la copaternidad?

Como se dijo antes, el objetivo mínimo de la patria potestad compartida es contener el enojo y evitar los conflictos con su ex cónyuge para poder cooperar y negociar en los asuntos que involucren el bienestar de los hijos. Dejaré que los niños expliquen lo que significa tener una relación de patria potestad compartida funcional en términos prácticos y cotidianos.

Julia, de doce años, en una sesión se quejó de que no podía invitar a sus padres a su recital de música. "Si vienen los dos se lanzarán miradas de enojo cada vez que puedan. El año pasado los invité a los dos y mi mamá no me habló durante dos días porque papá había ido con Ana (mi madrastra). Mi mamá se niega a estar con ellos en la misma sala". Julia ha tenido que aprender a invitarlos por turno. Si uno no podía asistir, entonces podía invitar al otro. Por desgracia, esta situación la puso en un estado de confusión constante, ya que se veía obligada a elegir qué padre invitaría a ciertas actividades. Si el otro quería venir pero no podía, Julia se daba cuenta de que él o ella se desilusionaba y Julia se sentía culpable. "¿Por qué no pueden dejar de lado sus diferencias y aguantar un par de horas en la misma sala?". Buena pregunta.

Debido a que los padres de Tomás terminaban peleándose cada vez que hablaban por teléfono, él mismo se convirtió en el intermediario que arreglaba los horarios de visita. La madre dejó de hablar con el padre y le pidió a Tomás, de nueve años, que le comunicara al padre a qué hora y en qué lugar ella prefería que recogiera y dejara a Tomás. Tomás no tuvo otra alternativa más que hacerlo ya que disfrutaba el tiempo que pasaba con su papá durante los fines de semana.

En los dos ejemplos, los niños estaban muy preocupados y con una enorme carga emocional porque sus padres no eran capaces de dejar de lado sus diferencias y comportarse como adultos. Un acuerdo de patria potestad compartida efectivo para los padres de Julia sería que ella pudiera invitar a sus padres a los recitales y no preocuparse de que ellos pelearan o se pusieran nerviosos. Para los padres de Tomás incluiría encontrar la forma de hablar racionalmente sobre sus horarios en lugar de triangular con Tomás. Lo esencial es un sistema que permita a los niños ser niños y a los adultos ser sus padres.

El ejercicio de la patria potestad compartida no significa estar de acuerdo con todas las decisiones relacionadas con los niños ni que una de las familias deba dar cuenta a la otra por las elecciones, las reglas o las normas. Cada hogar debe ser autónomo, pero tienen que compartir la responsabilidad del cuidado de los niños. No quiere decir que las costumbres o los castigos que se impongan en una casa deban cumplirse en la otra casa.

Carol buscó ayuda terapéutica en parte debido a que su ex esposo, Ted, se negaba a cumplir las consecuencias que ella imponía sobre sus hijos. En cierta ocasión, su hijo adolescente le mintió acerca de su tarea, así que ella le prohibió salir durante el fin de semana. El régimen de visitas suponía que su hijo iría a la casa de su papá ese fin de semana, así que ella llamó por teléfono a su ex esposo y le pidió que respetara el castigo y no lo dejara salir ni el viernes ni el sábado por la noche. Ted se negó a hacerlo justificando que era el único tiempo que tenía con su hijo y que no estaba obligado a acatar sus decisiones. Eso la hizo enojar y ella esperaba que el terapeuta pudiera intervenir y lograr la cooperación de Ted. El terapeuta se negó, ya que estaría traspasando un límite importante al quitar el control de Ted sobre su casa. Le explicó que si su hijo estaba castigado, debía esperar hasta que regresara para aplicar el castigo. En su casa mandaba ella. En la casa de Ted mandaba Ted.

Es probable que esté pensando: *Pero creí que había dicho que los padres que tienen la patria potestad compartida deben luchar por hacer cumplir reglas similares y cooperar en los asuntos relacionados con los niños. ¿Eso acaso no obligaba a Ted a respetar la petición de su ex esposa?* Sí, dije que la cooperación entre los dos hogares, incluso hasta el punto de cumplir el castigo que le habían puesto al hijo en la otra casa, es un objetivo que alcanzan algunos padres con patria potestad compartida. No obstante, eso no obliga a la otra parte a hacerlo. Si pueden alcanzar este nivel de cooperación, fantástico. Si no, no insista en que el otro siga sus reglas. Por cierto, este tema del control entre Carol y Ted no era nada nuevo. Era tan viejo como el fracaso de su matrimonio. Recuerde: el divorcio no termina con las dinámicas de las relaciones familiares; simplemente las reorganiza en hogares distintos. Ahora bien, sucede que muchos ex cónyuges siguen intentando cambiar, controlar o influenciar a su ex de la misma manera en que lo hacían antes del divorcio. Si en aquel entonces no funcionó, ¿por qué debe funcionar ahora? (En realidad, esta es una de las grandes locuras del divorcio: ¡intentar cambiar a alguien del que ya se divorció, a pesar de que no pudo hacerlo mientras estaba casado!). Las personas que no logran dejar de tener las mismas reacciones hacia sus ex en realidad no han alcanzado el divorcio emocional (lo que a veces se llama desemparejar). "Siguen emocionalmente involucrados en lo que hace su ex. Es difícil ceder el mando, pero hacerlo ayuda a que los padres que comparten la custodia respeten los límites del otro y trabajen mejor en equipo".

HIJOS QUE VIVEN EN DOS "PAÍSES"

Analicemos la vida de una familia reconstituida desde el punto de vista de los niños. ¿Qué necesitan ellos de los padres que tienen la responsabilidad de cuidarlos? ¿Qué factores contribuyen a que el niño se adapte a una familia cuyos integrantes cambian y sobre lo cual no tiene control? ¿Cuáles son algunos principios saludables para manejar la relación entre los dos hogares?

Primero es importante que los que tienen la custodia de los hijos entiendan que los niños de familias reconstituidas viven en dos "países"[12]. Tienen la ciudadanía en ambos países y, por lo tanto, están involucrados en la calidad de vida de ambos. Los padres deben hacer todo lo posible para ayudar a que los hijos se desarrollen y disfruten de sus dos hogares. Sin embargo, vivir en dos países demanda algunos ajustes.

"¿Qué sucede si las reglas de la casa de mi ex esposo y las de mi casa son distintas?" es una pregunta que muchos se hacen. "Todo depende de su diplomacia y su cooperación como embajador", contesto. Déjeme explicarle.

Poco después de que mi esposa y yo nos casamos fuimos con mis padres a Kenia en un breve viaje misionero. Mis padres continuaron liderando viajes anuales a Kenia durante más o menos diecisiete años y coordinando esfuerzos misioneros voluntarios en África Oriental. Nunca olvidaré cuando hicimos un safari por Masai Mara y vimos animales de la selva: leones, chitas, jirafas y cientos de otros animales que en los Estados Unidos sólo están en los zoológicos. Sin embargo, lo que más recuerdo es el cambio radical de cultura. La vestimenta era distinta, las costumbres parecían extrañas, la economía y el sistema de gobierno nos resultaban desconocidos. Incluso tuvimos que aprender a conducir por el lado izquierdo de la carretera. Pese a todos estos cambios de costumbres, comportamientos rituales y normas de conducta, nos adaptamos bastante rápido. Debido a que mis padres volvían a Kenia todos los años, los cambios se hicieron más predecibles para ellos y, por lo tanto, no fueron tan traumáticos como la primera vez que fuimos. Sin embargo, entre viaje y viaje siempre había un período de adaptación. Una de las veces mi papá regresó a los Estados Unidos y comenzó a manejar al lado izquierdo de la carretera. ¡El tráfico en dirección contraria repentinamente le hizo recordar del cambio en el sistema de conducción! Sin embargo, en términos generales, mis padres no tardaron en adaptarse a las normas de convivencia del país donde viven actualmente.

Es claro el paralelo con los hijos que viven en dos hogares. Al principio, el hecho de que los dos países tengan normas, costumbres y expectativas distintas puede requerir un período de adaptación prolongado. Más tarde, una vez que el territorio es familiar, el período de adaptación necesario es breve, en especial cuando las normas y las expectativas son predecibles. A veces los niños necesitan que sus padres les recuerden con ternura cuáles son las reglas ("puede que en la casa de tu mamá te dejen jugar antes de hacer la tarea, pero acá la regla es..."), pero, en términos generales, a los niños no les cuesta tanto adaptarse. ¿Puedes imaginar lo que hubiera significado para mis padres si Kenia y Estados Unidos hubieran estado en guerra? Subirse a un avión con rumbo al "otro bando", aun para realizar un trabajo misionero, hubiera sido una traición. Y una vez que aterrizaran, se hubieran enfrentado al enojo y la furia al escuchar a sus colaboradores criticar al otro país por sus tácticas militares. ¿Cómo hubieran reaccionado mis padres ante tanta presión? ¿Cómo hubieran hecho frente a las presiones externas de rendir lealtad a un país o al otro? Cada comentario y crítica estarían cargados de una lucha de lealtad y a cada momento la confianza se vería desafiada. ¿Y qué sucedería si decidieran convertirse en embajadores intermediando las relaciones entre los países enfrentados? ¿tendrían voz? Según lo desconfiados que fueran los gobiernos y cuán convencidos estuvieran de que la otra parte permanecería inmutable, sus intentos por negociar la paz probablemente habrían fallado. ¡Qué posición tan comprometedora!

Un viejo proverbio africano dice: "Cuando dos elefantes pelean, el pasto es el que sufre". Los padres biológicos que pelean y rehúsan cooperar, están pisoteando lo más preciado que tienen: sus hijos. Los elefantes ignoran por completo lo que sucede en el pasto porque están demasiado compenetrados en la batalla que se desarrolla. Poco saben del enorme daño que están causando.

El investigador James Bray confirma lo que muchos psicólogos han creído durante años. Cuando un padre habla mal del otro padre biológico, el niño asimila el comentario. En otras palabras, "un niño que escucha cuando un padre ataca al otro piensa, de alguna manera, que a él también lo están atacando"[13]. Un comentario tan simple como: "Tu padre llegó tarde otra vez. ¡Cómo puede ser tan irresponsable!", hiere al niño y al padre. Si alguna vez, por algún motivo el niño llega tarde, sabrá (o piensa que sabrá) cómo se sentirá usted acerca de él. Además, un comentario negativo sutilmente invita al niño a estar de acuerdo con el comentario, cosa que el niño odia hacer. Implica que tiene que elegir a uno de los dos padres y eso le provoca un sentimiento de culpa. Debido al negativismo interiorizado y la culpa por tener que elegir de parte de quién está, Bray también sugiere que el niño finalmente transmitirá el dolor y el enojo en un comportamiento destructivo. Le aseguro que puede contar con esto.

Nueve años

No recuerdo exactamente el día ni el suéter que tenía puesto cuando mis padres "se declararon la guerra".
Mis hermanas y yo nos convertimos en los rehenes. Yo tenía nueve años.
Recuerdo que mi hermana mayor me sacudía para que me despertara debido a la pelea y los gritos de mis padres en la cocina.
Con ternura me envolvió en la frazada adornada de fresas y corrimos descalzas por la nieve a refugiarnos en la casa de un vecino. Yo tenía nueve años.
Mi mamá me sentó frente a ella para explicarme las razones por las cuales odiar a mi papá. Y tuvimos muchos encuentros más de madre/hija para seguir alegando a su favor.
Fue entonces cuando empecé a odiar a mi padre. Cuando tenía nueve años.
Sin embargo, después pensé por mí misma y comencé a culpar a los dos por el infierno en que nos habían metido debido al egoísmo de ambos. Fue entonces cuando empecé a odiar a mis padres. Y fue entonces cuando empecé a odiar a los hombres. Y fue entonces cuando empecé a odiar el divorcio. Y fue

entonces cuando empecé a odiar el amor. Y fue entonces cuando empecé a odiar.
Cuando tenía nueve años.

—Jessica Dillon, 17 años[14].

¿Está usted intercambiando prisioneros de guerra cada dos fines de semana? ¿Con cuánta frecuencia pisotea la lealtad de sus hijos al otro país en un intento por convencerlos de que le sean fieles a usted? ¿De qué manera su nueva familia ha afectado la cantidad de tiempo que los niños pasan en su otro hogar? Como ciudadanos de dos países, sus hijos deben gozar de todos los derechos, las relaciones y las responsabilidades de cada uno de esos hogares. Su tarea es mantener la paz con el otro país para que sus hijos puedan viajar seguros de ida y vuelta.

Atrapados en una lucha de cuerdas: el asunto de la lealtad

Las familias reconstituidas y los problemas de lealtad van de la mano. De hecho, apaciguar el fastidio que los niños y los adultos sienten ante esta situación es uno de los pasos más importantes hacia la integración. La lealtad habla de con quién estamos y determina en gran manera la posición que ocupan los que están dentro y los que están fuera del círculo.

Cuando era niño, jugaba a un juego que yo llamaba: "Quedaste fuera". Un grupo se abrazaba y formaba un círculo. Alguien de afuera intentaba infiltrarse en el círculo para llegar al centro. La lucha era evidente. Mientras más intentaba empujar, golpear o entrometerse el que estaba afuera, más se unía el círculo para dejarlo fuera. Las familias reconstituidas muestran una dinámica similar. Los que están afuera son aquellos que no tienen relación de sangre (por ejemplo, padrastros e hijastros), pero que lo normal es que quieran estar dentro del círculo.

Cuando la tensión aumenta, la división entre las partes biológicas sirve para mantener fuera al extraño que está haciendo presión. La realidad es que, mientras el que está afuera más exija o se entrometa para abrir camino, más se cierra el círculo interno y mientras más resistente sea el círculo interno, más obligado estará el extraño a forzar su entrada. Y así sucesivamente.

Por ejemplo, generalmente los padrastros se esfuerzan mucho para pertenecer y sentirse aceptados. Los padres biológicos quieren que sus hijos y el padrastro se lleven bien, así que se sienten obligados a hacer que el padrastro forme parte del círculo. Una dinámica frecuente e irónica es que mientras más un padre intente dirigir la aceptación de un extraño (el nuevo cónyuge), más resistente se vuelve el grupo ("quedaste fuera"). Cuando los niños que forman parte del círculo niegan o resisten la entrada de un nuevo miembro, el padre biológico puede sentirse atrapado en una situación en la cual las lealtades están en conflicto.

Una vez más, la mentalidad de cocción lenta parece funcionar mejor. No intente forzar a los extraños hacia adentro. En vez de eso, colóquelos cerca del círculo. Desde el principio los padrastros deben, en sentido figurado, pararse al lado del círculo y ser una presencia inofensiva. Después de algún tiempo, puede comenzar a mostrar afecto físico con los que están dentro del círculo y a participar en las conversaciones; sin embargo, no pida que lo incluyan ni que lo consideren parte del grupo. Finalmente, con el tiempo y cuando las cosas se hayan calmado, el que está afuera puede moverse hacia adentro a medida que el círculo se abre y hace lugar para uno más. En ese momento, el extraño puede en realidad convertirse en un "extraño íntimo", esto quiere decir, un miembro de la familia muy cercano, pero no al mismo grado que un pariente consanguíneo[15]. Los padrastros, por ejemplo, nunca deben esperar tener el mismo vínculo que los miembros biológicos del círculo tienen entre sí. No obstante, algunos padrastros pueden llegar a ser miembros íntimos de la familia cuando el círculo se abre y los invitan a ser parte de él.

El tema de la lealtad en los hijos

Entender los conflictos que surgen por el tema de la lealtad y luchar como equipo para aliviar las excesivas preocupaciones que trae este asunto es importante para el bienestar emocional de los hijos después del divorcio. Aun en el mejor de los casos, los hijos sienten que están atrapados entre sus padres biológicos y a menudo se sienten parte de una lucha emocional de tiro a la cuerda. Desde el punto de vista de los hijos, los conflictos de lealtad parecen inevitables.

Ellos sólo quieren amar a todos, sin condiciones y de manera tal que ninguno salga herido. Poco se dan cuenta los padres de cuán pisoteados se sienten los hijos cuando luchan por ganar el tiempo o la atención de sus hijos.

¿De qué lado estoy?

Tengo dos pares de padres.
Dirás que tengo suerte.
Haz el intento de ponerte en mi lugar cada tercer viernes.
"¡Te quiero!".
"¡Yo te quiero más!".
¡Que alguien, por favor, me saque de esta lucha!
Abogados y jueces,
todos son culpables
de este corazón roto,
destrozado y dividido.
Sé que no estoy sola.
Hay muchos niños como yo
con un árbol genealógico horriblemente complicado".

—Colleen, 11 años[16].

Implícitamente los padres les piden a sus hijos que "elijan" y, por lo tanto, los hacen participantes de una competencia en la que ninguno gana. Esto sucede al:

- hablar mal del otro padre o del otro hogar;
- hacer comentarios o comparar condiciones de vida;
- echarle la culpa a la otra familia por las presiones económicas o el sufrimiento emocional;
- pedir que el niño permanezca con usted cuando él debe pasar ese tiempo con el otro padre;
- persuadir al niño para que no visite a su padre hasta que le haya pasado la cuota por alimentos o la custodia haya vuelto a negociarse;
- hacerlo sentir culpable por disfrutar de las personas que habitan en la otra casa;

- negarse a escuchar las lindas historias de la vida en el otro hogar.

Todas estas situaciones y muchas otras enseñan a los hijos a enterrar sus emociones y los capacita para el juego de "mantener a todos contentos haciéndoles creer que los quiero más que a los demás". Los hijos que interiorizan este jaloneo se vuelven depresivos, desanimados, autodestructivos y desmotivados. Los que exteriorizan el dolor se vuelven iracundos, competitivos, tienen problemas de conducta y pueden volverse violentos.

Los hijos simplemente quieren estar relacionados con la gente que aman, sin condiciones que los limiten. Lo que un adulto hace en su intento por ganar la lealtad del niño, en realidad significa imponer condiciones. El objetivo de las condiciones a menudo es curar las heridas emocionales de los padres. Si el hijo parece preferirle a usted antes que a su mamá, de alguna manera es un consuelo para su corazón herido (en realidad no lo es, pero usted así lo siente). Esto convierte a su hijo en una "*Curita" emocional*. Si esta preferencia por usted satisface el más íntimo deseo de venganza contra la mujer que terminó con su matrimonio y le rompió el corazón, su hijo se ha convertido en un *soldadito de juguete* que pelea sus batallas emocionales. Tenga cuidado de no permitir que su corazón herido sea el que influya para que de manera sutil y sin palabras consiga la lealtad de su hijo. Los hijos pierden cuando se convierten en los que cuidan a padres heridos. Los padres deben buscar formas de calmar el dolor por medio de una relación con Dios y con otros. Tal vez necesiten ayuda profesional, de un pastor o de un amigo de confianza, pero nunca haga que su hijo sea el médico de sus emociones.

El aprieto en que a veces están los hijos da origen a una preferencia nociva por uno de los padres, generalmente hacia el más distante o más disfuncional. Los varones, por ejemplo, para consternación de su mamá y de su padrastro, a menudo se identifican con el padre que no está disponible. Con frecuencia padres (y padrastros) responsables y estables me han preguntado por qué parece que su hijo prefiere pasar tiempo con el padre a quien se le ha negado la custodia, que es un borracho irresponsable. Otros se preguntan por qué sus hijos quieren estar con un padre que no tiene deseos de estar con ellos. "Somos buenos con ellos", dijo una mamá. "Mi esposo es bueno con ellos, podemos darles un hogar económicamente seguro y un ambiente saludable. ¿Por qué están tan preocupados por su papá?".

Una vez más se aplica la dinámica del médico de las emociones. A menudo los hijos se sienten obligados a cumplir el rol de ayudantes de un padre que necesita ayuda. Sienten que alguien tiene que hacerse cargo de papá (aunque sea un alcohólico) porque, de lo contrario, no tendrá a nadie más. De hecho, el comportamiento irresponsable del padre es una invitación a que los hijos se conviertan en *Curitas* emocionales. Es fácil atraer a los niños para que cumplan el rol de protector. Incluso, pueden ser duros con el padre biológico que está cumpliendo bien su función y es normal que también lo sean con el padrastro. Algunos hijos ven como señal de infidelidad el disfrutar tiempo con un padrastro cuando su papá está triste y solo en su casa. Esta lucha por no ocasionar más dolor al padre disfuncional se acentúa si este les dice a sus hijos que "no le digan papá a aquel hombre" o si de alguna manera critica al padrastro. El mensaje es: "No soporto que lo quieran y que se ocupen de él. Demuestren que se preocupan por mí deshonrándolo". Un niño de cinco años demostró bastante bien el aprieto en que estaba cuando le preguntó a su madrastra: "¿Puedo quererte cuando estoy aquí, en la casa de mi papá, y odiarte cuando estoy en la casa de mi mamá?".

Hay algo que está completamente al revés cuando los padres dependen de sus hijos para sentirse bien ellos. Si usted es culpable de colocar a sus hijos en una guerra emocional, por favor, comience a cambiar el mensaje que les está dando y sáquelos del medio. Puede pisotear tanto el pasto que dejará de crecer. Aquí tiene algunas sugerencias:

- Reconocer ante sus hijos su dependencia inapropiada de ellos. Expresar el deseo de mejorar en el futuro.
- Elaborar una lista de las formas en que, sin darse cuenta, puso cargas sobre sus hijos. Luego, para cada táctica incorrecta, piense en una reacción más adecuada. Por ejemplo: No es bueno hablar con sus hijos acerca de las cosas del trabajo que le frustran y le preocupan. Que el centro de las conversaciones

sean las actividades e intereses de ellos. Hágales estar seguros de las capacidades que usted tiene. Consulte con un asesor de orientación vocacional. (En la página 161 hay un cuadro que le ayudará a desarrollar nuevas reacciones).

- Apoyar a sus hijos por quienes son, no por cómo se preocupan por usted.
- Buscar a Dios para que le dé fortaleza y sabiduría mientras descubre cómo sanar las heridas del alma. Recuerde que él es Jehová-Rafa, "Yo soy el SEÑOR tu sanador" (ver Éxodo 15:26).
- Buscar amigos y consejeros que puedan ayudarle a sanar.
- Evitar relaciones para llenar el vacío. Los matrimonios que surgen de dos personas que procuran rescatarse el uno al otro de un pasado doloroso, a largo plazo encuentran más dificultades.
- Recupérese antes de volver a salir con otra persona.

Los adolescentes, la lealtad y la vida con el otro padre

Ponerse en línea con los que conforman el equipo de padres significa entender las decisiones que con frecuencia el adolescente enfrenta durante su desarrollo. Es normal, por muchas razones, que los adolescentes no acojan favorablemente el comienzo de una familia reconstituida. Una de ellas es porque se sienten presionados a entablar vínculos con los nuevos miembros de la familia en una etapa en la que intentan independizarse de la familia.

La adolescencia en nuestra sociedad es una etapa de desarrollo en la que los niños se convierten en jóvenes adultos que luchan por un mayor grado de autonomía e independencia. Es una etapa en la que se ponen a prueba los valores y las normas, una etapa para construir una identidad distintiva y la oportunidad de obtener poder para tomar decisiones. Todas estas fuerzas en desarrollo alejan a los adolescentes del control de los padres y de la familia.

Cuando se forma una familia reconstituida, indirectamente se espera que se entablen vínculos con los nuevos miembros de la familia. Esto exige pasar tiempo juntos y participar en conversaciones y actividades. Los adolescentes, sin embargo, están intentando independizarse de la familia, no depender de ella. Con frecuencia esto los pone en un aprieto, en especial si los adultos consideran sus esfuerzos por alejarse de la familia como algo personal. Los padrastros que lograron relacionarse bastante bien con los más pequeños se quejan de que no pueden acercarse lo suficiente a los hijos adolescentes. El mensaje que recibe el adolescente es que existe una expectativa que compite con sus esfuerzos de ser independiente. Padres y padrastros por igual deben, una vez más, estar tranquilos y no forzar un nivel de participación o de aceptación por parte del hijo adolescente. Entienda que tal vez haya muchas razones por las que quieran alejarse. Tenga presente el método de la cocina a fuego lento y disfrute del vínculo con los más pequeños mientras que los adolescentes mantienen sus intereses principales fuera de la familia.

La lucha por la independencia y por formar la propia identidad también queda expresada cuando el adolescente comienza a preguntarse cómo sería vivir con el otro padre.

Alrededor del 20% de los adolescentes se mudan con el otro padre en algún momento. Lo que para ellos significa ahondar en su historia y en su ámbito familiar puede fácilmente significar para los padres el rechazo de sus hijos. Tal reacción, no obstante, a veces fuerza a que los hijos nieguen sus intereses y cuiden al padre al no manifestar su deseo de vivir en la otra casa.

"Me asusta pensar cómo reaccionará mi mamá si le digo que quiero vivir con mi papá", es una declaración común entre los adolescentes. "No es que no quiera estar con ella. Sólo quiero conocer más a mi papá".

Este no es un asunto de lealtad, ni tampoco es un rechazo al padrastro, pero muchos padres que tienen la custodia de sus hijos lo toman como un asunto personal y como una declaración que indica el rechazo.

Es importante que los padres entiendan el conflicto de sus hijos adolescentes porque es sabido que los adolescentes generan conflictos familiares a fin de que los envíen al otro hogar como consecuencia de la frustración del padre. A nadie le gustan los conflictos muy graves, pero parece que en los adolescentes provocan menos culpa que el enfrentar a un padre que se siente rechazado cuando su hijo le pide vivir en la otra casa. ¿Es bueno el conflicto? No. ¿Es un mal menor para el adolescente? Sí. Muéstrele a su hijo que es usted lo suficientemente fuerte como para escuchar sus necesidades, aunque para usted signifique una pérdida.

Indiscutiblemente, algunos adolescentes amenazan con irse a vivir a la otra casa como un método para ganar poder. "Está bien. Me voy a vivir con mamá", es una muy buena carta ganadora para un padre que teme perder otra batalla con su ex cónyuge. (Atención: la falta de un fuerte vínculo de copaternidad da poder a la amenaza del adolescente. Por eso es que es tan importante la copaternidad. Mientras más unidos estén, menos podrán manipularlos sus hijos). Los padres no pueden permitir que las amenazas de sus hijos los manipulen. Si esta es su situación, busque ayuda inmediatamente. Necesitará que alguien le ayude a responder.

En cualquiera de estas circunstancias, tenga en cuenta las necesidades individuales que tiene el adolescente a medida que crece. Sea considerado con las luchas que enfrenta por ser independiente, y no lo obligue a abandonar su vida social a fin de establecer vínculos con los nuevos miembros de la familia. Aprecie el deseo de su hijo de vivir en la otra casa y hágale saber que cuando quiera podrán hablar del tema. Sin duda será desgarrador verlo salir de casa. Pero no se trata de usted, ¿recuerda? Se trata de los hijos.

ALGUNAS COSAS IMPORTANTES QUE LOS PADRES QUE COMPARTEN LA CUSTODIA DEBEN RECORDAR:

1. Nunca perderá el cariño de sus hijos. La sangre es muy, muy espesa y casi imposible de borrar. Sus hijos no se olvidarán de usted solo porque tengan un nuevo padrastro rico o divertido. Tendría que proponerse comportarse como un completo imbécil antes de que sus hijos consideren abandonarle. No se preocupe ni compita por la lealtad con el otro hogar. Ya la tiene.
2. Nunca haga que sus hijos se arrepientan de sentir cariño por su otra casa. Recuerde que también tienen la ciudadanía allí y forzar una lucha por la lealtad sólo los destruye. Los hijos necesitan su permiso para amar a su padre/madre biológico/a y necesitan ver su estabilidad psicológica al hacerlo. Su permiso los coloca fuera de la lucha emocional y los libera de la presión

de cuidarlo/la a usted. También necesitan que usted acepte la relación que entablen con el padrastro/madrastra. Un padrastro no puede reemplazarle, así que no fuerce una competencia. Es más, mientras más cómodo se sienta con la relación que sus hijos tienen con la otra casa, más probable es que le honren (y a su nuevo cónyuge). Respeto dado es respeto recibido.

3. Quédese tranquilo y deje que sus hijos, a su tiempo, expandan el círculo íntimo para incluir a su nuevo cónyuge. Algunos lo hacen más rápidamente que otros (más adelante encontrará información adicional sobre esta dinámica), pero no trate de forzar a su cónyuge a entrar ni obligue a sus hijos a que le permitan entrar. Hay formas de llevarse bien mucho antes de que los padrastros se conviertan en "extraños íntimos".
4. Si tiene hijos que están protegiendo a un padre disfuncional, no intente obligarlo a que se aleje de él. Aunque sea válido su deseo de quitar la necesidad que siente el niño de rescatarlo, decirle a su hijo que se aleje del padre sería para su hijo como traicionarlo. Es probable que su hijo le guarde rencor por interponerse en su relación con su padre. Escuche sus preocupaciones y confirme sus inquietudes: "Veo que estás preocupado por tu papá. Tienes miedo de que pierda otro trabajo, ¿no? Dime qué crees que debes hacer". Muestre su preocupación y amablemente *ayúdelo a decidir* cuáles deben ser sus límites con el otro padre.

   Asimismo, no sienta la necesidad de proteger a sus hijos de las acciones del otro padre. Muchos padres intentan preservar la opinión que el niño tiene acerca de su otro padre encubriendo o explicando una conducta negativa. Generalmente esto le coloca en el medio de los sentimientos de enojo de su hijo. Ayude a sus hijos más grandes y adolescentes a que le pregunten al padre por qué no cumplió su promesa o le pidan que explique sus decisiones enfermizas. Esto fortalece a los hijos en sus relaciones. Esconder la verdad no protege a sus hijos. Los hijos pueden hacerle frente a las acciones de los padres si saben qué esperar, así que no intente endulzar la verdad[17].

Guía para padres que comparten la custodia

A continuación le proponemos pautas que le serán de utilidad al ayudar a sus hijos a ir y venir entre ambos hogares. Todos los padres que comparten la custodia deben procurar vivir de acuerdo con estas normas[18]. Considere cómo puede hacer que cada una sea realidad en su situación. Recuerde que es responsable de cómo colabora en la interacción entre usted y su ex. Cambie su actitud aunque crea que su ex tuvo la culpa por lo que sucedió en el pasado.

1. Trabaje arduamente para respetar al otro padre y su hogar. Póngase de acuerdo en que cada padre tiene el derecho a la privacidad y no se entrometa en la vida del otro. Sea abierto en cuanto a las distintas reglas y formas de crianza, ya que existen muchas formas saludables de criar a los hijos. No desmerezca las condiciones de vida del otro, sus actividades, sus citas o decisiones, y deje a un lado la necesidad de controlar el estilo de vida de su ex. Si hay algo que le preocupa, hable directamente con él o con ella (ver "Pida prestado el guión y sígalo al pie de la letra", página 155).
2. Programe regularmente una "reunión de negocios" (todas las semanas o todos los meses) para analizar asuntos relacionados con la custodia compartida. Puede abordar asuntos como los horarios, la evaluación escolar, la formación de la conducta y el desarrollo espiritual. No hable de su vida personal (ni de la de su ex). Ese aspecto de su relación ya no es pertinente. Si la conversación se desvía de los hijos, simplemente vuelva al tema o termine la charla cortésmente. Si no puede hablar personalmente con su ex porque quedaron problemas sin resolver, use el correo electrónico o deje su mensaje en el contestador. Haga lo que esté a su alcance para hacer de sus encuentros una charla productiva para sus hijos.
3. Nunca les pida a sus hijos que actúen como espías ni que traigan chismes de la otra casa. Eso los coloca en un aprieto en cuanto a la lealtad dividida y les causa una gran angustia emocional. De hecho, póngase contento cuando ellos disfrutan de las personas que viven en su nuevo hogar. ("Me alegra que te haya gustado ir a pescar con tu padrastro"). Si sus hijos le informan

lo que sucede en la otra casa, escuche y permanezca neutral en su juicio.

4. Cuando los hijos tengan sentimientos confusos o de enojo hacia su ex, no se aproveche de su dolor ni censure al otro padre. Escúchelos y ayúdelos a explorar sus sentimientos sin intentar que ellos cambien su opinión por la suya. Si no es capaz de decir cosas positivas del otro padre, haga un esfuerzo por mantenerse neutral.
5. Los hijos deben tener en cada hogar todo lo que necesitan. No los haga llevar de aquí para allá las necesidades básicas. Algunos objetos específicos, como ropa o un osito de peluche, pueden trasladarse según la necesidad.
6. Trate de librarse de su hostilidad hacia el otro padre para que los niños no puedan sacar ventaja de sus malos sentimientos. La manipulación por parte de los hijos es mucho más sencilla cuando los ex cónyuges no colaboran.
7. No desilusione a sus hijos con promesas rotas o mostrando poca fiabilidad. Haga lo que diga, respete el régimen de visitas según lo que hayan acordado y permanezca activo en la vida de sus hijos.
8. Haga que la custodia funcione para sus hijos aunque haya detalles del acuerdo que no le gusten. Mantenga al otro padre al día cada vez que se necesiten hacer cambios en el régimen de visitas. Asimismo, infórmele de cualquier cambio en el trabajo, acuerdo de vida y otros detalles que tal vez demanden ajustes en los niños.
9. Si planea contratar a una niñera para que cuide a sus hijos durante más de cuatro horas mientras están en casa, primero concédale al otro padre el derecho de hacerlo.
10. Sugiera a los más pequeños que elijan el juguete o el juego preferido como un objeto de transición. Esto los ayuda a lograr la transición y a sentirse más cómodos en la otra casa.
11. Con respecto a los hijos que tienen visitas cortas o pasan tiempo en la otra casa:
    - A veces es tentador hacer “actividades especiales” sólo cuando todos los hijos están con usted por miedo a que algunos de

ellos se sientan que no son tan especiales como los demás. Organice actividades especiales con combinaciones diferentes de niños (está bien si alguno se siente desilusionado porque no pudo asistir).

• Cuando le vengan a visitar sus otros hijos, trate, en lo posible, que la vida de aquellos que viven con usted siga siendo normal.

• Mantenga los juguetes y las posesiones en un lugar privado donde nadie los pueda tocar o tomar prestados a menos que el dueño le dé permiso (especialmente, cuando el dueño no está en casa).

12. Colabore para que sus hijos puedan adaptarse cada vez que visiten su otro hogar:

• Si sus hijos salen de vacaciones mientras están en la otra casa, averigüe qué tienen planeado hacer. Puede ayudarlos a empacar objetos particulares y la ropa necesaria.

• Informe al otro hogar acerca de los cambios que pueda haber en el niño. Puede ser importante un cambio de preferencia (ya sea en la música, ropa, el cabello, las comidas, etc.) o en el desarrollo emocional/físico/cognitivo. Asegúrese de que en el otro hogar sepan lo que ha cambiado antes de que el niño llegue.

• Cuando sus hijos regresen, deles tiempo para que desempaquen, se acomoden y se relajen. No los llene de planes, reglas ni siquiera de un trato especial. Déjelos que tomen su tiempo para adaptarse[19].

13. Si hay un problema o cambio en la custodia o régimen de las visitas que usted y su ex no son capaces de resolver, busquen un intermediario. Eviten los pleitos legales.

Herramientas para ayudar a los niños a prosperar en dos hogares

He aprendido muchísimo de las familias reconstituidas que participan en mis seminarios. Una actividad particular en grupo es muy útil al momento de aclararles a los adultos lo que los hijos necesitan cuando van y vienen de un hogar a otro. Sin revelar ningún secreto en cuanto a la estructura de la actividad (tal vez quiera participar un día en este seminario), permítame mencionar lo que los padres han descubierto a través de los años, que seguro será de mucha ayuda.

1. Cuando sus hijos regresen de la otra casa, cuénteles lo que sucedió desde que se fueron. En este momento es muy común que los padres les pregunten lo que hicieron el fin de semana o durante el verano (sin ánimos de que el niño sea un espía, sino simplemente mostrando interés en la vida del niño). Sin embargo, rara vez los padres se toman el tiempo para contarles a sus hijos lo que sucedió mientras ellos no estuvieron. Esto los ayuda a conocer el estado de ánimo del hogar y los invita a encontrar su lugar en la corriente. Recuerde que el sentido de pertenecer es todo un tema. Ayúdelos a encontrar su lugar.
2. Envíe una lista de las cosas que tienen que regresar. Con frecuencia los niños olvidan algunas cosas, como el libro de matemáticas, y los otros padres pueden asumir que lo han llevado con ellos. Mande una lista para controlar las cosas que tienen que regresar para que el niño sea responsable (si tiene la edad suficiente), o para que el padre pueda asegurarse de que todo regrese.
3. Déles un "tiempo de gracia" para que se adapten a su casa y a sus reglas. Los niños tienen la capacidad de ajustarse a distintas reglas en distintas casas. No obstante, es probable que necesiten que con cariño se les recuerden las reglas de su casa después de haber pasado un tiempo en la otra. Algo simple como "sé que en la casa de tu mamá te puedes quedar levantado hasta las nueve, pero aquí nos vamos a dormir a las ocho y media. Ve a la cama". No discuta las reglas de la otra casa ni discrepe con el que puso las reglas. Preocúpese de su casa y déles un tiempo para que se reorienten.
4. "¡Detesto tener que elegir de qué lado estoy!". Intente no forzar lealtades al ir de una casa a la otra. Para los niños, es natural hacer comparaciones cuando van de una casa a la otra. No les pida que elijan, y sea comprensivo y neutral cuando tenga que responder preguntas acerca de la otra casa. Si no puede ser comprensivo, no espere que sus hijos acepten su opinión. No ofenda la otra casa.

5. "¿Quién me necesita más?". En el momento de analizar el lugar que ocupan en sus hogares, los niños en ocasiones eligen invertir en la casa que más los necesita. Es necesario que los padres sean comprensivos al respecto. Trate de no tomar como algo personal que el niño sienta atracción por la otra casa. Hágale preguntas y preste atención a las presiones que enfrenta. Puede que él no sea capaz de arreglar la situación y que necesite liberarse de la responsabilidad de hacerlo. Sin embargo, también puede ser que exista un motivo legítimo para pasar más tiempo en la otra casa (por ejemplo, que el padre esté enfermo y necesite apoyo extra de parte de él).

CÓMO CONSTRUIR UNA RELACIÓN DE PATERNIDAD COMPARTIDA

"Ahora sabemos lo que intentamos alcanzar como padres que compartimos la custodia, pero, ¿cómo lo logramos?". Evidentemente, no es fácil una relación de cooperación con alguien con quien solía pelear. Es más, aquí es donde es normal que alguien reconozca que el conflicto con su ex no es cosa del pasado. "Suena muy bien... Me encantaría tener esa clase de relación con el padre de mis hijos; pero él no va a querer. Todo lo que hago sale mal o se sabotea. ¿Qué puedo hacer con respecto a eso?". Créame, lo entiendo: para que una relación cooperativa funcione se necesita de las dos partes. No obstante, haga lo que pueda. (Atención: rara vez uno admite que es él o ella el que dificulta la relación de la paternidad compartida. Siempre es más fácil señalar al otro y echarle la culpa y, por lo general, no reconocemos nuestra contribución en los problemas). Esta sección le ayudará a entender los asuntos emocionales que entran en juego, a la vez que le dará ideas prácticas para construir una mejor relación de paternidad compartida.

Disuelva el vínculo del matrimonio, pero mantenga el vínculo de padre/madre

Mientras intenta construir o fortalecer la relación de paternidad compartida, sería bueno entender la tarea emocional de terminar la relación matrimonial manteniendo la relación de padre/madre.

Cuando un hombre y una mujer se casan, forman un vínculo marido-mujer. Más tarde, cuando llegan los hijos, las mismas personas forman otro tipo de relación. La relación padre-madre es una sociedad centrada en la crianza de los hijos, mientras que el vínculo marido-mujer se basa en el amor romántico, el compañerismo y la sexualidad. El límite entre estos dos tipos de relaciones es confuso y débil. Por ejemplo, las parejas están muy conscientes de cómo los desacuerdos en cuanto a la disciplina o en cuanto a qué valores infundir en el niño se pueden transformar fácilmente en desavenencias que generen enfrentamientos entre los cónyuges. Lo que comienza como una cuestión de padres no tarda en convertirse en una cuestión del matrimonio.

El desafío que las parejas enfrentan después del divorcio es disolver el vínculo del matrimonio y separar las cuestiones maritales pasadas de las relaciones presentes como padres. Para la mayoría de las personas es una tarea terriblemente difícil de alcanzar. En realidad, la pareja redefine sólo su relación como padres (compañeros intentando criar a un niño), no como amantes. Resulta difícil en particular cuando se tocan puntos del pasado y el antiguo dolor marital aflora en el desacuerdo como padres. A menos que los ex cónyuges dejen de lado las aspiraciones que antes tenían como casados, fácilmente caerán en ataques personales y en jueguitos manipuladores. De nuevo comienzan a pelear los elefantes y el pasto queda pisoteado.

¿Cuántas veces ha escuchado que alguien le niega la visita a su ex cónyuge porque este se atrasó con la cuota de alimentos? En la práctica, un padre mantiene a su hijo como rehén hasta que el ex paga la cuota para el sostén del hijo. "Pero no entiende, mi ex siempre fue un irresponsable con el dinero y hasta el día de hoy es un egoísta. La única razón por la que no paga es porque le duele compartir los bienes materiales". ¿Piensa que negándole a sus hijos lo cambiará? ¿No le parece que es una antigua cuestión matrimonial, que se supone debe estar enterrada en un cementerio en algún lugar, en lugar de ser una cuestión de padres?

Otro ejemplo común tiene que ver con los nuevos novios o cónyuges. "Mi ex esposa me dejó por otro hombre. Ahora viven juntos. Ya que eso es pecado, ¿no me da el derecho de insistir en que él no esté cuando los chicos pasen el fin de semana con ella?". Es una pregunta difícil porque involucra un asunto espiritual y un asunto entre padres. En el plano espiritual, la ex esposa de este hombre está violando la ley de Dios en cuanto a la pureza sexual, pero sigue siendo la madre de sus hijos y una parte muy importante de la vida de ellos. Los hijos necesitan tener un contacto regular con ella.

Desde el punto de vista de padres que comparten la custodia, el dolor de este hombre como consecuencia del romance de su esposa y la decisión de ponerle fin a su matrimonio está distorsionando sus decisiones como padre. Una vez más, el negarle a los niños e intentar controlar su estilo de vida, aunque sea "por el bien de los niños", es una decisión que nace del dolor que siente la persona. Si les enseñaron a los hijos los principios de Dios en cuanto a la pureza, también ellos pronto sentirán desprecio por lo que hizo su mamá. No obstante, los hijos no deben convertirse en títeres para vengarse ni para intentar cambiar el comportamiento de la madre. Este papá debe conseguir la ayuda de líderes espirituales que puedan con compasión extender una mano a esta mujer para que vuelva a una vida santa. Además, él necesita hablar con sus hijos para saber lo que sienten y lo que les preocupa espiritualmente de su mamá (sin reconvenciones ni críticas personales) y prepararlos para una interacción no deseada con el amante de ella. Un buen liderazgo espiritual sería hacerles recordar que deben ser como Cristo ante sus "enemigos" y que deben vencer "el mal con el bien" (Romanos 12:21), sin dejar de orar para que su mamá se arrepienta. Lo fundamental es impedir el abuso legal: el hecho de que un padre sea más espiritual que otro no le da el "derecho" de controlar al otro padre, el estilo de vida que lleve ni la relación con sus hijos.

No poder influir espiritualmente en el otro cónyuge es uno de los peores resultados del divorcio. El sistema del matrimonio espiritual que Dios creó genera un grado de responsabilidad espiritual que la vida de soltero no puede mantener. Estar casados impide que muchas personas tengan conductas egoístas o adictivas a la vez que promueve una vida piadosa. Sin embargo, el divorcio corta esa cuerda de responsabilidad y puede traer como resultado el que uno de los padres se aparte de la vida cristiana que tenía. Esto lo convierte en el único responsable del crecimiento de su fe y a menudo, de la lucha contra los valores de la otra casa. Volveré a tocar este tema y en el capítulo 9 brindaré más ayuda específica.

El último ejemplo de ex cónyuges que no han disuelto el vínculo matrimonial de manera adecuada involucra el exceso de contacto. David y su nueva familia llegaron buscando ayuda cuando su hijo de ocho años se volvió incontrolable. Como sucede en la mayoría de las familias reconstituidas, luchaban con muchas cuestiones relacionadas con la integración. Hubo algo que me llamó la atención. Tenía que ver con las llamadas constantes a su ex esposa para discutir las dificultades que su hijo tenía en la escuela. Para su nueva esposa, esto suponía un problema ya que, al parecer, mientras estaban casados, la ex controlaba mucho a David y ahora ella temía que él permitiera que lo siguiera haciendo. Le pedí a David que me ayudara a entender el porqué de sus llamadas cotidianas. Me dijo que durante su matrimonio, su ex esposa había criticado mucho su forma de crianza y que ahora a menudo lo amenazaba con quitarle la custodia porque como padre era "incompetente". David tenía miedo de perder a su hijo. No obstante, lo más importante era que David se esforzaba constantemente por ganar la aprobación de su ex esposa (que con facilidad se la negaba). Hacía ya tres años que se habían separado, pero él seguía emocionalmente hambriento de su aprobación. Esta necesidad lo llevaba a tener demasiada relación con su ex esposa, lo que lo debilitaba todavía más.

El impacto fue sutil, pero tuvo muchas repercusiones en el mal comportamiento de su hijo. David era un padre controlado por el miedo y la preocupación de cómo lo evaluaría su ex esposa, lo que le quitaba la capacidad de ser eficiente a la hora de controlar a su hijo. Su hijo le tomaba ventaja y su ex esposa lo manipulaba con facilidad. Una vez que empezó a actuar con firmeza en vez de con temor y a poner límites en el diálogo con su ex esposa, su nivel de efectividad aumentó de modo espectacular y disminuyó el mal comportamiento de su hijo.

Hacer morir el vínculo del matrimonio con todo su dolor, poder y privilegio es difícil. Aun así, esto es precisamente lo que conviene en una relación de copaternidad efectiva. Tal vez su ex haya descuidado las necesidades del matrimonio, pero sus necesidades y las de sus hijos son diferentes. Muchos padres que fueron malos compañeros durante el matrimonio son buenos padres y los hijos disfrutan mucho de ellos.

Los hombres, especialmente, después del divorcio mejoran en su tarea como padres, aunque sus ex esposas supongan que no han cambiado y no los respeten como merecen. Déle a su ex cónyuge la oportunidad de ser un padre maravilloso, aunque no haya sido maravilloso con usted. Separe el pasado del presente y haga todo lo que esté a su alcance para que entre ustedes funcione la relación como padres que comparten la custodia.

¿Qué clase de ex cónyuge es usted?

En su libro *The Good Divorce* [El buen divorcio], la investigadora social Constance Ahrons identificó cinco tipos de relaciones que los ex cónyuges pueden tener. Considere los detalles de cada una y descubra dónde encajan su cónyuge y usted.

- Perfectos amigos. Comprenden el 12% de los investigados. Su nivel de comunicación e interacción es elevado. Aunque están divorciados, siguen siendo amigos. Todavía se consideran buenos amigos, se hablan una o dos veces por semana y se interesan en la vida del otro. Mantienen la relación con la familia y con los viejos amigos. Pocos permanecieron en esta categoría y avanzaron a una relación menos cooperativa. Asimismo, después de cinco años de divorcio no habían vuelto a relacionarse con alguien. (De hecho, es difícil entablar una nueva relación mientras se sigue aferrado a un ex cónyuge).
- Colegas en sociedad. Representan el 38% de los investigados. Su nivel de interacción es moderado y el de comunicación, alto. Aunque no se consideran mejores amigos, estas parejas colaboran bastante bien en las cuestiones que conciernen a los hijos. Algunos hablan con frecuencia, y otros, lo mínimo. Por lo general, están dispuestos a negociar cuando se trata de repartir el tiempo con los niños. A la hora de manejar un conflicto, lo normal es que no terminan en luchas viciosas sino que las resuelvan o las evitan. Un común denominador de estas parejas es la

capacidad de departamentalizar su relación. Esto quiere decir que separan los asuntos que tienen que ver con su matrimonio de los que se relacionan con el de ser padres. El deseo de crear la mejor atmósfera para sus hijos está por encima de las cuestiones personales[20].

- Socios enojados: Presentan un nivel de interacción medio y un nivel de comunicación bajo (25% de los investigados). Sólo se comunican cuando tienen que planear actividades para sus hijos, y generalmente se pelean al hacerlo. El conflicto era el aspecto principal para estas parejas. A diferencia de los colegas en sociedad, no son capaces de departamentalizar el enojo sino que se extiende a todos los ámbitos de la interacción.
- Enemigos ardientes: Estas parejas representaron cerca del 25% de los investigados. Se caracterizan por la poca interacción y comunicación que existe entre ellos: "Estos ex cónyuges casi nunca se hablan y, cuando lo hacen, normalmente terminan peleando. Sus divorcios fueron muy conflictivos y las luchas legales continuaron muchos años después del divorcio. Cada cambio suscitó más enojo: no fueron capaces de llegar a un acuerdo a favor de los hijos sin discutir. Muchos recurrieron a un tercero (es decir, a un abogado, amigo o hijo) para resolver los desacuerdos que surgían en cada tema"[21].
- Parejas disueltas: Estos ex cónyuges perdieron la relación por completo. Es común que uno de los ex cónyuges se mude y deje de comunicarse casi por completo. No hubo un acuerdo entre los hogares. Verdaderamente son familias de un solo padre[22].

¿Descubrió qué clase de cónyuge es usted o el que más se acerca a su relación actual con su ex? ¿Qué clase de personas son su nuevo cónyuge y el ex de este? ¿Por qué tipo de relación deben luchar los padres? La relación que mejor funciona es la de los colegas en sociedad. Si estudia atentamente la descripción verá por qué: tienen la capacidad de separar las cuestiones personales relacionadas con su matrimonio de las cuestiones de ser padres que se relacionan con sus hijos. Son capaces de disolver los problemas del matrimonio mientras trabajan juntos como padres. Simplemente no dejan que las cosas del pasado arruinen su capacidad de cooperar.

¿Y si descubre que es un socio enojado o un enemigo ardiente? Contrólese y cambie las cosas de su lado de la relación. Mejorar la relación con su ex, aun si su ex es "imposible", no está por completo fuera de su alcance. Siempre puede hacerlo y Dios espera que se controle y que no dé lugar al enojo o al dolor. Aun así, algunos encuentran muchos obstáculos. Déjeme ofrecerle algunas herramientas que le ayudarán a ser un colega en sociedad.

Los desechos del pasado: cómo enfrentar el enojo, el dolor y la culpa

Los lazos que se entablan en una relación vienen de muchas formas y tamaños. El más grande es, por supuesto, el pacto de amor desinteresado. Lo que más le sorprende a la gente es que el dolor, el enojo y la culpa tienen la capacidad de mantener a dos personas unidas tan estrechamente como el amor[23]. La raíz de tales lazos es el dolor: une a las personas mediante la discordia. Más sorprendente todavía es cuando se dan cuenta de que el conflicto, la amargura y el control son los cordones umbilicales que mantienen con vida al enojo y a la culpa. Mientras la crítica y estar a la defensiva pasan de un ex cónyuge al otro, el dolor y los lazos de la discordia se mantienen vivos. Una de las ironías más grandes de la amargura es que los dos, usted y la persona que le hace sufrir, son presos de ella. Con el tiempo, lo que en realidad hace es contribuir a su propio dolor y amargura.

Si usted fue el abandonado, es probable que sienta más enojo, rechazo y dolor. Si no es capaz de dejar esto de lado y separar sus sentimientos, no le será difícil arruinar la relación de copaternidad. Si fuera el que abandonó (el que inicia el divorcio) puede que sienta mucha culpa, en especial al ver el sufrimiento de sus hijos.

Quizás le sea difícil apartarse de su decisión e involucrarse de lleno en la situación actual de ser una familia reconstituida. Tal vez su nuevo cónyuge no se siente seguro con su compromiso y sus hijastros perciban su rechazo. La culpa incluso puede llevarle a evitar que su ex se enoje con usted. Por ejemplo: algunos se sienten obligados con su ex y se esfuerzan por complacerlos en cuestiones relacionadas con el dinero, los horarios o hacerse cargo de tareas de mantenimiento en la casa de su ex. Tanto en el caso del abandonado como en el de quien abandona, sea que sienta culpa o rechazo, el dolor es el que está dictando el comportamiento. Está encerrado en una prisión de dolor y la interacción negativa continua mantiene la llave fuera de su alcance.

Aprenda a perdonar

Entonces, ¿qué hace usted? Perdone. Sé que aquí algunos de ustedes dejarán de leer este libro. Ya se siente abrumado ante la carga, se le está subiendo la presión y sólo piensa en cerrar el libro. "¿Cómo se atreve a sugerir que lo perdone después de lo que me hizo?". Una mujer me escuchó hablar de la necesidad de perdonar como una herramienta para mejorar las relaciones de copaternidad y se ofendió. Me llamó y me dijo: "Mi ex me dejó por otra mujer y ahora ella es la madrastra de mis hijos. De ninguna manera pienso perdonarlo ni aceptaré el lugar de ella junto a mis hijos. En realidad, estoy haciendo todo lo que puedo para sabotear la autoridad de esa mujer". Siguió contándome que instaba a sus hijos a desobedecerla porque ella había destruido su familia.

Por favor, entienda: no estoy tomando a la ligera la sugerencia de perdonar ni tampoco creo que sea una tarea fácil. Después de la masacre en la escuela Westside aquí en Jonesboro, Arkansas, aconsejé y trabajé con muchas familias que quedaron muy impactadas y dolidas por lo que había sucedido. Nunca había visto tanto dolor ni tanto clamor a Dios. Nunca me había sentido tan incapaz como terapeuta. Y mi pasión por aquellos que tanto perdieron aquel 24 de marzo de 1998 no me permitiría instarlos con ligereza a "perdonar y seguir adelante". Rebajar el valor de las vidas que se habían perdido de tal forma no tendría lugar. Aun así, reconocer a un Dios amoroso que no tiene rival en medio de la agonía, y asimismo reconocer la capacidad de perdonar, finalmente se convirtieron en los pilares de sanidad en la vida de aquellos con quienes trabajé.

El dolor que siente también es real y es posible que la ira esté plenamente justificada. Aun así, si está llevando una carga de enojo, dolor y culpa, no puede ser todo lo que Dios le llama a ser para su nueva familia. La mujer que mencioné arriba usaba a sus hijos para vengarse y los colocó en medio de una guerra. Una solución equivocada como esa hace que personas inocentes sufran y, a la vez, mantiene vivo su dolor. ¿Cómo puede ser esa una actitud cristiana?

Perdonar es un acto antinatural de una voluntad que un Dios perdonador moldeó. No hay nada humano en esto. El perdón no restaura una relación rota ni repara el daño emocional. Simplemente lo acepta como una pérdida. Y esto sólo es posible cuando reconocemos cuánto Dios nos ha perdonado. Incluso, luego de que su señor le cancelara la deuda, el siervo inmisericorde de Mateo 18:21-35 no fue capaz de perdonar lo que un consiervo le debía porque no alcanzó a valorar el regalo del perdón. Pablo nos recuerda en Colosenses 2:13, 14 que aunque estábamos muertos en nuestros pecados, Dios nos dio vida juntamente con Cristo: "Dios nos dio vida en unión con Cristo, al perdonarnos todos los pecados y anular la deuda que teníamos pendiente por los requisitos de la ley. Él anuló esa deuda que nos era adversa, clavándola en la cruz". Solo cuando nos damos cuenta de lo que nos separa de Dios (el pecado) y cómo Dios en la cruz lo quitó, podemos ser realistas y perdonar aquello que se interpone entre nosotros y otra persona. Humíllese ante la magnitud de la deuda que le ha sido perdonada y descubrirá que es posible el acto no natural de perdonar.

Algunas observaciones prácticas en cuanto al perdón[24]

- El perdón comienza con una decisión. El proceso de perdonar empieza en la mente. Pronunciar las palabras: "Perdono a Lisa por abandonarnos a mí y a mi familia" es el primer paso hacia el perdón. El desafío es, entonces, vivir esa decisión. Por favor, tenga en cuenta que la liberación emocional (dejar que el dolor y el sufrimiento se vayan) es el paso que le sigue a la decisión de perdonar y no al revés. Cuando la liberación emocional se logra, la paz viene en forma de confianza; la confianza de que Dios conoce qué es lo mejor para nuestra vida y que sus caminos son lo mejor para nosotros. Puede que sienta la paz al instante o que sea algo gradual. Lo que nos anima a seguir adelante hasta ese momento es la promesa de que él nos dará paz.
- Opte por perdonar una ofensa a la vez. Muy a menudo nos

enfrentamos a una montaña de dolor que no podemos superar. Elabore una lista de las piedras que componen la montaña y luche por perdonarlas una a la vez. Sepárela en piezas que pueda manejar.

- Informar que ha perdonado es optativo. Para algunos, basta haber tomado la decisión de perdonar. Otros necesitan comentar su decisión para poner fin al proceso. Haga lo que mejor se ajuste a su situación.
- El perdón y la responsabilidad no se excluyen mutuamente. Podemos perdonar a alguien y aún hacerlo responsable de sus acciones (no por venganza ni en beneficio propio). Por ejemplo: puede perdonar a un ex cónyuge por conducir ebrio con sus hijos en el auto, pero no tiene que exponerlos a posibles daños futuros. Trabaje con su ex o con el tribunal para garantizar la seguridad (por ejemplo, cuando conduzca debe haber otra persona presente) hasta que su ex demuestre una conducta más responsable.
- El perdón involucra a una persona. La confianza y la reconciliación involucran a dos. La misericordia puede extenderse a alguien sin que se reestablezca la confianza. Muchos se resisten a perdonar porque piensan que estarán obligados a hacerse nuevamente vulnerables a la otra persona. Si un empleado le roba al banco donde trabaja, se le puede perdonar pero no reintegrarlo a su tarea. No hay nada de malo en aprender de la experiencia pasada con alguien y protegerse o proteger a otros del sufrimiento. Sólo corrobore los motivos propios.
- El perdonar da fuerzas. Cuando uno se aferra al dolor y al sufrimiento, termina siendo esclavo de la persona que lo hirió. El conflicto y la amargura mantienen vivo el dolor. El resultado es una víctima indefensa. ¿Alguna vez fue culpable de acusar a alguien por las circunstancias difíciles que atraviesa? Eso es lo que hace una víctima: se queja constantemente de que otros arruinaron su vida. Al hacerlo, las víctimas alivian la responsabilidad que tienen por el estado de su vida.

El perdón nos convierte de víctimas en vencedores fortalecidos.

Rompe las cadenas de la prisión y corta el cordón umbilical que dio vida al dolor. Cuando usted perdona, sus reacciones con la otra persona ya no surgen del dolor, sino que es libre para elegir el mejor camino a seguir. Por ejemplo, un ex cónyuge continúa actuando como un enemigo ardiente, pero no tiene por qué responder con fuego (como en el pasado). El perdón es la llave que abre la puerta de su celda. Corrie ten Boom, una ex víctima de los campos de concentración dijo: "Perdonar es poner en libertad a un prisionero y descubrir que el prisionero eras tú".

Mientras piensa en el perdón, dedique un momento a completar este ejercicio práctico. Responda brevemente a las siguientes preguntas:

1. ¿Qué ofensas o resabios del pasado tengo ante mí? (Haga una lista).

2. ¿Cuáles puedo perdonar hoy?

3. Decida cómo seguirá esforzándose para perdonar el resto de las ofensas.

4. ¿De qué cosas debo arrepentirme? ¿Qué debo confesar a Dios? o ¿Por qué le tengo que pedir perdón?

Mantenga el objetivo en mente

Es difícil trabajar con un ex cónyuge que no colabora, en especial cuando el fantasma del pasado le pide que no reconozca los cambios en la otra persona. En algunos casos, muchos ex cónyuges necesitan darse cuenta de que la otra persona es incapaz de cambiar. Esto nos lleva a buscar evidencia de que el ex sigue siendo el mismo y que no se puede confiar en él. Es posible también descartar evidencias que muestren lo contrario. Mantener el objetivo en mente significa hacer todo lo que pueda para ser un colega en sociedad y permanecer abierto a la posibilidad de que su ex cónyuge puede cambiar con el transcurso del tiempo. Cuando se trata con niños que forman parte de una familia en la etapa del posdivorcio o de una familia reconstituida, parte de mi trabajo es citar a los ex cónyuges a una consulta. Por lo general los encuentro mucho menos desagradables de lo que el otro padre supone que serán. Es más, por lo general están ansiosos por mejorar las condiciones de vida de sus hijos. Recuerde: si usted puede crecer y cambiar, ¿por qué ellos no?

Aprenda a animar a la otra persona a colaborar

Algunos padres, después de leer este material, quizá deseen llamar a su ex cónyuge, pedirle que lea este libro y tengan una reunión amistosa para analizar la mejor manera de implementar la Guía para padres que comparten la custodia (página 132). Si puede hacerlo, por supuesto que debe programar una reunión tan pronto como sea posible. Sin embargo, los asociados enojados y los enemigos ardientes le temerán a una reunión cara a cara, creyendo que estallará la Tercera Guerra Mundial.

"Es usted que no entiende. Mi ex es un imbécil que no escuchará lo que le diga. Si le mando una copia de su libro, lo tirará. No puedo controlar su reacción". Es cierto, usted no puede controlar la reacción de su ex pero puede influenciarla en algo. Hace años escribí una "Carta abierta a padres divorciados" (ver la página siguiente). Se diseñó para recordarles a los padres el papel fundamental que tienen e invitar a los ex cónyuges a que reconsideren cómo pueden colaborar mejor. No tenía idea de cuánto les serviría a los padres enojados y enemistados.

Este es el plan. Copie la carta y envíela a su ex cónyuge junto con este mensaje escrito u oral: "Estuve leyendo un libro que trata acerca de la vida de la familia reconstituida y de la copaternidad. El autor recomienda que te envíe esta carta; de otra manera, no te habría molestado. También quiero que sepas que me di cuenta de que he traspasado algunos de estos principios y me comprometo a mejorar. Específicamente, he notado que tengo la culpa por (mencione dos errores que haya cometido y lo que tiene pensado hacer la próxima vez. Por ejemplo, podría decir: "No debería interferir en el tiempo de visita trayendo a los niños después de las cinco y media de la tarde. Lo lamento. Ahora mi meta es siempre llegar a tiempo. Asimismo, voy a dejar de hacer comentarios negativos acerca de tu nuevo esposo. Ahora me doy cuenta de que pone a los niños en un aprieto"). Gracias por tu tiempo. [Su nombre]".

Por supuesto, no hay garantía de que la carta provoque algún cambio. Simplemente estará intentando abrirle la puerta al cambio. La copia no debe tener un mensaje adjunto que diga algo como: "Óyeme, necesitas leer esto. Eres un pésimo padre y esto está haciendo daño a nuestros hijos". Es evidente que cualquier intento de controlar a su ex volverá a avivar las peleas y cerrará la puerta al cambio. Incluso, debe reconocer sus errores sin pedirle a su ex que analice lo que él o ella está haciendo como padre. La influencia llega cuando usted reconoce sus fracasos sin poner condiciones. Esto indirectamente invita al otro padre a considerar su propio comportamiento sin que lo presione. Por sobre todas las cosas, mantenga su objetivo en mente, haga lo que le corresponda y ore para que el Señor ablande el corazón de su ex.

Carta abierta a padres divorciados

Esta carta se refiere a sus hijos y al papel sumamente importante que usted desempeña en la sanidad de sus vidas. Desde el momento en que usted y su ex cónyuge les informaron del inminente divorcio, sus hijos han pasado por una crisis de transiciones. Su recuperación depende de usted, esto es, de su papel constante como padre. Ya sea que usted es quien tiene la custodia o el que está privado de la custodia, usted desempeña un papel vital en la adaptación emocional de sus hijos. Considere, por ejemplo, los siguientes datos empíricos:

Los hijos consiguen adaptarse a la idea de que el matrimonio de sus padres ha terminado y pueden sobrellevarlo razonablemente bien si: (1) los padres son capaces de terminar con su relación *sin conflicto excesivo*; (2) los niños *no están en medio* de cualquier conflicto que pueda existir y (3) los padres se comprometen a *cooperar* en asuntos relacionados con el bienestar económico, físico, educativo y emocional del niño.

Este último punto es el que deseo enfatizar aquí. Por favor, entienda que no estoy hablando de una reconciliación con su ex cónyuge. No obstante, es muy importante que usted y su ex consideren la disolución del vínculo matrimonial y las responsabilidades que tienen como padres, como dos asuntos separados. En otras palabras, el matrimonio ha terminado, pero su rol como padre no. A menudo a este concepto se lo conoce como *copaternidad* e involucra la colaboración de los padres biológicos aunque vivan en distintas casas.

No obstante, me doy cuenta de que a muchos ex cónyuges se les hace muy difícil cooperar, no importa la circunstancia; ni qué hablar de la educación y la disciplina de sus hijos. Sin embargo, eso no le exime de la responsabilidad de hacer el intento, quizás con más esfuerzo del que puso durante el matrimonio. Después de todo, sus hijos merecen que haga el mejor esfuerzo.

Si es necesario, tal vez un capacitado psicólogo de familia pueda ayudarlos a negociar el acuerdo de copaternidad. Cualquiera sea el caso, por amor a sus hijos, asuma la responsabilidad de involucrarse en la vida de ellos.

Por favor entienda: esta carta no es para echarle la culpa a nadie, ni tampoco es para que se sienta más culpable. Es simplemente pedirle de todo corazón que le ofrezca a sus hijos el recurso más valioso que tiene: *usted mismo*.

Atentamente

Pastor Ron L. Deal, terapeuta familiar y matrimonial

Autor del libro *Tus hijos, los míos y nosotros*

Psicólogo especializado en asuntos de familia y matrimonio

Si es necesario, trátelo como un acuerdo de negocios

Muchos padres han aprendido cómo manejar una relación difícil con su ex cónyuge. Algunos usan anotaciones mientras hablan por teléfono a fin de no desviarse del tema de la conversación. Otros evitan la relación personal y dependen de los contestadores, las cartas y el correo electrónico. No importa cómo se comunique: trate a la otra persona como si fuera un asunto de negocios. No hable de cuestiones personales. Busque una solución donde todos ganen y limítese a hablar de los niños. Una mentalidad de empresario puede ayudarle a evitar distracciones cuando se presenten temas sensibles. Por ejemplo, un buen principio usado por empresarios, que se aplica a muchas circunstancias, es intentar hallar un terreno común para las negociaciones. Siempre que sea posible, esté de acuerdo en algún aspecto de lo que su ex esté diciendo aunque no esté de acuerdo con el punto principal. "Tienes razón, todo adolescente quiere la independencia que le ofrece un auto. Sólo me pregunto si lo merece justo ahora que sus calificaciones son malas". Si no puede "cerrar el trato" porque le duele o se siente amenazado, pida con cortesía un poco de tiempo. Vuelva a la mesa de negociaciones más tarde, cuando se haya recuperado.

Pida prestado el guión y sígalo al pie de la letra

Patricia Papernow ha escrito algunos guiones que ayudan a los padres que comparten la custodia a tener un buen trato entre ellos y a manejar de manera constructiva las diferencias que pudiera haber entre los dos hogares[25]. Antes de llamar a su ex, por ejemplo, escriba algunas líneas que le servirán como guía cuando responda. Esto le ayudará a controlarse durante la conversación.

He aquí algunos de los guiones que propone la doctora Papernow para ayudarle a dialogar:

1. Deje que la bala rebote

Usted contesta el teléfono y escucha a su ex decir: "No puedo creer que te olvidaras de mandar el disfraz de Jennifer para la fiesta. Vamos a llegar tarde, ella está llorando y ¡tú sigues siendo un irresponsable! ¿Cuándo vas a madurar?".

Responda (respira hondo contrólese): "Sé que me equivoqué. Lo siento. ¿Quieres que se lo lleve o lo pasas a recoger?".

Nota: A este guión lo llamo "Deja que la bala rebote", ya que su ex le está atacando y, si deja que la bala penetre, se pondrá a la defensiva. En las familias reconstituidas, la paciencia es un logro. No responda a la acusación. Intente buscar una solución práctica. Y la próxima vez, no se olvide mandar el disfraz para la fiesta.

2. Las reglas de mamá frente a las reglas de papá

Le dice a su hijo: "Si no haces la tarea, no puedes ver televisión".

Él le dice: "Papá me deja ver televisión antes de hacer la tarea".

Respire hondo y conteste: “Puede que así funcione en la casa de tu papá. Y en esta casa la regla es: “Si no haces la tarea, no puedes ver televisión”.

Nota: Está bien que sus reglas y expectativas sean distintas. La tentación es ponerse a pelear por la regla de papá o juzgar sus motivos diciendo: “Eso es porque a tu papá le gusta ver televisión todo el día”. No se preocupe por las reglas de papá. Cumpla las suyas. Asimismo, preste atención al uso de la palabra “y” en vez de “pero” antes de “…en esta casa…”. “Pero” lo pone a la defensiva mientras que “y” es mucho más conciliatoria.

3. La llamada telefónica: “Busco información”

A veces algunas situaciones como la que se mencionó anteriormente requieren que el otro padre provea mayor información. El padre biológico debe hacer la llamada telefónica. La manera como se exprese es importante para mantener una relación de cooperación.

Si llama y dice lo siguiente, provocará una batalla: “No puedo creer que dejes que Juanito vea televisión antes de hacer su tarea”.

Más bien, llame y diga: “Hola. Llamo porque necesito algunos datos. Juanito y yo tuvimos una pequeña pelea y él dice que en tu casa puede ver televisión antes de hacer su tarea. Me pregunto si es verdad o si está intentando salirse con la suya”.

Si son colegas en sociedad, la respuesta puede ser esta: “Sí. Me parece que tiene que relajarse un poco después de la práctica de básquet”. Tú dices: “Está bien. Entiendo. Eso es lo que quería saber. Gracias”.

Si son asociados enojados, la respuesta puede parecerse más a: “Viene cansado de la práctica de básquet y es sólo un niño. ¿Por qué tiene que hacerla si de todos modos la tarea no es tan importante en este momento?”.

Respire profundo y responda: “Está bien. Gracias”.

Nota: La segunda respuesta es mucho más difícil. No obstante, es probable que el otro padre no cambie de opinión por más que discutan (¿alguna vez lo hizo?) y de todos modos no necesita controlarlo. Tiene la información que buscaba y no fue muy buena. Cuelgue y trabaje con su hijo dentro de su casa.

Dígale a su hijo: "Las mamás y los papás son distintos. Yo tengo reglas que tienen que ver con los quehaceres de la casa; tu papá tiene reglas relacionadas con los modales en la mesa. Me preocupan tus calificaciones en la escuela y me pregunto qué puedes hacer en esta casa para mejorarlas. (Analice las posibilidades). ¿Qué puedes hacer mientras estás en la casa de tu papá para terminar la tarea?".

4. Sálgase del apuro y sálgase de en medio

A veces los padres pueden percibir cuándo los niños están siendo atrapados en medio de las batallas negativas entre adultos. No obstante, muchas veces los hijos no están conscientes del aprieto de lealtades en que se encuentran ni tampoco son capaces de expresarlo. Por lo tanto, tal vez los padres no saben que su hijo está atrapado. Aquí hay algunas posibles respuestas que puede dar cuando se dé cuenta de que su hijo está en una lucha.

A su hijo: "Me parece que estás en medio de tu mamá y yo. Sé que es difícil estar en esa situación. Me pregunto cómo te sientes. (Escuche y confirme). ¿Cuándo te sientes más atrapado? Lamento que tengas que oír comentarios negativos. Quiero que sepas que si escuchas que digo algo sobre la otra casa que te hace sentir mal, puedes pedirme que no siga. Y puedes pedirle lo mismo a tu mamá. De otra manera, te sentirás incómodo en medio de nosotros. ¿Quieres que hablemos del tema? (Escuche y valore los sentimientos). A propósito, sé que sabes esto, pero te doy mi permiso para que ames a tu mamá y respetes o ames a tu padrastro. Para ti es importante y a mí me parece bien".

Si tu hijo responde: "Vamos, papá. Tú sabes que mamá no dejará de hacer malos comentarios por más que se lo pida. Una vez que empieza, no se detiene". Responde diciendo: "Tal vez tengas razón, pero creo que vale la pena hacerle saber que te hace sentir mal".

A su ex cónyuge: "Sé que no tienes la intención de lastimar a los niños, pero comentarios como (dé ejemplos específicos) los ponen en medio de nuestra relación. Por favor, no lo hagas más. Estoy aprendiendo a no hacer comentarios negativos frente a los niños y espero que tú hagas lo mismo. Gracias por escucharme".

Si su ex piensa que los comentarios negativos no lastiman a los niños, no intente defenderse delante de ellos. Eso solo logra colocarlos nuevamente en medio. A medida que los niños crezcan, formarán sus propias opiniones y siempre tendrán la tendencia de respetar al padre que controla su lengua (ver Santiago 3).

5. Reestablezca el vínculo

Se producen muchas heridas cuando el padre que no tiene la custodia ha estado desconectado de sus hijos durante mucho tiempo. Si usted se ha ausentado de la vida de su hijo y ahora quiere reconectarse, entienda que no será fácil. A medida que los hijos entran en la etapa de la adolescencia y la adultez, pueden desarrollar barreras emocionales que eviten sentir su rechazo. Es probable que su ex cónyuge esté muy enojado con usted por haberlos decepcionado y por no haber estado dispuesto a criarlos. Considere usar el siguiente diálogo si está pensando en reconectarse.

Hable con su ex cónyuge: "Te pido disculpas por no haberme involucrado como debí. Sé que los defraudé, a ti y a nuestros hijos, y lo siento. Espero poder reestablecer el vínculo con los niños pero no quiero obligarlos a hacerlo. Quiero que sepan que estoy cambiando y que pueden buscarme cuando estén listos".

Escriba una carta a su hijo: "Sé que es difícil leer esto después de tanto tiempo lejos de ti. Puedo ver que en este momento eres fiel a tu mamá. Así debe ser. Espero que algún día las cosas cambien lo suficiente como para que puedas reconectarte conmigo. Te quiero. Llámame cuando quieras, me dará mucho gusto hablar contigo".

Nota: Una vez que haya manifestado el deseo de reestablecer la relación, no les cree una situación difícil poniéndose detrás de ellos para que le vean esperándolos. Envíeles presentes con mensajes cortos y agradables cuando cumplan años y cuando estén de vacaciones. No provoque culpa diciendo: "Feliz cumpleaños. ¿Por qué no me llamaste?". Breves mensajes electrónicos también pueden ayudarle a permanecer a una distancia segura hasta que sus hijos decidan acercarse.

Reestablecer el vínculo luego de una relación prohibida

Por desgracia, a veces a los padres se les prohíbe ver a sus hijos porque su ex cónyuge ha interferido y cortado la relación entre ellos. Los mensajes contradictorios confunden a los niños y a menudo dudan en reestablecer el vínculo.

Dígale a su hijo: "Sé que no hemos podido relacionarnos durante algún tiempo. Sé que tu mamá dijo muchas cosas malas de mí. No sé por qué lo hizo. A veces, cuando uno se siente herido, le cuesta hacer lo correcto. Hay muchas cosas que tú y yo debemos resolver. Espero que, cuando estés listo, me preguntes acerca de lo que ella dijo. Seré sincero y te diré cuáles fueron verdad y cuáles no. A veces pienso que lamentaremos o nos enojaremos por causa del tiempo que perdimos. Espero que, cuando así lo sientas, me lo hagas saber. Mientras tanto, estoy muy contento de que podamos hablar de nuevo"[26].

Manténgase alineado

Este capítulo y el que sigue sugieren que se da un paso clave para volver a formar una familia después de un divorcio cuando todos los adultos implicados en la responsabilidad paternal dejan de lado sus necesidades y se concentran en los hijos. Recordar la actitud de "todo sea por los niños" mantiene la concentración de la interacción de los adultos donde debe estar. La primera relación clave en la tarea de ser padres es la relación de copaternidad. El próximo capítulo analiza el segundo aspecto clave: la relación padre/padrastro y el rol que desempeñan como personas que tienen a su cargo el cuidado de los niños.

Preguntas para discusión en el grupo de apoyo

PARA TODAS LAS PAREJAS

1. En una escala del 1 al 10, califique su relación de copaternidad de acuerdo con su habilidad para contener el enojo y el conflicto con el propósito de colaborar y negociar en asuntos que se refieren al bienestar de los hijos.
2. Enumere dos o tres cosas que puede hacer para mejorar este resultado.
3. En el primer año de un segundo matrimonio, las interrupciones en el régimen de visitas pueden producir bastantes problemas para los niños. Es muy importante para la autoestima de los

hijos mantener un contacto regular, ya que esto también reduce los sentimientos de pérdida. Cuando hay un segundo matrimonio, generalmente se interrumpen las visitas. En general, los padres que no tienen la custodia de sus hijos reducen a la mitad sus visitas durante el primer año del segundo matrimonio de su ex esposa. ¿Qué interrupciones en las visitas a ambos padres han sufrido sus hijos? ¿Qué puede hacer para mejorar el acceso y la regularidad (programada) de este contacto?

4. Considere detenidamente si sus hijos tienen su permiso para amar a otros en sus dos hogares. Si no es así, ¿qué necesita cambiar para conceder ese permiso?
5. ¿Teme perder el contacto con sus hijos adolescentes? Si quisieran vivir en la otra casa, ¿cómo reaccionaría?
6. Repase la *Guía para padres que comparten la custodia* en la página 137 y elabore una lista de conductas que necesita desarrollar o mejorar. Reafirme las cosas que usted y su ex están haciendo bien.
7. Considere cada punto de la sección *Herramientas para ayudar a los niños a prosperar en dos hogares* (página 139). ¿Cuáles ha estado implementado y cuáles podría implementar ahora?
8. En una escala del 1 al 10, ¿cuán capaz es de compartimentar los asuntos del pasado relacionados con su matrimonio de las cuestiones de copaternidad? ¿A qué factores es más sensible?
9. Comente algunas situaciones en las que decidió perdonar o que todavía no consigue hacerlo.
10. ¿Qué guiones podrían serle útiles en el futuro? ¿Por qué?

PARA PAREJAS QUE ESTÁN CONSIDERANDO VOLVERSE A CASAR

1. Analice abiertamente su relación de paternidad compartida. ¿Cuánto ha colaborado con su ex en el pasado? ¿Qué asuntos les traen problemas? ¿Cuán capaz es de contener el enojo y las reacciones con el/la padre/madre de sus hijos?
2. ¿Con quién necesita alinearse antes de volver a casarse?

3. ¿Cuánto tiempo cree que sus hijos tardarán en aceptar a su nuevo padrastro o madrastra? ¿Por qué?
4. ¿Qué cosas hizo que contribuyeron a que su relación anterior terminara?
5. ¿Hasta qué punto pudo resolver emocionalmente el hecho de que su primer matrimonio haya terminado?
6. ¿Hasta qué punto ha resuelto lo que le sucedió a su futuro cónyuge en su relación anterior?
7. La presencia del enojo o de la culpa en cierta medida indica que no ha logrado separarse de su relación amorosa anterior. ¿Cuán separados están usted y su ex cónyuge?

Cargas que enfrentan mis hijos

Elabore dos listas. En la columna a la izquierda escriba rasgos no saludables de la copaternidad. En la columna a la derecha, escriba lo que se propone hacer ahora y cómo responderá. Considere, por ejemplo:

- Formas en que expongo a los niños a una lucha emocional.
- Cosas que espero que ellos hagan para demostrar su preocupación por mí y por otros.

Cargas no saludables	**Lo que haré a partir de hoy**
1.	1.
2.	2.
3.	3.
4.	4.
5.	5.

CAPÍTULO SIETE

Cuarto paso inteligente: **Un paso en línea**

(Segunda parte)

Papeles de los padres y los padrastros

"Sara vio al hijo de Agar la egipcia, que esta le había dado a luz a Abraham, que se burlaba. Por eso dijo a Abraham: 'Echa a esta sierva y a su hijo, pues el hijo de esta sierva no ha de heredar junto con mi hijo, con Isaac'. Estas palabras preocuparon muchísimo a Abraham, por causa de su hijo" (Génesis 21:9-11).

En la familia reconstituida la tarea de ser padres es una coreografía en la que participan dos, tres o cuatro personas (¡y a veces más!). Una buena relación padre-padrastro es la clave de un hogar exitoso (cualquiera sea el estado de la relación de copaternidad). En cualquier familia reconstituida se distinguen dos relaciones de suma importancia: la relación entre los cónyuges y la relación padrastros-hijastros. El vínculo del matrimonio debe ser fuerte para que pueda soportar las muchas presiones que enfrentan estas parejas y sirva de columna que dé estabilidad a la familia. El matrimonio, podemos decir, es la olla de cocción lenta. Sin ella, nada se cocina. La relación padrastros-hijastros tiene casi la misma importancia. Los padrastros cumplen un papel crítico ya que afectan de manera espectacular el nivel de estrés de los hijos. Mientras menos estrés sufran los niños, mayor armonía habrá con los padrastros, lo que en definitiva conducirá a mayor armonía en el matrimonio.

Muchas personas suponen, equivocadamente, que ser padrastros sólo es responsabilidad del padrastro. Pensar así hace que marido y mujer se disgusten el uno con el otro cuando el padrastro actúa erróneamente o provoca el enojo de los hijos. Para que no haya confusión déjeme aclararle que el ser padrastro es un deber que involucra a dos personas. Los padres biológicos y los padrastros tienen que definir sus funciones de modo que se complementen y fortalezcan mutuamente. Tal como sucede en un hogar donde conviven los dos padres biológicos, los padres y los padrastros deben tener metas en común y trabajar en equipo. Los padrastros que están teniendo dificultad en la relación con los hijastros necesitan a los padres biológicos para que den la cara. Padrastros y padres biológicos no funcionan solos, aislados los unos de los otros. Lo que más se necesita es que los padres y los padrastros estén unidos para ayudar a aclarar el papel que juegan los padrastros. Mantenerse alineados significa hacer planes juntos y ser padres juntos.

¿PENSABA QUE YA LO HABÍA LOGRADO?

Estoy convencido de que los hijos son las herramientas que Dios utiliza para hacer humildes a los adultos. Si no fuera por los hijos, navegaríamos por la vida tranquilos teniendo casi todo bajo control. Sin embargo, cualquier persona competente y segura de sí misma se siente desarmada cuando está frente a un típico niño de dos años. En la etapa de criar a los hijos, la humildad se presenta en distintas formas: la incapacidad de hacer que un bebé de seis meses deje de llorar a las tres de la mañana, la impotencia de luchar con una hija de dieciséis años que constantemente desobedece las reglas, la sensación de incompetencia cuando su hijo de nueve años pregunta: "¿Tú y mamá tienen relaciones sexuales?". Sin embargo, nada nos avergüenza más que las sorpresas que nos dan los niños en los momentos menos indicados. Nunca olvidaré una vez que en medio de un culto (¡nada menos que en el momento de mayor reflexión y silencio de la Santa Cena!) tuve que salir cargando a mi hijo de tres años que estaba estreñido y él anunció a todo pulmón el motivo de nuestra urgente huida: "¡Me hago popó!". Una vez que uno tiene hijos, la vida nunca vuelve a ser la misma.

Aun así, ¡el único desafío que más contribuye hacia la humildad, aparte de criar a los hijos, es criar a hijastros! No hay duda de que durante el proceso de integración los padrastros son a menudo los más rechazados, menos reconocidos y más vulnerables. En algún momento dado puede que les toque la responsabilidad de cuidar a los niños de los padres biológicos, pero sin tener la autoridad para controlar su comportamiento. Se espera que hagan los mismos sacrificios que hacen los padres biológicos pero con menos recompensas. (No creo que muy a menudo escuche: "Gracias por lavar mi ropa de la escuela").

Hay motivos que indican que las madrastras están en mayor desventaja que los padrastros. Primero, los hijos tienden a mantener más contacto con la mamá privada de la custodia. Segundo, se cree que el lazo que une a los hijos con su madre biológica es más fuerte que el lazo que los une a su papá, lo que hace aún más difícil que el niño acepte y se relacione con una madrastra. Tercero, debido a que la sociedad espera que la mujer alcance una relación más profunda que el hombre, las madrastras se sienten más presionadas a crear un fuerte vínculo con los hijastros. A pesar de que en el occidente los roles han cambiado, las mujeres siguen siendo las responsables de cuidar, mantener y alimentar a los hijos. Las madrastras no están exentas de estas responsabilidades e intentan cumplir las expectativas de la sociedad esforzándose por construir una relación… sólo para descubrir que la fidelidad a la madre biológica se interpone en el camino. No hay duda de que las madrastras registran un mayor grado de insatisfacción con el rol que desempeñan y muestran mayores niveles de estrés.

"Sin reglas que la guíen y sin saber exactamente cuál es su papel o tener expectativas realistas, la madrastra trabaja para 'compensar las experiencias pasadas de los hijastros', sólo para darse cuenta de que se siente abrumada, frustrada y menos comprometida con ellos que lo que ella cree que debería estar... La falta de ejemplos para las mujeres que se convierten en madrastras implica que no tienen dónde buscar consejo"[1]. Verdaderamente las madrastras enfrentan un trabajo desafiante. Jean McBride, psicóloga de familia y educadora de familias reconstituidas, cuenta que una mujer describió claramente esta situación al decir: "¡Ser madrastra es como prenderle fuego a tu cabello y luego intentar extinguirlo con un martillo!"[2]. El dolor viene uno encima del otro.

RECOMPENSAS Y DESAFÍOS

Nadie sueña con crecer y llegar a ser un padrastro. No es parte de la fantasía que dice: "y vivieron felices para siempre". Tampoco la sociedad nos brinda un buen ejemplo de lo que significa ser un padrastro. Inventamos cómo ser padrastros a medida que avanzamos. Aun aquellos que tuvieron padrastros no aprendieron la técnica porque no se imaginaban que se convertirían en uno. Esto deja a los padres y a los padrastros con muchos interrogantes y una definición ambigua del papel que cumplen. Cuando las cosas no salen bien, es fácil culparse y pensar en volver a Egipto.

> *"Me siento más como una sirvienta que como una madre".*
>
> *"Después de dos años, todavía me siento como un extraño, como si mi esposa y mis hijastros fueran un grupo del que nunca seré parte".*
>
> *"Siento que cada vez que intento implementar algunas reglas es como si estuviera declarando la guerra a mis hijastros"*[3].

Sin embargo, no todos los niños tienen sentimientos negativos hacia sus padrastros:

> *"Mi padre murió cuando yo tenía cuatro años y dos años más tarde mi mamá conoció a mi padrastro. Nosotros éramos seis hermanos y él tenía tres hijos de su matrimonio anterior. Cuando se casaron, él ayudó a mi mamá a criarnos y nos trataba como si fuéramos sus propios hijos. Nunca*

conocí a mi papá. Tito es el único papá que conocí. A pesar de que hemos tenido nuestros altibajos, no lo cambiaría por ningún papá del mundo".

—Una hijastra

"Ha sido mi padre por sólo seis años. Parece que fuera mi verdadero papá. Me lleva a pescar, a cazar y a andar en vehículos todo terreno. Creo que lo único que no hemos hecho es patinar y jugar al golf. Si quiero algo y puede pagarlo, me lo da. Me muestra amor y disciplina. Aunque me castiga, sé que él me ama".

—Un hijastro, 9 años

Los niños que nominaron a sus padres para la elección del "Papá del Año" que hacemos en nuestra iglesia escribieron estas palabras previas. El respeto y el aprecio de estos hijastros son evidentes. Lo comento para que recuerde que hay una tierra prometida. Todo el trabajo y el sufrimiento de ser padrastros pueden tener su recompensa. Tal vez no esté a la altura de sus expectativas, pero puede ser algo muy bueno.

Entonces, ¿qué tienen que hacer los padres y los padrastros para alcanzar esta clase de reconocimiento? ¿Cuáles son algunos de los escollos más comunes y cómo pueden evitarlos? Comencemos analizando el rol que los padres biológicos desarrollan para fortalecer al padrastro.

PADRES BIOLÓGICOS: VUELTOS A CASAR Y CON HIJOS

Los padres biológicos tienen tres tareas clave que ayudan a los padrastros a cumplir su papel.

Primera tarea clave: Haga que su cónyuge (el padrastro) sea su compañero de por vida

Como analizamos en el capítulo 5, un matrimonio saludable abre las puertas hacia un buen desempeño como padres. Sin embargo, ya que la relación con sus hijos fue previa a la boda, su matrimonio se convierte en la relación menos unida y más vulnerable de su hogar.

Usted debe cuidarla y honrarla dedicándole tiempo y energía, y hacer de ella una prioridad. Si no, es probable que sus hijos supongan que pueden jalonear sus lealtades cada vez que se les antoje. Por ejemplo: si un niño se da cuenta de que usted se compadece de él cuando se pone triste por lo que perdió, que hará su castigo más liviano y que lo más probable es que lo defenderá del padrastro, se aprovechará de eso. Los niños necesitan saber que usted se compadece de su dolor, pero también necesitan saber cuál es su lugar dentro de la familia.

Segunda tarea clave: Dele autoridad al padrastro

El desafío principal para un padrastro es ganarse o entablar una relación con un hijastro que le permita tener la autoridad necesaria para poner reglas (e imponer castigos cuando las desobedezca). Mientras se construye esta relación, el padrastro debe vivir con la autoridad que usted le ha concedido. Si todavía no lo ha hecho, comience diciéndoles a sus hijos que quiere que respeten a su padrastro. Diga algo como: "Sé que Beto no es su papá. Sin embargo, cuando yo no esté, él se encargará de hacer cumplir las reglas que hemos pactado. Espero que sean corteses y que lo respeten como lo harían con cualquier autoridad". Luego, respalde sus palabras con hechos.

Tercera tarea clave: Confíe en el padrastro

Rogelio amaba mucho a Celeste, pero no sabía por qué ella criticaba a sus dos hijas. Celeste se quejaba de que Rogelio era demasiado flexible con ellas y temía que crecieran y se convirtieran en "niñas mimadas que andarían detrás de los varones". Rogelio pensaba que el verdadero problema era que Celeste estaba celosa. Interpretaba su actitud hacia las niñas como un intento de interponerse entre él y sus hijas. Por lo tanto, ignoraba su aporte y descartaba sus esfuerzos por corregirlas.

Para algunos padres biológicos la barrera más grande que impide confiar sus hijos a su cónyuge es la falta de confianza en el padrastro. En hogares compuestos por padres biológicos que disfrutan de su primer matrimonio parece ser que las parejas no cuestionan los motivos de su cónyuge. Tal vez no estén de acuerdo con alguna decisión o reacción, pero no ponen en tela de juicio el amor hacia sus hijos ni el motivo que los impulsa como padres. A los padrastros no siempre se les concede el beneficio de la duda. Prepárese para recibir los aportes del padrastro. Escuche una perspectiva "de afuera" y esfuércese para ver que detrás de sus acciones existe el amor.

"Pero ¿qué sucede si mi hijo se queja de cómo lo trata su padrastro y a mí me parece que tiene razón?". Escuche y asegúrese de comprender lo que le preocupa a su hijo. Haga declaraciones neutrales acerca de las acciones del hijo y del padrastro en lugar de sentir la necesidad de defender a uno de los dos. Diga: "Veo cómo ella (la madrastra) hirió tus sentimientos. Lamento que te enojes por esto. Déjame averiguar, pero sigues castigado". Más tarde, hable sobre el tema con su cónyuge, pero no la acuse. Deje que ella explique la situación. Si tiene dudas, puede decir: "Veo por qué respondiste de esa forma. Me sentiría mejor si la próxima vez tu respuesta fuera...". Luego acuerden cuál será el plan para la próxima vez y cuéntele los arreglos a su hijo. Trate de no socavar al padrastro sino que intente buscar la unidad para manejar futuras situaciones similares[4].

UN PADRASTRO SABIO Y PRUDENTE

> *"Se necesitan cinco años para aprender a ser padre de un niño de cinco años. Ayer comencé a ser padre de uno y no importa lo que haga, estoy atrasado cinco años".*
>
> *—David Mills, terapista*

Proverbios 1:2-4 establece una interesante comparación entre aquel que es sabio o prudente y alguien que es "ingenuo". El sabio tiene buen sentido común y es experto en el arte de vivir. El ingenuo, por el otro lado, carece de juicio debido a su simplicidad o falta de experiencia. Esta sección describe las cualidades de un padrastro imprudente e ingenuo y lo compara con un padrastro sabio y hábil en el desempeño de su papel. Ponga suma atención para que la falta de experiencia no sea motivo de dolor.

El objetivo de un padrastro imprudente es llegar a formar parte del círculo íntimo

Es totalmente comprensible que un padrastro quiera ser considerado parte de la familia, pero el padrastro cuyo objetivo es llegar a formar parte del círculo íntimo a menudo termina desilusionado. Una cosa es buscar llevarse bien o que los hijastros lo respeten como un adulto con algo de autoridad; otra cosa es querer que los hijastros lo quieran como parte de su círculo familiar más íntimo. Este deseo lleva a que el padrastro fuerce su entrada al círculo, a planear situaciones que fortalezcan el vínculo y a presionar al padre biológico para que lo ayude a ser parte del grupo. Para que me entienda: este padrastro se esfuerza mucho en lugar de aceptar la relación que se está desarrollando.

Un padrastro sabio disfruta la relación que tiene actualmente. La regla principal para establecer un vínculo es dejar que los niños fijen el ritmo de la relación con usted[5]. Si es bienvenido o buscan afecto, entonces siga adelante. Si permanecen distantes y cordiales, respete eso también. Si siguen sus normas y respetan sus decisiones, continúe afirmando la autoridad que le ha sido dada. Si lo desafían, busque maneras de vivir con el poder que el padre biológico le ha concedido (ver lo antedicho). Un padrastro eficaz sabe que se necesita tiempo para entablar la conexión con un hijastro, pero aun así no recalque la importancia de "tener una relación más estrecha" al punto de perder la relación que tiene actualmente. Aprenda a encontrar las pepitas de oro en la relación que tiene ahora. Sea paciente y siga buscando la manera de crecer con su hijastro, pero no presione demasiado.

Un padrastro imprudente (y su cónyuge) esperan demasiado

Los padres y los padrastros tienden a suponer que los hijos quieren tener una relación cercana y cálida con el padrastro. Los padres biológicos quieren que sus hijos estén contentos con el compañero que han elegido y los padrastros suponen que necesitan ser especiales para ellos. Los niños dicen otra cosa.

Cuando se les preguntó a los padrastros qué papel deberían desempeñar, padres y padrastros mostraron tener por lo general el mismo concepto. Un estudio reveló que cerca de la mitad dijo que el papel ideal del padrastro sería el ser un "padre" en lugar de un "padrastro" o un "amigo". Por el contrario, el 40% de los hijastros asociaron el rol ideal con el de un "amigo". Muy pocos niños pensaron que el rol ideal era el ser un "padre"[6]. Un "padre" da abrazos y espera que se obedezcan sus reglas. Un "amigo" ofrece apoyo e infunde valores positivos en la vida de un niño.

Un padrastro sabio tiene expectativas realistas en cuanto a su papel. Los padrastros necesitan aprender a estar tranquilos y a no esperar demasiado de ellos mismos. Esperar demasiado significa prepararse para la desilusión y la frustración. Los padres también necesitan estar tranquilos y dejar que el padrastro y los hijastros forjen su relación.

James Bray descubrió que en los primeros años de la vida de la familia reconstituida la mayoría de los hijastros ven a su padrastro como un entrenador o un consejero de campamento[7]. Tales personas tienen autoridad limitada y se encargan de dar instrucciones, pero no son "padres". No obstante, sólo porque sus hijastros no le den abrazos sin que se los pida no significa que no tiene una buena relación con ellos. El tener hijastros que sólo le hablan cuando quieren algo, no indica que es un mal padrastro. Simplemente representa el lugar que ocupa hoy. Quédese tranquilo y confíe en la olla de cocción lenta.

Un padrastro imprudente se apresura a ser un padre con autoridad

Tal vez esté familiarizado con lo que los educadores llaman ser un padre con autoridad, identificado como el estilo de padre más efectivo. Un padre con autoridad busca ser firme pero respeta al niño, establece límites a la vez que proporciona opciones limitadas y fija reglas con consecuencias constantes, equilibradas con el amor y la educación. Un padre con autoridad en los mejores casos es un espejo de cómo Dios nos trata. El amor y la gracia van junto con la ley y la disciplina.

Un padre *autoritario*, por el contrario, se caracteriza por reglas no alcanzables, una disciplina severa y un control excesivo. Es un padre estricto que en esencia dice: "Hazlo porque yo lo digo".

El padre *permisivo* representa el otro extremo. Establece muy pocos límites o reglas y ofrece opciones ilimitadas. Estos padres justifican el comportamiento de sus hijos e imaginan que el niño encontrará su propio camino en la vida.

Los estilos autoritario y permisivo constantemente han demostrado producir hijos que carecen de autocontrol, niños con poca capacidad para tomar decisiones y que tienen problemas para llevar un estilo de vida centrado en los valores. Los padrastros se muestran reacios a adoptar cualquiera de estos estilos. Por lo tanto, sería natural suponer que, ya que ser un padre con autoridad es lo mejor para los hijos, es aquí por donde los padrastros deben comenzar. Sorprendentemente, las investigaciones sugieren que no es así o, al menos, no al principio. Es una cuestión de tiempo.

Un padrastro sabio crece en el desempeño de su papel. A medida que las relaciones crecen, el rol del padrastro cambia. Ser un padrastro con autoridad, especialmente durante los primeros seis meses después de casados, no tiene el mismo resultado positivo que el ser un padre con autoridad dentro de la familia biológica, al menos en lo que respecta a la mayoría de los niños[8]. Ser un padre con autoridad requiere que el padrastro fije normas y determine estructuras en la vida de los hijos y muestre un alto grado de afecto. Esta clase de paternidad se basa en una relación estrecha que los padrastros no alcanzan hasta que el fuego lento haya tenido tiempo de integrar a la familia reconstituida. "En la primera etapa de un segundo matrimonio, la relación padrastro-hijastro más exitosa es cuando el padrastro tiene como objetivo entablar un vínculo cálido y amigable con el hijastro. Una vez que se establecen las bases del afecto y el respeto mutuo, los padrastros que entonces intentan asumir un papel disciplinario tienen menos probabilidades de encontrar resentimiento de parte del niño"[9]. La intimidad y la autoridad para disciplinar se desarrollan con el tiempo, y ninguna de ellas debe apurarse. Por ejemplo: a menudo los padrastros están ansiosos por entablar una relación y por lo general buscan realizar actividades a solas con los hijastros. El autor James Bray descubrió que, normalmente, los hijastros se sentían incómodos estando solos con el padrastro[10]. Preferían las actividades en familia. Después de un tiempo, la interacción de uno a uno es bienvenida. La cantidad de tiempo que un hijastro necesita para entablar una relación con su padrastro depende de una serie de factores que analizaremos más adelante en este capítulo.

Los resultados de la investigación sugieren que el mejor padrastro en un principio trabaja con y por medio del padre de los niños. Al principio, es mejor mantener una relación distante, sin amenazas emocionales. Después de un par de años, los padrastros pueden empezar a pasar más tiempo en contacto directo con el niño y también pueden empezar a establecer reglas. Es importante que los cónyuges acuerden el momento en que se produzca el cambio de roles. El consenso marital y el apoyo mutuo siempre dan las fuerzas que un padrastro necesita para llegar a tener más autoridad. (Un análisis más completo acerca del padrastro sabio puede encontrarse en la sección "Receta para el desarrollo de los roles de padres y padrastros", página 178).

Aquí debo aclarar que hay excepciones según la edad y el sexo del hijastro. Los padrastros de hijos varones pequeños que no tardan mucho en adoptar el estilo de padre con autoridad obtienen resultados positivos. En vez de sentirse desconectados, es más sencillo para los padrastros crear la imagen de líder en los hijastros varones pequeños. No obstante, no sucede así con las hijastras. A medida que pasa el tiempo, la relación entre padrastro e hijastra se vuelve más conflictiva, a pesar del modelo de crianza que siga el padrastro. Aunque al principio el conflicto entre el padrastro-hijastra sea mínimo, este parece estallar en los años de la adolescencia[11]. Además, parece que a las madrastras e hijastras les resulta muy difícil unir su relación en parte debido al fuerte vínculo madre e hija y a la competencia de los roles femeninos dentro de la casa[12].

El punto es este: la relación padrastro-hijastro varía ampliamente debido a una serie de factores. No podrá discernir cada factor, por lo tanto, trate de estar atento a cada pista que el mismo niño le dé y discierna su grado de receptividad. Si deja que el niño marque el ritmo (y honra la necesidad de la distancia) puede que finalmente el fuego lento termine acercándolos, pero tenga en cuenta que puede que no sea así. Acepte lo que tenga, disfrútelo y muéstrese abierto a una relación más profunda que se vaya facilitando con el tiempo.

Un padrastro imprudente castiga antes de entablar una relación

A mi juicio, este es uno de los errores más comunes y que más daños causa. Hemos dicho que la autoridad del padre viene por medio de la relación. Si quiere poner a prueba mi afirmación sólo tiene que ir a la casa del vecino e intentar castigar a los hijos. El que viva en la casa contigua no significa que tenga autoridad sobre aquellos niños. Puede decir que tiene autoridad, pero el grado de autoridad que los hijos del vecino le concedan será mucho menor que el que dice tener. De la misma manera, los padrastros obtienen la autoridad luego de entablar una relación.

Susan Gamache lo llama *estatus parental*, esto es, "el grado en que los miembros de una familia reconstituida consideran que un padrastro es como un padre para los hijastros"[13]. Los padres pueden esperar que los hijastros acepten la disciplina del padrastro y este puede decir que tiene tanta autoridad como el padre biológico, pero lo único que importa es cuánta autoridad los niños acepten de parte del padrastro.

He escuchado padrastros que se apoyan en las Escrituras y dicen: "ya que soy el hombre de la casa debo tener la autoridad de un padre". Por favor, recuerde: los niños tienen un padre (aunque haya fallecido). Usted es una autoridad extra en sus vidas. Si quiere hacer enojar a sus hijastros rápidamente, colóquese por encima de sus hijastros declarando la autoridad que aún no tiene (ver Efesios 6:4). La capacidad para guiar e influenciar a los hijos viene a la antigua: hay que ganársela. La confianza, el respeto y el honor vienen luego de transcurrido un tiempo en la historia de la relación y no existe un método rápido para lograrlos. Los padrastros deben dedicarse a entablar una relación a través del tiempo.

Un padrastro sabio ocupa su papel gradualmente[14]**.** La autoridad viene a medida que avanza la relación y crece con el tiempo. Consideremos tres estilos de relación positivos que permiten la autoridad del padre.

1. El papel de la niñera: Las niñeras tienen autoridad para controlar a los niños sólo si los padres se la dan. Cuando Amy, nuestra niñera preferida, viene a cuidar a los tres varones, les recuerdo delante de ella que mientras no estamos en casa, ella está a cargo. "Ella conoce las reglas y si no le hacen caso, me están desobedeciendo a mí. Le doy permiso para hacer cumplir las consecuencias. Es más, después me lo contará y tendrán que vérselas conmigo también". Después de haber dicho esto unas cuantas veces, mis hijos ya saben y terminan la oración antes que yo. "Ya sabemos. Amy está a cargo". Los padres biológicos que le han dado autoridad al padrastro y lo han respaldado con hechos, por lo general encontrarán que sus hijos colaboran con el padrastro (aunque tal vez aún no lo valoren como padrastro).

No obstante, hay una diferencia marcada entre un padrastro y una niñera. La niñera no participa del proceso de negociación de las reglas. No opina sobre cómo deben ser las reglas o las estrategias que el equipo de los padres aplicará para disciplinar. El padrastro sí. Participa plenamente del equipo de padres y, por lo tanto, es parte del proceso de la toma de decisiones.

Así que los padres biológicos y los padrastros deben negociar *juntos* las reglas en privado y buscar unidad en sus decisiones. Luego, con el padrastro presente, el padre biológico les comunicará a sus hijos las reglas. Si una de ellas se rompe, en lo que respecta a los niños, la regla es del padre y no del padrastro. Si el padrastro debe hacer cumplir un castigo en los niños, es el castigo impuesto por el padre, no por el padrastro. Los padrastros niñeros, entonces, son extensiones de los padres biológicos.

Un ejemplo clásico: una niña de diez años mira con enojo a su padrastro cuando él le pide que limpie el garaje. Es su tarea de los sábados. Ella grita: "No tengo que hacer lo que dices. No eres mi papá", y entonces se va caminando a la casa de su amiga. Él responde: "Tienes razón: no soy tu papá. No obstante, soy el adulto aquí en este momento y esta es la regla que acordamos en la reunión familiar del mes pasado, ¿recuerdas? Tú eliges. Antes de las tres de la tarde tienes el garaje limpio o sacas dinero de tu asignación mensual para pagarle a tu hermano para que él lo haga". Es posible que se vaya quejando y gruñendo hasta llegar al garaje. Si sigue de largo hasta la casa de su amiga, el padrastro acuerda con el hermano menor que limpie el garaje por dinero extra. Cuando mamá vuelva a la casa más tarde, ella deberá respaldar lo que él decidió hacer. "Las reglas deben obedecerse incluso cuando no estoy aquí. Tú decisión te costó diez dólares. Dime qué harás la próxima vez".

Las familias complejas en las que los dos padres traen hijos para que integren la familia reconstituida, también negocian las reglas juntas, pero cada uno desempeña un papel principal con sus hijos. Son a la vez padres directos de sus hijos y la "niñera" de los otros. Es importante señalar que este acuerdo no funcionará si la pareja no establece reglas consistentes. No se puede tener un conjunto de reglas para los hijos de él y otro para los hijos de ella. Ser consistentes y no emplear el favoritismo es clave.

El sistema padrastro/"niñera" mantiene el acuerdo previo a la recomposición de la familia con el padre biológico como el personaje principal encargado de educar y disciplinar. Lo más importante es que proporciona tiempo y espacio emocional para que el padrastro se concentre en el desarrollo de una relación con el hijastro. El padrastro puede aprender cuáles son los intereses de los niños, compartir talentos y habilidades e involucrarse en actividades familiares sin tener que preocuparse por confrontaciones negativas con ellos[15]. James Bray afirma que una de las habilidades más importantes que tiene que tener un padrastro en su segundo matrimonio es la de "*monitorear las actividades de los niños*"[16]. Esto involucra conocer la rutina diaria de ellos, dónde están, con quiénes están y de qué actividades extracurriculares participan, pero no necesariamente incluye estar involucrado en la vida emocional del niño. Los padrastros que hacen un seguimiento controlan la tarea de la escuela, los quehaceres diarios y se hacen amigos de los hijastros, pero se abstienen de la cercanía emocional sabiendo que no es bienvenida en el niño.

De todas formas, muchos padrastros se quejan de que este modelo les prohíbe tener autoridad sobre los hijos. Difiero en que, en realidad, esto les da el poder que de otra manera no tendrían. El papel de niñera no significa que no puede opinar a la hora de establecer las reglas o las consecuencias. Simplemente, su opinión se expresa en lo privado. Antes de que la madre les comunique las reglas a sus hijos, ella y el padrastro deben estar de acuerdo. En un principio, entonces, la autoridad que tiene o la influencia en la tarea de ser padres viene en el proceso de la negociación.

"Pero, ¿qué pasa si ella no me escucha? Ella protege mucho a sus hijos" es la respuesta típica. A los padres biológicos sí que les cuesta adaptarse y dar lugar a la opinión del padrastro. Los padres pueden tener reglas y costumbres establecidas (formas de hacer las cosas), en especial si pasaron una cierta cantidad de años como padres solteros antes de volverse a casar. Los padres solteros no siempre disfrutan el tener que tomar todas las decisiones por sí solos, pero sí disfrutan no tener que consultarle a alguien más. En el segundo matrimonio, puede que les cueste abrir el estilo de crianza a las críticas o al aporte del padrastro. No obstante, el proceso de integración de una familia reconstituida demanda que las parejas encuentren formas de dialogar, escuchar, negociar y tomar decisiones en cuanto a las reglas. Al principio deben hacer lo posible por no implementar muchos cambios. Esto puede resultar particularmente difícil para los padrastros estructurados y partidarios de las reglas que se casan con padres flexibles y permisivos. Sin embargo, siempre se debe buscar la estabilidad para los hijos y para eso tal vez los padrastros tengan que hacer algunos ajustes hasta que se desarrollen los nuevos lazos. Con el tiempo, puede que sea necesario hacer cambios en las reglas y las costumbres.

Es probable que cuando sucedan los cambios haya quejas por parte de los hijos, especialmente si las reglas llegan a ser más estrictas. "Antes de casarte con él, nunca nos obligabas a hacer los quehaceres de la casa. Estás dejando que te dé órdenes". ¡Los niños son muy buenos para manipular! En la etapa del cambio, padres y padrastros deben permanecer firmes y unidos. Si su armadura tiene grietas, los hijos se dividirán y ganarán la batalla (piensan que esa es su misión en la vida). Por lo tanto, el antiguo principio de la unidad sigue siendo crítico para una conducta sabia como padres… aun en las familias reconstituidas.

2. El papel de tío/tía: Una vez que la relación ha llegado a un nivel medio, los padrastros pueden avanzar al rol del tío/tía. Si mi hermana viene a mi casa, y Nan y yo estamos ausentes durante unas horas, ella tiene algo de autoridad sobre mis hijos simplemente por ser su tía. No es una madre con toda la experiencia, pero tiene autoridad por ser parte de la familia directa. El padrastro puede ir ganando un nivel básico de respeto que les permita a los niños aceptarlo como parte de la familia extendida por matrimonio. Puede ganar más autoridad si expresa con claridad cuáles son los límites e incentiva a la familia a que discuta las reglas. Además, a medida que el vínculo personal se estrecha, las muestras de afecto y de aprecio podrán ir siendo más comunes. Las actividades de uno a uno pueden ser más frecuentes y el contacto personal aumenta.

3. El papel de padre o padrastro: Finalmente, algunos padrastros llegarán a alcanzar el estatus parental con algunos niños. Los más pequeños tienden a apreciar el estatus parental mucho más rápido que los adolescentes. Es muy común que los más grandes le consideren igual que a una niñera, que los de mediana edad le consideren como a una tía y los más pequeños le consideren como a un papá. Estos roles pueden ser confusos así que asegúrese de que usted y su cónyuge formen un fuerte equipo de trabajo. Analicen con frecuencia las circunstancias y trabajen juntos para hacer cambios a medida que pasa el tiempo.

Es importante que los padrastros no piensen que han fracasado si no logran el estatus parental con cada niño. De nuevo, la cantidad de tiempo que se requiere para avanzar en este papel depende de una serie de factores y la mayoría de ellos están fuera del control de los padrastros. Disfrute la relación que tiene ahora y confíe en el proceso de integración.

RECETA PARA EL DESARROLLO DE LOS ROLES DE PADRES Y PADRASTROS

Hace algunos años elaboré un cuadro para ilustrar el cambio de roles que sufren los padres y los padrastros a medida que pasa el tiempo. Este cuadro resume varios de los principios que he presentado en este capítulo. Los resultados de la investigación apoyan este modelo general, pero reconocen que no existe un método universal mejor que otro para ser padrastros. Algunos quizás descubran que, aunque no siguieron todas las reglas, se las arreglaron para no pasar por tantos conflictos. Otros tal vez encuentren que necesitan abandonar el método actual y comenzar a trabajar en este modelo de manera inmediata. Los padres y padrastros no deben encerrarse en "una sola forma" de dirigir a la familia. La clave es estar unidos y trabajar juntos en equipo. No deje de pedirle a Dios su guía mientras se esfuerza por gobernar el hogar.

Estatus parental. El eje vertical ubicado a la izquierda del cuadro lleva la clasificación "Grado de autoridad para disciplinar" y representa el estatus parental de una persona[17]. A mayor nivel, más autoridad. Fíjese que los padres biológicos tienen autoridad desde el comienzo de la vida de la familia reconstituida. Después de todo, es el papá y seguirá siendo el papá. Sin embargo, en la mayoría de los casos, los padrastros comienzan teniendo la autoridad que tiene un entrenador, un maestro o un consejero de campamento. Los padres biológicos, aun en el segundo matrimonio, continúan desempeñando su rol de padre soltero, sólo que ahora tienen una niñera que vive en la casa y que los ayuda. Siguen siendo los principales educadores y los que ejecutan la disciplina, y deben pasar un tiempo especial con cada niño. Inicialmente, los padrastros tienen como objetivo entablar una relación con sus hijastros y hacer un seguimiento de sus actividades e intereses. Con el tiempo, algunos padrastros alcanzan un mayor grado de autoridad. Note la línea irregular: representa un sin fin de altibajos que se viven con los hijastros. Las variables que impactan la autoridad en aumento varían ampliamente, y muchas están fuera de nuestro control. Trate de sobrellevar estas variaciones con fe y esperanza.

A medida que los padrastros desarrollan un vínculo más fuerte con los hijastros y avanzan sobre el eje vertical, los padres tendrán que ceder control a los padrastros. Esto resulta difícil para padres que durante mucho tiempo han sido los principales proveedores. No saben cómo soltarlos. Es más, algunos padres bloquean la autoridad creciente de los padrastros, aun después de que han luchado a favor de ella. Es difícil ceder el control.

Algunos padres deciden no darle lugar al padrastro mientras que algunos padrastros no quieren tener una relación íntima con sus hijastros. No asuma que ustedes como pareja tienen las mismas expectativas de cercanía en cuanto a la relación con los niños. Hablen de la clase de relación que desean y evalúen periódicamente sus objetivos.

El tiempo con los hijastros. El eje horizontal se concentra en la cantidad de tiempo que los padrastros han pasado con sus hijastros. Muchas personas se preguntan si esto comienza cuando la pareja empieza a salir o con el matrimonio. El tiempo de noviazgo y conocimiento es importante, pero las verdaderas relaciones de la familia reconstituida empiezan con la boda. Durante el cortejo, los hijos pueden ser tolerantes e incluso alentar el nuevo romance de sus padres porque "ella está contenta cuando está con él". No obstante, mientras la pareja sale, los hijos generalmente están fuera de escena, pasando tiempo en la casa de papá. El nuevo compañero tiene un buen trato con los niños y todo parece ir bien. Sin embargo, después del casamiento, cuando todos están en la misma olla, los roles cambian, la intensidad de las relaciones aumenta en gran manera y casi todos sufren inesperados sentimientos de ansiedad.

Miguel me llamó al día siguiente de haberse casado con Carol. Después de un noviazgo de dos años, estuvieron recibiendo consejo prematrimonial durante tres meses con el intento de resolver cuestiones del pasado y anticipándose a las necesidades de las hijas de ella. El día de la boda, aunque mucho se había avanzado, las hijas de Carol, de diecinueve y dieciséis años, comenzaron a importunar a su madre. Se habían mostrado comprensivas, pero ahora reprendían a su madre por separarse de su papá y por casarse con Miguel. Carol pasó su noche de bodas llorando.

Toda pareja debe tener un noviazgo de al menos dos años y analizar relaciones y roles antes de formar una familia reconstituida. Tenga presente que el lazo del compromiso cambia cuantitativamente la naturaleza de las relaciones familiares. Después de la boda, no todos los niños cambian de opinión, pero algunos lo harán.

Existe una serie de variables que influyen en la cantidad de tiempo que se necesita para que un padrastro avance de un rol a otro[19].

La edad del niño. Como se dijo anteriormente, los niños más pequeños aceptan al padrastro antes que los más grandes. Un niño de cinco años o menos puede necesitar sólo un año o dos antes de ver al padrastro como un "papá". Es normal encontrar que haya niños que a su padre privado de la custodia le digan "papá" y a su padrastro

Una receta para el desarrollo de los roles de padres y padrastros

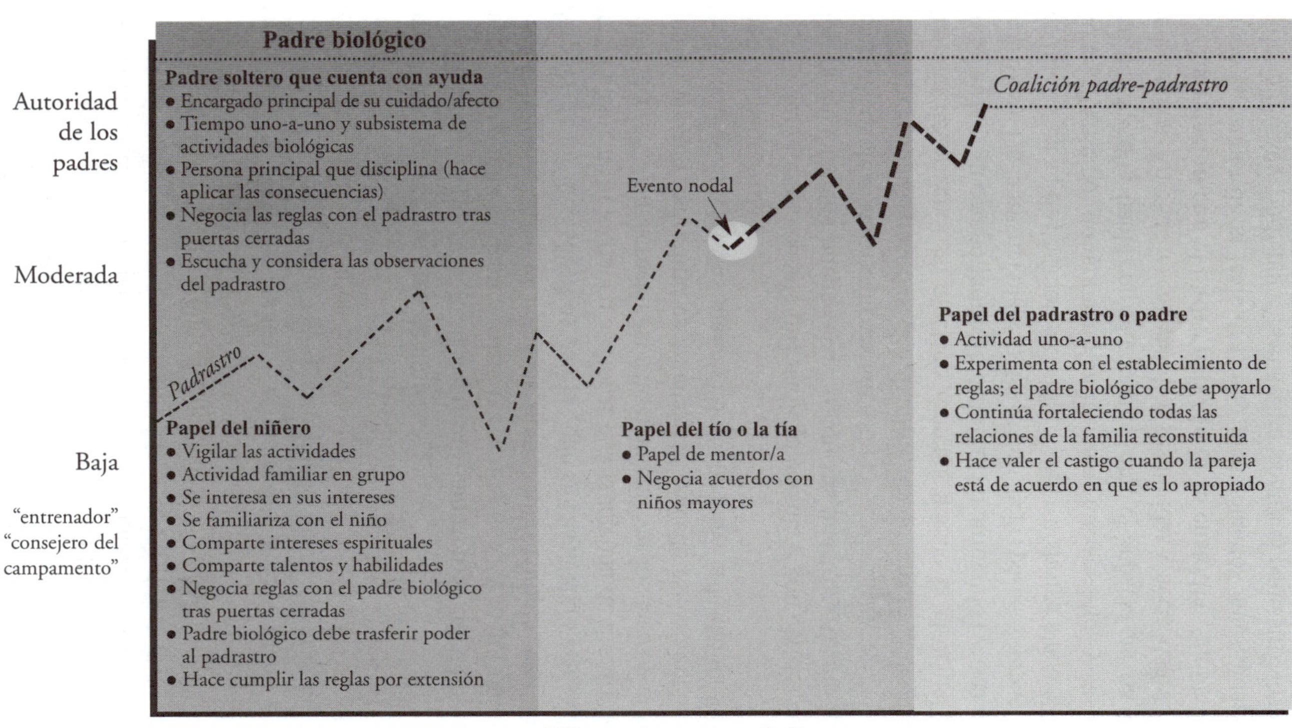

La duración del tiempo que se requiere para aumentar la autoridad de los padres variará de acuerdo a la edad del niño, las experiencias familiares previas, la relación con los padres que no tienen la custodia, el temperamento/personalidad del niño, las variaciones en el estilo de criar a los niños y el nivel general de satisfacción del niño en cuanto a la familia reconstituida.

"papi". Los hijos adolescentes, por el contrario, puede que necesiten unos cuantos años antes de atribuirle a su padrastro el estatus parental pleno. Otros nunca llegan tan lejos.

Los expertos especulan que, en el mejor de los casos, los hijastros solo necesitan un par de años para establecer vínculos con el padrastro y concederles pleno estatus parental. En el peor de los casos sugieren que puede tardar tanto tiempo como años tenga el niño en el momento del matrimonio. Si el niño tiene ocho años, pueden necesitarse ocho años o más para que el padrastro alcance pleno estatus parental. Si el niño tiene catorce, le puede llevar catorce años. La realidad nos dice que en un período de cuatro a seis años el adolescente ya no estará en casa. Por lo tanto, es posible que la relación nunca sea más que un lazo de amistad.

El que un hijo se abra al padrastro contribuye grandemente al éxito de la pareja. A decir verdad, parece ser que "el mejor momento para volverse a casar es antes de que el niño cumpla diez años o después de los dieciséis. Las parejas que se casan entre estas edades frecuentemente se exponen a chocar con la agenda de desarrollo del adolescente"[20]. Un estrecho espacio para cultivar los lazos y el sentir que su vínculo padre-hijo es amenazado (sucede especialmente con las preadolescentes y sus madres) no contribuye a la rápida aceptación del padrastro.

En definitiva, recuerde que nadie puede decir con certeza cuánto llevará entablar una buena relación con sus hijastros. Acepte lo que tiene y sáquele el mayor provecho.

Experiencias pasadas. La familia donde creció (denominada "familia de origen") ha afectado dramáticamente la elección de su compañero y su comportamiento dentro del matrimonio (ya sea que lo sepa o no). De la misma manera, las experiencias pasadas impactan en los hijos y en su disposición a confiar, honrar o abrirse a nuevas relaciones. Piense por un momento en las cosas que sus hijos y sus hijastros han vivido y hable con su cónyuge sobre el impacto que ha tenido en los niños. Aprenda a ser sensible a sus heridas y necesidades.

La relación con el padre privado de la custodia. Aquí entra en juego el asunto de la lealtad. Como mencionamos antes, cuando el padre biológico "indispone" a sus hijos contra el padrastro, los niños quedan entre la espada y la pared. Amar a su padrastro significa "lastimar" a su papá; causarle un daño al padrastro significa agradar al padre inseguro. Si este es el caso, el padrastro debe evitar más complicaciones en el conflicto de lealtad que enfrenta el hijastro. Es muy difícil escoger la peor parte, pero ayudará a los niños a atravesar el estado de confusión.

Si el hijastro mantiene una buena relación con el padre o madre biológicos, eso también puede generar resistencia al padrastro. Básicamente, lo que se necesita es que el padre biológico le dé permiso para establecer un vínculo con el padrastro. Esto ayuda a los niños a hacerles un lugar en el corazón a los padrastros. Sin embargo, para muchos padres privados de la custodia resulta muy difícil concederles el permiso.

El miedo es uno de los motivos más comunes que lleva al padre que no tiene la custodia a criticar y a aconsejar al niño para que se aleje del padrastro. Un padre sin custodia ha perdido el contacto con sus hijos y puede guardarle rencor al padrastro por pasar más tiempo con los niños que él. La pérdida crea el temor a perder más. Si los padrastros expresan a los padres su apoyo y comprensión y luego viven de acuerdo con ello, tanto el miedo como la crítica pueden disminuir.

Por ejemplo, llame o escríbale un correo electrónico al padre biológico y dígale: "Roberto, quiero que sepas que no tienes de qué preocuparte; no es mi intención interponerme entre tú y tus hijos. Te respeto como su papá y nunca haré nada intencionalmente para alejarte de ellos. Haré todo lo que esté de mi parte para que en casa ellos hablen con respeto de ti y me aseguraré de que se cumpla el régimen de visitas. Si provoco algún problema sin darme cuenta, por favor, házmelo saber y rectificaré lo sucedido. Tú eres importante para tus hijos". Este pacto informal de no agresión ayuda al padre sin custodia a saber qué puede esperar de usted. Si el padre o madre biológicos continúa hablando mal de usted, contrólese y siga el camino de la justicia. "Harás que se avergüence de su conducta" (ver Romanos 12:20), hasta que sus buenas obras no puedan ser ignoradas.

El temperamento y la personalidad del niño. Algunos niños son extrovertidos, otros más reservados. Las diferencias de personalidad entre hermanos pueden desempeñar un papel importante en el grado de disposición que tengan para abrirse a nuevas relaciones con un padrastro o con hermanastros. Además, el interés que un niño muestre hacia los deportes, la música, el arte, las computadoras, etc. puede servir para crear una conexión inmediata con el padrastro y ayudarlos a establecer una relación inofensiva.

Diferencias en la crianza de los hijos. Los padrastros que tienen reglas más estructuradas y que son más exigentes que cualquiera de los padres del niño, dificultan el vínculo. Los hijastros de Julia se quejaban porque desde que se mudaron a "la casa de ella", siempre tenían que quitarse los zapatos. Nunca tuvieron que hacerlo antes de que su papá se casara con Julia. "Sí", dijo el menor, "y no me deja tomar la leche en la sala".

Esto no quiere decir que los padrastros no puedan hacer valer sus preferencias en las reglas de la casa. No tomar leche en la sala es una regla razonable y los niños pueden adaptarse al cambio. Los padrastros simplemente deben entender que ajustar las riendas puede retrasar el proceso de unión. Elija sus batallas con cuidado.

El grado de satisfacción del niño con la nueva familia. ¿Cuánta transición y pérdida produjo la nueva familia para los niños? ¿Cuál es el grado de conflicto dentro del hogar y entre hogares? ¿Cuál es la relación entre los hermanastros? ¿Qué tan bien se están fusionando las personalidades? ¿Tienen cosas en común o son extraños bajo el mismo techo? ¿Están involucrados y satisfechos los padres privados de la custodia con el contacto que tienen con sus hijos? Es más probable que los hijos acepten al padrastro si la mayor parte de la vida de la familia reconstituida es positiva. Si el ambiente es tenso y genera presiones, la aceptación de un padrastro disminuye.

Resumen de los puntos a tomar en cuenta

- Este esquema de los papeles padre-padrastro/madre-madrastra funciona en casi todas las familias reconstituidas. No existe un método universal que resuelva su papel como padre-padrastro. Asegúrense de estar unidos en la evaluación de este asunto.
- En la primera etapa de un segundo matrimonio, los padres biológicos necesitan seguir siendo la principal fuente de cuida-

do y disciplina. Entregar a los niños a un nuevo padrastro socava la capacidad de entablar una relación.

- En la primera etapa de un segundo matrimonio los padres deben fortalecer a los padrastros comunicándoles a los hijos sus expectativas en cuanto a la obediencia. Más adelante, aunque no esté de acuerdo con lo que el padrastro hizo en su ausencia, apoye su postura con los niños. Luego hablen de esto en privado, elaboren un plan y las consecuencias para la próxima ofensa.
- El padrastro necesita crecer en su relación con los hijastros. Sea amable y apoye las reglas de la casa. Busque adaptarse a ellos y disfrute la relación que tenga.
- Anime e insista en que los niños mantengan contacto regular y constante con el padre que vive en la otra casa. Haga todo lo que esté de su parte para tener una relación coparental funcional.
- Deje que los hijos impongan el ritmo en su relación con el padrastro. Considere a cada niño en particular. Bríndeles cariño, educación y apertura emocional, y espere recibirlos sólo hasta el grado en que los niños se muestren dispuestos.
- Los padres deben considerar el aporte de los padrastros en la crianza de los hijos. A los padres que estén acostumbrados a tener todo el control sobre sus hijos les resulta fácil descartar la opinión del padrastro. Tenga presente que, como extraños, pueden ver cosas que su punto débil no puede ver. Escuche y tome en cuenta el aporte del padrastro o la madrastra.
- Los padrastros deben aprender a ser una caja de resonancia libre de prejuicios. Cuando un padre se frustra de sus propios hijos, puede confesarse con el padrastro. Sin embargo, los padrastros que consienten y agregan su propio sentimiento de frustración pueden encontrar que el cónyuge cambia de postura y defiende al niño. El vínculo padre-hijo es sin duda un vínculo protector. Los padrastros harían bien en escuchar y afirmar sin criticar al niño. "Veo que estás enojado con Janet por habernos mentido. ¿Qué sugieres que hagamos?".
- Por último, pero lo más importante, un buen equipo de padre-padrastro comienza con un matrimonio saludable. Dediquen

tiempo para alimentar la relación, salgan juntos a menudo, aprendan a dialogar y a resolver problemas y disfruten de una vida sexual saludable. ¡Haga que su matrimonio sea una prioridad!

"Pero ya estamos atrapados. Y ahora, ¿qué podemos hacer?"

Hicieron lo mejor que pudieron, procedieron como creyeron conveniente, pero ahora descubren que han cometido algunos errores. Quizá estén enfrentando la oposición o la rebeldía de un hijo enojado. ¿Qué hacer ahora?

Primer paso: Evalúense como equipo de padres. Junto con su cónyuge, analice la interacción que existe entre ustedes como equipo.

- ¿Están cooperando debidamente?
- ¿Discrepan a menudo en cuanto a las reglas y los castigos?
- ¿Uno de ustedes se siente saboteado por el otro?
- ¿El padre biológico con frecuencia se siente atrapado entre sus hijos y el padrastro?
- ¿Se repiten los mismos conflictos porque estos no se están resolviendo?

Si respondieron sí a dos o más preguntas significa que la raíz del problema no son los niños (pero puede complicarse por el estado emocional de ellos). Su alianza como padres es débil y deben elaborar un plan mutuo para actuar como equipo.

La clave de los problemas de conducta de los niños en familias nucleares y familias reconstituidas es el no funcionar como equipo. El papel que desempeñan los padres biológicos en un hogar es distinto del que desempeñan en un hogar que está conformado por padrastro o madrastra, pero la tarea de trabajar en equipo es la misma. Dediquen un tiempo para pasarlo juntos o con el grupo de apoyo y analicen qué aspectos necesitan cambiar. Puede que también decidan buscar ayuda profesional a medida que atraviesan algunas circunstancias difíciles. Recuerde que hay muchas maneras de criar bien a los hijos. Lo importante es hacerlo juntos.

Segundo paso: ¿Qué sucede si el padrastro o la madrastra ha sobrepasado sus límites? Si este capítulo le ayudó a ver que, como padrastro, procedió a castigar a sus hijastros demasiado rápido y que eso ha entorpecido su relación con ellos, considere a continuación lo que puede hacer:

- Evite castigarlos y deje a un lado sus altas expectativas. Deje que el padre biológico se haga cargo de la disciplina mientras que usted se concentra en remendar y desarrollar la relación.
- Pídales perdón a sus hijastros y reconozca su intento equivocado de unir a la familia. Buscar el perdón muestra carácter y modela el compromiso con su familia. Diga algo como: "Niños, quiero que sepan que estoy intentando ser un mejor padrastro. De hecho, he aprendido que he cometido algunos errores, como no dejarlos hablar con su papá todas las noches antes de irse a dormir, y que soy un poco autoritario. ¿Me perdonan? Quiero hacerlo mejor. A partir de ahora pueden esperar…".
- Es posible que los padres biológicos también necesiten pedir perdón por no poner de su parte y haberlo abandonado todo en manos del padrastro. Juntos pueden decirles a los niños cómo cambiarán sus roles y qué pueden esperar ellos de ustedes.
- Los cambios deben implementarse poco a poco. Los padrastros deben darse cuenta de que el perdón puede tardar y que, incluso después, pueden quedar resentimientos en los niños. No abandone sus límites para ganarlos de nuevo. Siga procurando una relación con ellos siendo respetuoso. Manténgase flexible con su nuevo plan porque puede necesitar hacer algunos ajustes a lo largo del camino.
- Si es necesario, consulte con un psicólogo familiar cristiano que tenga conocimientos en la terapia de la familia reconstituida. (Es importante preguntarle a cualquier psicólogo si se ha capacitado específicamente en el tema de la familia reconstituida. Muchos psicólogos no tienen la capacitación adecuada y utilizan la familia del primer matrimonio como un modelo de terapia. Esto sólo empeorará las cosas. En mi página de la Web puede encontrar y descargar un artículo que trata sobre el asunto: *www.SuccessfulStepfamilies.com*).
- Suelo decirles a los padres que el criar hijos es un proceso. Nunca nadie ha tenido todas las respuestas, y todos los padres y padrastros en algún momento se enojan, gritan, suplican y pierden los

estribos. Nadie es perfecto. Por eso debemos confiar en un Dios perfecto para obtener guía y sabiduría. No puedo dejar de recalcar la necesidad de que los padres estudien las Escrituras todos los días. Mientras más seamos transformados a la semejanza de Cristo, más posibilidades tendremos de convertirnos en quienes nuestros hijos e hijastros necesitan que seamos. Debemos ser llenos del Espíritu Santo y guiados por la naturaleza de Dios. Sólo entonces seremos capaces de ser un ejemplo para nuestros hijos que los guíe al Padre. Siga adelante con su tarea.

Preguntas para discusión en el grupo de apoyo

PARA TODAS LAS PAREJAS

1. Padrastros, ¿cuáles son sus frustraciones más comunes? Comenten las recompensas que han recibido hasta ahora.
2. ¿Qué parte de la "Oración de confianza del padrastro" le gustaría enmarcar y colocar sobre la chimenea?
3. Vuelva a leer las características de un padrastro sabio contra las de un padrastro imprudente en las páginas 169-178. Clasifíquese utilizando estas escalas y analice qué cosas hará de otra manera cuando logre mejorar en cada área.

Mi meta es formar parte del círculo íntimo	1 ——— 7	*Disfruto la relación que tengo ahora*
Espero mucho de mí mismo	1 ——— 7	*Tengo expectativas realistas de mí mismo*
Me apresuro por actuar como padre	1 ——— 7	*Voy creciendo en mi rol*
Intento castigar antes de tener una relación	1 ——— 7	*Avanzo poco a poco hasta llegar a la disciplina*
Intento reemplazar el contacto con el padre privado de la custodia	1 ——— 7	*Aliento el contacto con el padre que no tiene la custodia*
Soy pacificador	1 ——— 7	*Acepto las dificultades y las enfrento*

4. Dele otro vistazo al cuadro “El desarrollo de los roles de padres y padrastros” (página 181). ¿Cómo están trabajando juntos como pareja? ¿Cuál es el rol más conveniente para el padrastro en esta etapa de la integración?
5. ¿Qué está haciendo el padrastro en este momento para entablar una relación con cada niño?
6. ¿En qué cosas necesita el padre biológico ser más comprensivo con el padrastro o estar más involucrado con los hijos?
7. Vuelva a leer la sección “Resumen de los puntos a tener en cuenta” en las páginas 184 al 186. Reconozca lo que está haciendo bien y procure cambiar las áreas que necesita mejorar.

PARA PAREJAS QUE ESTÁN CONSIDERANDO VOLVERSE A CASAR

1. ¿En qué aspectos supone que los niños serán los mismos (o mejores) en su relación con el padrastro después de la boda?
2. ¿Hasta qué punto le da miedo leer que los cambios emocionales que pueden suscitarse después de la boda pueden complicar la relación padrastro-hijastro?
3. ¿Cómo puede cuidarse de caer en una conducta inapropiada como padrastro?
4. Dé otro vistazo al cuadro “El desarrollo de los roles de padres y padrastros” (página 181). ¿Con qué principios está de acuerdo y con cuáles discrepa? Analice cómo puede implementar el rol de “niñera” incluso en este momento.
5. Conversen acerca de las expectativas que tienen en cuanto a su rol como padre/padrastro y en cuanto al rol de su cónyuge. Comience a desarrollar un plan sobre qué rol desempeñará cada uno con cada hijo. Considere que probablemente tenga que hacer ajustes luego de la boda.

CAPÍTULO OCHO

Quinto paso inteligente: **Un paso hacia el costado**

Obstáculos comunes que enfrentan las familias reconstituidas

"¿Acaso no había sepulcros en Egipto, que nos has sacado para morir en el desierto? ¿Por qué nos has hecho esto de sacarnos de Egipto?" (Éxodo 14:11).

"Y llegaron a Mara. Pero no pudieron beber las aguas de Mara, porque eran amargas. Por eso pusieron al lugar el nombre de Mara. Entonces el pueblo murmuró contra Moisés diciendo: '¿Qué hemos de beber?'" (Éxodo 15:23, 24).

El viaje desde Egipto hasta la tierra prometida fue muy largo. Una y otra vez los israelitas perdieron de vista la fidelidad de Dios y su mano protectora. Se quejaron y murmuraron. Manifestaron su falta de fe y el miedo de morir en el desierto. Desde una perspectiva humana, aunque Dios lo tenía todo bajo control, el viaje era un desafío lleno de obstáculos e incertidumbres. Tuvieron que cruzar el mar Rojo, caminaron día tras día sin saber dónde estarían al anochecer y, una vez del otro lado del río Jordán, tuvieron que pelear contra insaciables naciones enemigas.

Sin embargo, desde una perspectiva espiritual, el viaje estaba ya en las manos de Dios. Dios hacía la parte difícil. Ellos sólo tenían que creer y actuar según su confianza en Dios. Resultó ser la tarea más difícil de todas. Y hoy, para nosotros, sigue siendo la más difícil.

Muchos obstáculos amenazan el viaje de la familia reconstituida rumbo a la tierra prometida. Ya nos hemos encontrado con algunos de los más agotadores:

- Adultos que están alejados de Dios y del cuerpo de la iglesia porque sienten culpa y vergüenza o porque temen que sus amigos y los líderes de la iglesia los juzguen.
- Expectativas poco realistas que provocan intentos desacertados de "mezclar" rápidamente a los miembros de la familia en lugar de relajarse al estilo de la olla de cocción lenta.
- Un vínculo matrimonial débil erosionado por lealtades preexistentes hacia los hijos, por fantasmas de relaciones pasadas y por cargas emocionales que permanecen escondidas.
- Parejas que no funcionan como equipo porque no tienen aptitudes para la comunicación, porque no alimentan su relación como debieran o porque concentran todas sus energías en los hijos.
- Luchas con ex cónyuges que convierten a los hijos en prisioneros de guerra.
- La falta de límites claros en la relación con el ex cónyuge y una relación coparental débil.
- Un pobre equipo de padres debido a roles confusos (entre padres y padrastros) y pobres destrezas para criar a los hijos.

En los capítulos anteriores abordamos estos obstáculos para ayudarle a evitar tropezar con ellos. Aun así, el viaje es largo y todos de vez en cuando quedamos atrapados en las presiones de la vida. El secreto de la perseverancia es no dejar de mirar a Aquel que le libró en primer lugar. Desde una perspectiva humana, la vida de la familia reconstituida está llena de obstáculos e incertidumbres. Desde una perspectiva espiritual, Dios sigue haciendo la parte difícil.

Debe seguir creyendo y actuando según sea su confianza en él.

Además de los obstáculos que se enumeraron anteriormente, existen otros obstáculos que deben evitarse, entre ellos:

- Pérdidas no reconocidas y dolor no expresado
- Dejarse llevar por sentimientos amenazadores
- Combinación de tradiciones familiares y días festivos
- Alteración por el orden de nacimiento de los hermanastros
- Cuestiones económicas

Comencemos uno por uno, desde el más escondido y amenazador de todos.

PÉRDIDAS NO RECONOCIDAS Y DOLOR NO EXPRESADO

Se supone que el matrimonio es una etapa que da inicio a una nueva relación y a una nueva familia. Hollywood nos dice que es sólo el comienzo del "vivieron felices para siempre". Sin embargo, para la familia reconstituida, la boda no es el principio. Es la mitad. Las familias reconstituidas surgen de la pérdida de relaciones anteriores; es decir, nacen cuando una pareja enfrenta la muerte, el divorcio o la falta de un vínculo marital si hubo hijos extramatrimoniales. Esta pérdida acarrea emociones contradictorias: el gozo y la esperanza subsisten junto a la tristeza y el dolor.

Si está casado, piense en el día de su boda. ¿Recuerda haber experimentado sentimientos mezclados? ¿Gozo y preocupación? ¿Optimismo y temor? ¿Alegría y tristeza? ¿Amor y enojo? ¿Recuerda haber tratado decidir si invitar o no a los padres de su ex y cómo le iba a contar a sus hijos que estaba comprometido? Si su cónyuge murió, ¿recuerda haberse preguntado si desde el cielo él o ella de alguna manera sabía lo que estaba haciendo? ¿Sintió su aprobación para "seguir adelante", o pensó que estaría inquieto/a por su decisión? ¿Qué le preocupaba de sus hijos? ¿Cómo expresaron ellos su alegría o su desprecio por su segundo matrimonio?

Muchos adultos reconocen sus emociones contradictorias de buena gana, pero se sorprenden al considerar que probablemente sus hijos también sientan estas contradicciones. Si tiene el valor, pase tiempo a solas con cada uno de sus hijos y pregúnteles cómo se sintieron en el momento de la boda. Abra la puerta hacia un diálogo sincero y hablen sobre las emociones contradictorias. Muéstrese abierto a reconocer las dificultades que estas le ocasionan a usted y que les ocasionaron a ellos. Después de todo, en una familia reconstituida todos los miembros sufren pérdidas.

Al seguir leyendo, preste atención a las pérdidas típicas que todos los miembros de su familia (aun aquellos que viven en la otra casa) experimentan. Es fácil identificar sus pérdidas. El desafío de entender implica ponerse en el lugar de otros para saber qué les preocupa. Elabore una lista de las cosas que descubrió: puede ayudarle a mejorar su relación con algún miembro del hogar.

Cónyuges que perdieron a su compañero

La pérdida de un vínculo matrimonial es muy difícil; sea por causa de muerte o divorcio. Aunque usted haya iniciado el divorcio, es probable que sus emociones hayan sufrido muchos altibajos.

Muchos dan por sentado que el período de dolor que le sigue al divorcio es semejante al que sufre la mayoría de las personas luego de morir un ser querido. No obstante, existen claras diferencias. Después de la muerte de un ser amado la gente tiende a sufrir etapas de duelo, una detrás de la otra (negación, enojo, negociación, depresión y aceptación). Después de un divorcio, sin embargo, las personas experimentan un ciclo de amor, enojo y tristeza[1]. Periódicamente se repiten en el corazón de la persona el sentimiento de amor que incluye el afecto hacia la persona perdida, el anhelo por estar con ella, la esperanza de la reconciliación y la culpa por lo que se ha perdido. Luego de esta ola de emociones está el enojo, caracterizado por frustración por lo perdido, resentimiento, furia y dolor. La tercera ola de emociones que le sigue es la tristeza. Después de perder a una persona o la idea de lo que se suponía era el matrimonio y enojarse ante aquella pérdida, la tristeza se presenta en forma de soledad, depresión, desesperación, dolor y aflicción. Al principio, el amor, el enojo y la tristeza son muy intensos. Finalmente pierden intensidad y se vuelven menos problemáticos.

Con frecuencia estas emociones llevan a la pareja a entablar nuevas relaciones. Una nueva relación es un refugio ante sentimientos negativos, el dolor y la depresión. Es común y muy peligroso emprender una nueva relación cuando uno todavía se está recuperando de una decepción amorosa. He trabajado con muchas parejas de familias reconstituidas que después de diez o más años de casados sufren, creyendo que son parte de una relación en que nunca debieron estar. "Cuando lo conocí estaba herida y él me hizo sentir bien otra vez. El día de la boda reconsideré esta decisión y dudé pero no quería desilusionar a nadie. Pensé que lo que sentía era miedo. Al mirar hacia el pasado, no sé si en realidad lo amé".

Es importante estar consciente de este ciclo de emociones porque, dependiendo de la rapidez con la que uno se vuelva a casar, el ciclo puede continuar en el nuevo matrimonio con intensos niveles durante mucho tiempo. Hasta un cierto punto, nunca logramos superar el dolor. Es un viaje, no un destino. Si no dedica el tiempo necesario a lamentar la pérdida de alguien, más tarde eso puede generarle problemas. Por ejemplo, las personas que se vuelven a casar en menos de tres años son propensas a experimentar nostalgia, enojo y tristeza en niveles significativos. Los nuevos cónyuges pueden sentirse inseguros si sorprenden a su compañero rememorando su relación anterior, aunque hasta un cierto punto es normal (asegúrese de no seguir adelante con estos sentimientos). Es de esperar y es también comprensible estar enojado con un ex cónyuge, pero también la tristeza y la aflicción ante lo que se perdió deben ser normales.

Entonces, el deber que tiene una nueva pareja es fijar límites en la relación con el ex cónyuge que reflejen el fin del compromiso, pero que a la vez dejen lugar para lamentar lo que se perdió. Las parejas debieran preferir darse el tiempo suficiente para terminar toda relación anterior. No obstante, para muchos, es difícil aceptar que es sabio esperar antes de volverse a casar.

Otro deber es darse permiso para luchar con el dolor. Se cuenta la historia de una viuda que se había casado con un viudo y una amiga le comentó:

—Me imagino que, como todos los hombres que han estado casados antes, tu esposo a veces habla de su primera esposa.

—No, ya no —respondió la recién casada.

— ¿Qué lo detuvo? —preguntó la amiga.

—Empecé a hablar de mi próximo marido…

El mensaje detrás de esta respuesta podría resumirse así: "Cuando tú hablas de ella, pones en duda mi relación contigo. No digas que alguna vez disfrutaste de ella, porque entonces me alejaré de ti". Es evidente que ninguno debe alabar a un ex cónyuge de modo tal que intimide al cónyuge actual. Sin embargo, tampoco debe olvidarse completamente de su pasado. Esta mujer le estaba negando a su esposo el permiso de estar triste.

Sara, la primera esposa de Miguel, murió en un trágico accidente dejando al esposo con un hijo de siete años. Un año después, Miguel se casó con Debra, quien trajo un hijo a la familia. Debra ha permitido constantemente que su esposo y su hijo hablen delante de ella de la muerte de Sara. Aunque expresan su admiración por Sara, Debra no se siente amenazada por aquellos recuerdos entrañables. Para muchas personas, permitir que un cónyuge se sienta triste ante una pérdida es como sentirse excluido del grupo familiar. "Si ella no hubiera muerto, yo no estaría aquí". Sin embargo, la identidad de Debra no se basa en ser el centro de atención de la vida de Miguel. Reconoce que cada persona tiene lazos especiales en la vida y su identidad permanece firme en su relación con Cristo. Esto le da fuerzas para no sentirse amenazada por el lazo que Miguel tuvo con Sara. Por cierto, reconocer el dolor de ellos es un regalo increíble para su hijastro. Él puede seguir aferrado a su mamá y no está obligado a seguir adelante sin ella. Otras pérdidas que sufren los cónyuges después de la muerte o del divorcio incluyen la pérdida del estatus social, la pérdida de la estabilidad económica (especialmente en las mujeres y los hijos), la pérdida de los vínculos familiares, la pérdida de las amistades y cambios sociales dentro de una comunidad religiosa. Por ejemplo, muchas personas después de terminar un matrimonio se encuentran socialmente excluidos, rechazados o maltratados por la gente que no estuvo de acuerdo con el divorcio. Como resultado, muchos pierden su círculo de apoyo y su conexión con Dios.

Una última pérdida importante digna de mencionar es la pérdida de contacto con los hijos. A muchos padres privados de la custodia los lastima el ver a sus hijos sólo dos fines de semana al mes. La presión emocional y mental puede ser extenuante. Tanto es así que lleva a muchos padres sin la custodia a reducir el contacto todavía más ya que el proceso de despedida es atroz para ellos y para los hijos. "Es más fácil que ni ellos ni yo nos enfrentemos a la angustia de tener que separarnos". Esto, no obstante, nunca se recomienda ya que de forma inadvertida transmite falta de cuidado hacia los niños.

Además, cuando una pareja vuelve a casarse, el padre sin la custodia puede sentir la pérdida de la relación con sus propios hijos cuando los hijastros entran en escena. Por ejemplo, he escuchado a muchos padres decir que se sienten culpables por pasar tiempo con un hijastro o por compartir momentos especiales con ellos cuando no pueden vivir las mismas cosas con sus propios hijos. Durante las visitas de los fines de semana, con frecuencia los padres sin la custodia reducen el tiempo con los hijastros y concentran sus energías en sus hijos biológicos. Es comprensible una actividad mini familiar como esta, aunque puede herir los sentimientos de su cónyuge si se descuida a los hijastros. Los adultos deben luchar por entender las pérdidas que ambos sufren y el impacto que causan en las decisiones que toman los padres y los padres sin custodia. Es importante otorgarse uno al otro tiempo con los niños y oportunidades para expresar la tristeza ante la pérdida.

La pérdida después de la muerte

Un mito popular es que las familias reconstituidas que se forman después de la muerte de un ser querido son menos complejas que las que se forman después del divorcio. Si bien, estadísticamente hablando, parece que el matrimonio después de la muerte de un cónyuge tiene más probabilidades de durar, también parece que este tipo de relación presenta luchas únicas. John y Emily Visher han identificado cuatro grandes desafíos[2].

Darse tiempo y dar tiempo a los hijos para llorar la pérdida. El tiempo no sana todas las heridas, pero permite que disminuya la intensidad del dolor. Tanto los adultos como los niños necesitan tiempo y también lo necesitan los abuelos y demás parientes. Si un padre vuelve a casarse demasiado rápido dificulta la aceptación del padrastro. Además, puede que los padres estén aferrados a bienes materiales y a costumbres (forma de hacer las cosas) porque no se han despedido completamente de su ser querido.

Como se dijo antes, la mayoría de los expertos que tratan a las personas que experimentan el sufrimiento recomiendan esperar dos o tres años antes de comenzar a tener una relación seria con alguien o tomar la decisión de volver a casarse. El dolor oculto impide pensar con claridad en las relaciones íntimas y lleva a la persona a relacionarse por necesidad y no por elección. Durante una de las sesiones, Santiago, casado por segunda vez después de la muerte de su primera esposa como consecuencia de un cáncer, reflexionaba sobre su presente matrimonio, que estaba en ruinas. "Me sentía solo —dijo—. Me sentía incapaz de criar a mi hija. Creo que necesitaba una compañera y quería una madre para mi hija". Este vacío y esta necesidad lo llevaron a pasar por alto las imperfecciones de la personalidad de su segunda esposa y lo hicieron tomar la decisión precipitada de iniciar un nuevo matrimonio que al año ya había terminado. Las relaciones que rescatan a la persona del dolor son relaciones por conveniencia. Los problemas llegan cuando los beneficios se desvanecen.

Convertir al difunto en un santo. Los recuerdos del cónyuge o del familiar fallecido suelen ser buenos y de color de rosa. Es fácil olvidar o minimizar las flaquezas o los fracasos de la persona que amamos.

Es probable que cada Navidad la segunda esposa se sienta intimidada, por ejemplo, cuando sus hijastros más grandes se reúnan y cuenten las historias del "delicioso pastel de frutas que hacía mamá". Aunque el comentario no tiene la intención de ofender a su madrastra, puede que a ella le resulte difícil sentirse comparada.

Intentar reemplazar al cónyuge que murió. Si antes de que uno de los cónyuges muriera la pareja tuvo una buena relación, es normal que el cónyuge que quedó busque a alguien con características similares. Esto hace que el nuevo cónyuge no se sienta aceptado por ser quien es y que el cónyuge que ha perdido a su compañero se desilusione cuando su nueva pareja no se asemeje por completo al otro.

El dinero y la herencia. Las pertenencias y la herencia prometida son muy importantes, en especial para los niños cuyo papá o mamá ha fallecido. La presencia de un padrastro puede suscitar el miedo de perder aquellas cosas en caso de que el padre biológico vivo muera antes que el padrastro. Darles a los hijos (mayores o pequeños) el privilegio de poder "elegir primero" las posesiones de la familia honra al que murió. Antes de casarse, una pareja se aseguró de que cada uno de sus hijos más grandes tomara posesión de lo que necesitaran. Esto hizo que los "platos de mamá" quedaran dentro de la familia y que los nietos crecieran escuchando las historias de cuando el abuelo usaba sus palos de golf. Una buena idea puede ser redactar un testamento con los detalles de la distribución de los bienes materiales y con valor afectivo.

Pérdidas que sufre el nuevo cónyuge/padrastro

Nadie crece con la fantasía de un día casarse y tener dos o tres hijastros compitiendo por el amor, la energía y el tiempo de su cónyuge. El matrimonio ideal que nos vende Hollywood es una escena en la que un hombre y una mujer se marchan juntos hacia la puesta del sol, tal vez en un caballo o en un BMW... pero nunca hay niños a su alrededor. En una familia reconstituida los nuevos cónyuges experimentan la pérdida de la privacidad y el contacto exclusivo con el otro cónyuge que soñaron que les daría el matrimonio. Además, la experiencia de ser un extraño en la historia y el vínculo entre los hijastros y el cónyuge, para muchos se convierte en una experiencia demasiado inesperada.

Otra pérdida importante para los padrastros es el tiempo que los padres biológicos ya han pasado con sus hijos. El padrastro es lanzado al escenario sin un manual de instrucciones y con muy poco conocimiento básico de los gustos, las preferencias, las manías y lo que motiva a sus hijastros. En el mejor de los casos esto constituye un aprendizaje en la práctica. Si el padrastro no tiene hijos de la edad de sus hijastros, es probable que sea difícil entrar en el "ritmo" de crianza con algún hijo en particular. Esto conduce a la frustración y a posibles conflictos con el niño o el cónyuge.

Si el padrastro no tiene hijos, las fantasías previas al matrimonio pueden llevarlo a creer que su necesidad de educar a un niño puede suplirse al ayudar a criar un hijastro. Cuando Rafael se casó con Judit, él estaba seguro de que vivir con las dos hijas de ellas satisfaría su deseo de tener hijos. Judit se sintió aliviada al ver su manifiesto entusiasmo, ya que ella no quería tener más hijos. Después de tres difíciles años, Rafael se dio cuenta de que la tensa relación que tenía con sus hijastras nunca llenaría el vacío que sentía. Cuando empezó a pedirle a Judit que tuvieran un "bebé nuestro", ella se enojó. "Se está retractando de la promesa que hizo", se quejó. "Pensé que eso lo habíamos resuelto antes de casarnos". Por desgracia, fue acordado sobre la base de una fantasía. La realidad le provocó a Rafael una pérdida inesperada y una complicación en su matrimonio.

Lo que pierden los abuelos

Las pérdidas que sufren los abuelos son muchas pero a menudo pasan inadvertidas. Cuando un hijo o una hija se separa o muere, por lo general disminuye el contacto con los nietos. Más tarde, un segundo matrimonio puede volver a reducir el contacto, en especial si los nietos viven con la ex nuera. Luego de que su hija se divorció, Laura gozaba de las visitas con sus nietos. Sin embargo, cuando su hija se volvió a casar y los niños empezaron a pasar algunas vacaciones con los padres de su cónyuge, el tiempo con ellos se redujo a la mitad. Los padres y los padrastros deben ser sensibles a la pérdida de contacto entre los hijos y los abuelos (y familiares cercanos) e intentar reunirlos siempre que sea posible.

Hay dos conductas distintas que pueden surgir con el tiempo y después de un segundo matrimonio. Los abuelos de ambos lados tienden a reemplazar a sus ex hijos políticos o a ampliar las relaciones familiares[3]. Creo que Dios prefiere que los abuelos cristianos amplíen sus conexiones, manteniendo viva una relación de apoyo con los ex hijos políticos y desarrollando nuevas relaciones con nuevos cónyuges y nietos políticos. Esto no quiere decir que vaya a invertirse la misma cantidad de tiempo y de energía con todas las partes, pero los niños no deben sufrir por las decisiones de los padres. Además, Dios nos llama a amar a nuestros enemigos (aun al ex cónyuge de su hijo) y extenderle su mano de amor. El resentimiento por lo que pasó se debe perdonar y el respeto debe ser la base de las relaciones venideras.

Las pérdidas que sufren los hijos

En una familia reconstituida nadie pierde tanto como los hijos. Es una verdad que a la mayoría de los padres les cuesta reconocer simplemente porque sus propias pérdidas los consumen. Percibir nuestras heridas más que las de los otros es parte de la naturaleza humana. Sin embargo, los hijos, debido a la falta de madurez y de capacidad de manejar situaciones difíciles, necesitan más ayuda que los adultos para procesar el dolor.

El divorcio o la muerte de papá o mamá significa que los hijos pierden el control de su vida, el contacto con sus padres, abuelos y hermanos, y la continuidad de la rutina y los acuerdos de convivencia[4]. La vida de una familia con un padre soltero y la de la familia reconstituida están llenas de transición y cambios. Aquí sólo se mencionan algunas de las pérdidas que sufren los hijos: no querer que los padres se divorcien, no querer cambiarse de residencia o estar en medio de dos hogares; un nuevo padrastro que ellos no pidieron y el fin del sueño de la reconciliación; nuevos hermanastros; tener que compartir la habitación con un hermano o un hermanastro; la pérdida del rol en la familia cuando un segundo matrimonio trae otra gente a la casa; pérdida de la familiaridad con la escuela, los maestros, el vecindario, los amigos, las actividades y las costumbres; presiones económicas y cambios en las reglas y las expectativas de sus padres y padrastros. Esta lista no alcanza a captar los tipos de cambios (pérdidas) a los que se ven forzados los hijos cuando las familias terminan y comienzan. Y algunos de ellos producen un impacto mayor que otros.

Es común que los padres solteros y sus hijos, por ejemplo, desarrollen un lazo íntimo debido a la mentalidad de que unidos sobrevivirán. Las personas se unen y hacen que la vida funcione de la mejor manera posible. Por eso la noticia de un nuevo matrimonio a menudo trae más pérdida para los hijos porque amenaza la cercanía que disfrutan con el padre que tiene la custodia. Una vez trabajé con Jessica, una niña de siete años. Su mamá había estado sola durante todos esos años. Había un fuerte vínculo entre madre e hija y ahora su mamá estaba planeando casarse. Le pregunté a Jessica cómo se sentía con respecto a la decisión de su mamá: "¿Alguna vez has estado jugando con alguien en el parque y de repente te empujan y te caes, y salen corriendo sin ti? Bueno, así me siento". ¡Vaya! Bien dicho, pensé. Otra niña de cuatro años le dijo a su mamá por qué estaba tan enojada con su prometido. "Aquí en mi corazón yo pienso que si te casas lo amarás así [y abrió los brazos] y a mí me amarás así [acercando sus dedos índice y pulgar]".

Esta verdad importante (que cuando se vuelve a casar con frecuencia el vínculo padre e hijo se interrumpe y provoca inseguridad en los hijos) no es para que se sienta culpable. Si es un padre necesita entender el impacto que la pérdida tiene en sus hijos. Si es un padrastro, necesita compadecerse por la aflicción de sus hijastros sin sentirse molesto por ello. ¿Se acuerda de los puentes de comprensión en el capítulo 2? Sugerí que la experiencia de los otros miembros que forman parte de su familia reconstituida suele ser muy distinta de la suya y que debe luchar para llegar a comprender la manera en que ellos ven las cosas. En ninguna otra situación esto es más importante que cuando se refiere a las pérdidas que los niños experimentan.

Creo que una de las cosas que más les cuesta aprender a los niños de familias reconstituidas es compartir a su papá o su mamá con un padrastro o una madrastra o con hermanastros. Ya han perdido tanto que se entiende por qué se resisten a "perder" otro papá o mamá. Con el fin de proteger sus relaciones, puede que los niños hagan a un lado a los "extraños" e impidan su participación en la familia. Esto causa competencia e inseguridad, en especial si el padrastro o la madrastra toman la amenaza como algo personal. Sería imposible enumerar la cantidad de padrastros que dicen que sus hijastros están "celosos" e "intentan manipularlos". Mi respuesta es: "Sé que eso es lo que se ve por fuera, pero por dentro hay dolor. Estos niños perdieron mucho en el pasado y por eso temen que los lastimen más. Uno de sus mayores temores es perder a su mamá o a su papá por su culpa. No se ponga a competir por el tiempo. Usted es una persona adulta. Aléjese de vez en cuando y deles un tiempo exclusivo para que disfruten padre e hijo, así no le tendrá tanto miedo. Algún día, cuando le dejen ser parte del círculo, podrá compartir tiempo con su pareja de forma más equitativa". Es necesario que los padrastros respeten la importancia de la relación padre e hijo, así también como lo es el reconocer que las pérdidas anteriores crean temores en los hijos. Repito: los niños no son los únicos que le temen a la pérdida.

El temor: la consecuencia de la pérdida

¿Qué impacto tiene la pérdida en el proceso de integración de la familia? Lo retrasa. Imagine que alguien se le acercara y le diera una bofetada. ¿No cree acaso que "parpadeará" la próxima vez que esta persona levante la mano... aunque esté lejos de usted? La pérdida causa dolor y el dolor lleva a los adultos y a los niños por igual a "parpadear" cuando existe la posibilidad de ser más lastimados. El temor al dolor ciertamente lleva a las personas a levantar paredes en busca de protección contra más dolor. Los ladrillos de estas paredes pueden ser muchas emociones, pero las más comunes son la desconfianza, la distancia y el enojo.

Tito aprendió esta lección por las malas. Poco tiempo después de casarse por segunda vez comenzó a percibir que su segunda esposa Lisa se alejaba de él y que el resentimiento que sus hijastros sentían por él iba en aumento. Antes de que su mamá se casara, los hijos de Lisa tenían la costumbre de que todas las noches se acostaban en la cama y esperaban a que mamá viniera y les diera el beso de buenas noches. Lisa se recostaba un rato con cada uno de ellos y hablaban sobre lo que había sucedido durante el día. Compartían historias, cálidos sentimientos y planes para la semana siguiente. Para los niños y para Lisa este era un momento reconfortante y especial.

Rápidamente se esfumaron las fantasías de Tito de estar con su nueva esposa y edificar su matrimonio ante la realidad de una familia reconstituida con muchas actividades. Tito se volvió cada vez más posesivo con el tiempo que él y Lisa tenían para estar juntos cuando los niños se iban a la cama. Sin embargo, ya que se sentía engañado por el tiempo que ella pasaba con sus hijos, Tito comenzó a pararse en la puerta del dormitorio de los niños y controlar la cantidad de tiempo que ella hablaba con ellos. Si le parecía que era demasiado, asomaba la cabeza y decía: "¿Todavía no se duermen? ¿Cuándo vas a venir?". En realidad lo que Tito estaba expresando era: "Oye, ¿no crees que es hora de que yo sea más importante que los niños?".

Tito no tenía idea de que estaba saboteando su matrimonio y

su relación con sus hijastros. Las pérdidas ocasionadas por el proceso de divorcio y posterior casamiento de la mamá con Tito habían hecho que el rito nocturno fuera todavía más importante para la vida de Lisa y de los niños. Las quejas de Tito llevaron a que los niños temieran perder el tiempo que ellos y su mamá pasaban juntos y el amor que se manifestaban de esa manera. A la esposa de Tito también le molestaron sus celos y comenzó a distanciarse de cualquier expectativa de que ella lo prefiriera por encima de los hijos. Esto, por supuesto, complicó los temores de Tito y aumentó sus intentos por ganar su confianza. Los niños permanecieron cautelosos ante su padrastro y con el tiempo se negaron a concederle el estatus parental. Al final, todo resultó en un negativo círculo vicioso de temor y rencor.

El enojo: la consecuencia del temor

Cuando tenemos miedo de perder la relación con la persona que amamos, naturalmente nos enojamos con la o las personas que creemos que son responsables de esa pérdida aparente. El ejemplo anterior es la ilustración perfecta. Fíjese en la forma en que cada persona entiende el comportamiento del otro. Tito se enojó cada vez más y más con su esposa porque “ella mima a sus hijos”. El enojo hacia sus hijos tomó la forma de una etiqueta: “Son demasiado consentidos”. Su esposa se enojó con él por “obligarla a elegir”. Sus hijastros estaban enojados con él por ser “tan egoísta” e interrumpir ese momento especial con mamá. (Fíjese que todos descargan su enojo sobre el padrastro. Los que están dentro del círculo pueden aferrarse unos a otros, pero los padrastros están obligados a retroceder hacia afuera cuando el enojo aumenta. ¡Le dije que no era sencillo ser un padrastro!). Cada uno explicó el comportamiento del otro utilizando términos muy negativos en lugar de reconocer qué pérdidas y temores estaban transmitiendo por medio de la inseguridad.

Considere cuán distinta habría sido esta situación si Tito se hubiera compadecido de sus hijastros por todo lo que ellos habían perdido y hubiera estado dispuesto a sacrificar el tiempo con su pareja asegurándose de que ellos tuvieran ese momento para cultivar una relación con mamá. No se hubiera parado fuera de la habitación ni tampoco controlado el reloj. Habría intentado no interrumpir la costumbre de todas las noches y aun así haber expresado su necesidad de pasar tiempo con su esposa. El tiempo de la pareja es muy importante pero no a costa de valiosos puntos de encuentro entre padre e hijo. ¡Qué bueno hubiera sido si Tito y su esposa hubieran separado su relación y buscado pasar un tiempo a solas durante los fines de semana! Asimismo, la esposa de Tito habría entendido la pérdida de un sueño que él tenía y tal vez habría intentado hacer tiempo para su relación... quizás un café, una charla después de la cena, mientras seguía pasando tiempo cada noche con sus hijos.

A nadie le resulta sencillo sobrellevar el dolor. Los adultos deben dar el ejemplo de cómo se enfrenta la pérdida. Aquí tiene algunos consejos.

Estrategias prácticas para sobrellevar las pérdidas inadvertidas y el dolor no expresado[5]

Identifique las pérdidas dolorosas que ha sufrido cada miembro de la familia. El dolor es una emoción que no se puede negar. Si no se expresa, brota en forma de rencor, enojo, amargura, temor y relaciones interrumpidas de la familia reconstituida. Dé lugar a la tristeza y no exija que los demás dejen de llorar según su horario.

Elabore una lista con todos los miembros de la familia y escriba las cosas que cree que cada uno ha perdido. Imagine cómo hubiera sido esa persona en cada momento del proceso: en la etapa previa al divorcio o a la muerte, después de la muerte o del divorcio, en los años que estuvo solo como papá o mamá, después que dieron la noticia del nuevo matrimonio y a partir de la boda. Quizá le sorprenda la cantidad de pérdidas que identificará.

Mire más allá de las emociones superficiales para identificar cómo la pérdida está afectando a la persona. Por ejemplo, es normal que los niños manifiesten emociones tristes con reacciones irracionales ("irracional" en realidad es "tristeza"). Además, los cónyuges se mantienen a una distancia prudente de sus compañeros por medio de la desconfianza para evitar que los lastime otra pérdida. Trate de comprender lo que está debajo de la superficie en lugar de reaccionar por lo que tiene adelante.

Ayude a las personas a expresar su pena y aflicción. Un padrastro sabio dijo: "Me pregunto si no quieres ir a ver el partido conmigo porque preferirías estar con tu papá en este momento. Lo extrañas, ¿verdad?". Tenía razón. Reconozca la pérdida cuando la vea o la escuche. "Hay algo que te está lastimando. Cuéntame por qué estás triste".

Hable de sus pérdidas. Esto ayuda a los niños y a los adolescentes a pensar en la pérdida y les concede el permiso de hablar abiertamente acerca de ello.

Aproveche las ventanas de oportunidades que los niños le dan. Un niño cuyo hermano vivía en la otra casa dijo: "Extraño ver crecer a mi hermano". Esa es una ventana que lo deja ver su dolor. Asómese y sea inquisitivo. Haga preguntas y diga cosas como: "Cuéntame más. ¿Qué otras cosas extrañas?".

Reconozca que la pena no tiene "reparación". No existe una frase para que desaparezca, así que no lo intente. Además, al hacerlo, sin darse cuenta está reprimiendo una futura conversación. Escuche, reconozca y reflexione con interés en lo que ellos dicen.

Si su hijo parece "estar bien con esta situación", siga monitoreándolo. Los niños tienen arranques de tristeza y el dolor puede resurgir más adelante. Puede que también escondan lo que sienten para evitar que usted se preocupe por ellos.

Algunos niños utilizan el arte o el juego como un medio para expresar lo que sienten. Use cualquier herramienta que permita que ellos manifiesten su pérdida.

Introduzca cambios progresivos en su familia reconstituida. Haga lo posible para que el nuevo hogar sea lo más estable posible. Recuerde: más cambios es igual a más pérdidas.

Los padres biológicos deben ordenar su vida de modo que dispongan de un tiempo a solas con los hijos sin la presencia del padrastro. Tener acceso al padre sin la custodia también es una obligación.

Mantenga intactos los "puntos de contacto" que tiene con sus hijos. Hay costumbres importantes entre padres e hijos como lo son un guiño, el tomarse de la mano en el parque y las historias antes de irse a dormir, porque manifiestan amor y compromiso con los hijos.

Si la transición de una familia a otra ha hecho que se pierdan algunas de estas costumbres, intente volver a establecer este valioso medio de comunicación.

Ayude a entablar relaciones entre las diversas generaciones. Reconozca las pérdidas que sufren los abuelos con los nietos (y nietos políticos). Usted, en el lugar que ocupa como persona madura, puede hablar con los padres (los abuelos) y hacerles sugerencias en cuanto a qué papel pueden ellos desempeñar en la nueva familia.

DEJARSE LLEVAR POR SENTIMIENTOS NEGATIVOS

> Pero ahora, dejad también vosotros todas estas cosas: ira, enojo, malicia, blasfemia y palabras groseras de vuestra boca. No mintáis los unos a los otros; porque os habéis despojado del viejo hombre con sus prácticas, y os habéis vestido del nuevo, el cual se renueva para un pleno conocimiento, conforme a la imagen de aquel que lo creó… Por tanto, como escogidos de Dios, santos y amados, vestíos de profunda compasión, de benignidad, de humildad, de mansedumbre y de paciencia, soportándoos los unos a los otros y perdonándoos los unos a los otros, cuando alguien tenga queja del otro. De la manera que el Señor os perdonó, así también hacedlo vosotros. Pero sobre todas estas cosas, vestíos de amor, que es el vínculo perfecto (Colosenses 3:8-10, 12-14)

En el pasaje anterior, Dios declara que sus hijos no deben dejarse llevar por sentimientos negativos. Somos el reflejo de Cristo porque hemos sido revestidos de él. Me estremece pensar cómo habría respondido Jesús si el día en que fue llevado a la cruz hubiera cedido a sus emociones. Tenía miedo de ser crucificado. Aun así "soportó la cruz, menospreciando la vergüenza que ella significaba" por amor a nosotros (ver Hebreos 12:2). A todos nos sucede que en algún momento las emociones hacen salir lo peor de nosotros, pero no hay que permitir que ellas le dominen, porque entonces pueden causarle daño a usted y a su familia.

El resentimiento llevó a Luis a envidiar los bienes materiales que su ex esposa obtuvo cuando volvió a casarse. Luego de tener un romance con un adinerado hombre de negocios de la comunidad, ella abandonó a Luis y a sus hijos. Luis tuvo que hacerse cargo de los niños y arreglárselas con un ingreso modesto. Ahora ella conducía un auto nuevo, tomaba clases privadas de tenis y vivía despreocupada del futuro. La amargura, el enojo y la venganza son primos hermanos del resentimiento, así que no era de sorprenderse que Luis comenzara a utilizar sus derechos de custodia para influir en la lucha legal que disputaba con su ex esposa. Ni qué decir que Luis fue un mal padre en su tenencia compartida y el responsable de causar mucho dolor en su vida y en la de sus hijos.

La culpa es otro sentimiento negativo. Ya sea que se relacione con decisiones que usted tomó o con las circunstancias que sus hijos han tenido que soportar no por culpa suya, la culpa es un mal que, si le damos lugar, nos hace débiles. Por ejemplo, los padres que creen que sus hijos "han sufrido demasiado" a menudo suavizan la disciplina y disminuyen sus expectativas de un buen comportamiento. Esto simplemente les enseña a los hijos que una conducta irracional, depresiva u ofendida les da permiso para salirse con la suya. Si bien debemos ser sensibles a las emociones de nuestros hijos, no debemos ser víctimas de ellos. Debe haber expectativas firmes y límites seguros.

La receta para estas emociones es perdonar y dejar la carga en las manos de Dios. Para un análisis completo del proceso del perdón vuelva al capítulo 6, pero deje que esta sección le recuerde la necesidad de controlar el dolor. Cuando pone todo lo que no puede controlar en las manos de Dios, su carga se aliviana y se devuelve la opción de ser santo, compasivo, amable, humilde, cuidadoso y paciente. Permanezca cada día en la Palabra para que pueda imitar al Salvador más de cerca en su vida diaria. Nuestra humanidad nunca nos permitirá huir por completo de nuestras emociones, pero con la ayuda del Espíritu tampoco tenemos que estar sujetos a ellas.

COMBINACIÓN DE TRADICIONES FAMILIARES Y DÍAS FESTIVOS

La flexibilidad es un factor que permite avanzar en las cuestiones relacionadas con las tradiciones. Las tradiciones (a veces llamadas costumbres o ritos) son actividades y patrones de interacción que repetimos todos los días, todos los meses e incluso todos los años. Cómo se saludan entre ustedes al final del día es una costumbre valiosa y, con el tiempo, se hace tan importante como la tradición de hace veinte años de ir a cenar en la casa de la abuela el Día de Acción de Gracias. Las tradiciones son importantes porque expresan lo que somos como familia y su previsibilidad nos da seguridad. Cuando se rompe o se cambian las tradiciones (aun si el cambio es lo mejor), algo muere dentro de nosotros. La mayoría de las personas no tiene idea de lo importantes que son para ellos hasta que ya no pueden celebrarlas. ¡Cuánto somos capaces de luchar por mantener vivas las tradiciones!

La cuestión de la pertenencia y de la identidad familiar está muy ligada a las tradiciones. Durante los años de integración, las familias reconstituidas descubren que los que están dentro del círculo y los que están fuera de él comienzan a querer dominar las actividades a medida que intentan mantener vivas sus tradiciones. Aquellos que no participan de una tradición dada se sienten excluidos y la identidad dividida se hace evidente. Pero esto es de esperar. La cocción lenta no tuvo tiempo para unirlos. Hallar un terreno común para las tradiciones requiere de mucha flexibilidad, en especial por parte de los adultos. Cuando los padres y los padrastros se niegan a ser flexibles están trazando las líneas de combate, provocando un enfrentamiento entre los que están dentro contra los que están fuera del círculo.

Los días festivos en particular ponen a prueba la relación coparental. Si usted y su ex cónyuge participan de una relación como enemigos ardientes o de socios enojados, no espere que las vacaciones resulten como esperaba. Incluso si tiene la mejor relación coparental, con consideradas negociaciones con respecto al tiempo con los hijos, eso no borra la tristeza que causa una tradición perdida y los recuerdos de las vacaciones familiares previas. Acostumbrarse a nuevas tradiciones, a comidas diferentes y a estar con extraños en una casa desconocida resulta, en el mejor de los casos, en una situación incómoda.

Las experiencias de los días festivos dejan al descubierto las dinámicas subyacentes y ocultas de una familia reconstituida. Las continuas batallas silenciosas entre los padres que comparten la custodia, por ejemplo, a veces se tornan en batallas campales cuando los padres presionan a los hijos en cuanto a la cantidad de tiempo que pasarán juntos y las decisiones sobre el viaje. Los conflictos de lealtad y las cuestiones de la pérdida pueden fácilmente arruinar el gozo de la festividad para los niños si los padres no son cuidadosos.

David, un niño de once años a quien yo estaba ofreciendo apoyo psicológico, decidió que ese año sería más fácil no visitar a su papá durante la Navidad por unas cuantas razones. Primero, sus padres mantenían una pequeña batalla de poderes que se traducía en las propuestas y contrapropuestas sobre cómo haría David para llegar a la casa de su padre y cuánto tiempo se quedaría allí. El segundo motivo estaba relacionado con su madrastra que "quiere que yo sea parte de la familia de ella. Yo no quiero estar con ella ni con mi hermanastro cuando visito a mi papá. Sólo quiero estar con mi papá. ¿Por qué no puede dejarnos solos?". Como es habitual, mis charlas con los adultos en cada hogar revelaron que ellos creían que el otro padre tenía la culpa de que David no quisiera visitar a su papá. La mamá le echaba la culpa al papá. El papá y la madrastra a la mamá. En verdad, David fue el que pensó que era mejor conservar la calma, hacer que sus padres no negociaran (porque sabía que no podían) y evitar sentirse invadido por su madrastra cuando estaba en la casa de su papá. Simplemente decidió quedarse en casa.

Estrategias prácticas para combinar las tradiciones de las familias y de los días festivos

Sea flexible y haga sacrificios. No puede agradar a todos al mismo tiempo. Cuando acepte esta verdad inmediatamente quita de sus hombros la presión de darle a cada uno lo que quiere. Ser flexible significa darse cuenta de que puede combinar, modificar o sacrificar viejas tradiciones en un año dado para darle la oportunidad a su nueva familia de desarrollar nuevas tradiciones. Muéstrese dispuesto a sacrificar para poder negociar. Si no lo hace, ¿por qué deben hacerlo sus hijos o hijastros?

Haga planes, planes y planes. Como pareja, tomen la iniciativa de analizar por anticipado las próximas vacaciones. Determine qué prefiere y lo que le gustaría y qué sacrificios hará por el bien del otro hogar. Luego comuníquese con las personas adultas que vivan en la otra casa y comience a negociar. Si hay tres o cuatro hogares que participan de la ecuación, comience a planear con mucha anticipación.

Es posible que las familias reconstituidas complejas tengan que ser muy creativas. Mantener la mentalidad de la cocción lenta en la que todos los ingredientes se mezclan, puede ayudarle a encontrar soluciones a situaciones que, al parecer, son imposibles de resolver. Cuando en una familia reconstituida ambos cónyuges tienen hijos (familias reconstituidas complejas) a menudo, en el momento de planear las vacaciones, encuentran que las preferencias son muchas y muy diferentes. Un enfoque creativo es dejar que cada padre con sus hijos pase las vacaciones con los familiares consanguíneos que elijan. Esto quizás haga que pasen los Domingos de Resurrección en diferentes casas, pero se reconocen los distintos lazos familiares y se honra la tradición familiar. En las familias reconstituidas que recién se están formando, puede ser de gran utilidad. A medida que la familia se va integrando, la decisión de combinar las actividades de las vacaciones puede hallar menos resistencia.

Haga lo que pueda hacer y acepte lo que no puede cambiar. Trabaje durante el año en su relación coparental para que pueda mejorar las posibilidades de una buena negociación durante las vacaciones. Sin embargo, tenga presente que, en definitiva, no puede controlar el otro hogar y tal vez tenga que poner, como dice el dicho, al mal tiempo buena cara. Cuando esté atrapado en situaciones incómodas o difíciles, encare a los familiares problemáticos con un "Por amor a tu papá, dejemos de lado nuestras diferencias"[6]. Es de esperarse que será suficiente motivación. Por último, ponga a los pies de Dios las cosas que no pueda cambiar y siga adelante.

No pierda la paciencia a medida que cada uno de los miembros comienza a aceptar nuevas tradiciones. Viva y aprenda. Un padrastro se dio cuenta de que año tras año terminaba desilusionado porque su hijastro tenía que irse corriendo a la casa de su padre en medio de la Navidad. Nunca podía disfrutar aquel día a pleno con su esposa e hijastro porque todos estaban pendientes del reloj. Finalmente, su esposa y él le propusieron al padre realizar un cambio. Resultó ser que cada Navidad él también terminaba desanimado y se mostró abierto a cambiar el acuerdo de la visita. Llegaron a un arreglo alternativo que daba a cada hogar la posibilidad de pasar un festejo navideño tranquilo mientras la otra casa disfrutaba de tranquilidad el Año Nuevo. La pérdida de la unión que experimentaban durante uno de los festejos se compensaba por el gozo que recibían durante el otro.

Sea compasivo respecto a las preferencias de sus hijos durante los días festivos. Al mismo tiempo, enséñeles que muchas veces hay que hacer sacrificios para lograr que la nueva familia sea una prioridad.

Las costumbres familiares de todos los días juegan un papel importante en el proceso de integración. Las conductas más simples que una familia repite con regularidad son una muestra de compromiso y cuidado. Un abrazo antes de ir a la escuela, una nota junto con los alimentos que lleva a la escuela, las pizzas de los viernes por la noche y la película en familia junto con las cenas de los domingos en la casa de la abuela son costumbres que mantienen unidas a las personas. Los padres biológicos deben luchar por mantener vivas las costumbres familiares que se practicaban antes de componer la nueva familia mientras que los padrastros deben trabajar para crear nuevas costumbres que les agraden. Por ejemplo, el papá o la mamá estrecha en un abrazo a sus hijos antes de ir a trabajar. El padrastro puede palmearles el hombro. El papá o la mamá les escribe una nota que dice "Te quiero" y se las esconde en la mochila, mientras que la nota del padrastro les informa que aumentará su asignación mensual de dinero. Aproveche las conductas que se repiten para expresar el cariño que siente por ellos y aumentar la confianza en la relación padrastro-hijastro.

ALTERACIÓN POR EL ORDEN DE NACIMIENTO DE LOS HERMANOS

Desde el punto de vista del desarrollo, las alteraciones por el orden en que los hermanos nacieron pueden ser problemáticas para los niños[7]. Este cambio normal de roles y posiciones para los hijos no suele ser reconocido por los adultos, pero tiene un fuerte impacto en ellos. Teresa, de nueve años, era la hermana mayor hasta que su mamá se volvió a casar con un hombre que tenía un hijo de trece años, Josué. Durante los años de mamá soltera, Teresa llegó a ocupar un lugar importante para su mamá, ya que colaboraba poniendo la mesa y cambiándole los pañales a su hermano menor. En muchos aspectos, se convirtió en la ayudante de su mamá y sus esfuerzos fueron recompensados con un vínculo especial entre madre e hija. Una vez que Josué llego a ser parte de la familia, la mamá de Teresa pensó que, si dejaba que él le ayudara en la cocina, tendría la oportunidad de acercarse al muchachito. Sin darse cuenta, en poco tiempo pasó por alto a Teresa quien dejó de desempeñar un papel importante en la familia.

¿Alguna vez lo han sustituido en el trabajo? Tal vez entró un nuevo empleado y captó la atención del jefe. O quizás un vendedor rival lo fue desplazando sutilmente hasta tomar su lugar. ¿Cómo se sentiría si su jefe decidiera colocar a una persona a su lado quien, a pesar de que usted fue el que preparó el terreno para el proyecto, terminó cosechando las recompensas? O tal vez se ha encontrado en situaciones laborales en las que una empleada nueva no hizo su parte del trabajo y el peso de capacitarla o de corregir sus errores cayó sobre usted. ¿Siente que se le hace un nudo en el estómago?

No todos los cambios por el orden de nacimiento de los hermanos son así de extremos, pero todos representan alteraciones. Déjeme recordarle que el cambio acarrea más pérdida; y la pérdida, sumada a importantes pérdidas anteriores, genera cansancio e inseguridad. El constante proceso de cambio desalienta a los hijos y es algo a lo que los padres necesitan prestar atención. Diana tenía cinco años cuando su papá se volvió a casar. Tenía dos hermanos mayores, uno de once años y otro de catorce que, de vez en cuando peleaban con ella, pero que generalmente se aliaban con su padre para proteger a su "hermanita". Claro que Diana no se daba cuenta de que la mimaban y la protegían, sólo supo que no le gustó lo que sucedió cuando su papá se volvió a casar con una mujer que tenía dos hijos, un varón de ocho años y una niña de tres. La reina fue destronada. La desplazaron de su posición y de su lugar de importancia y, como resultado, terminó haciendo berrinches en una tienda y cortándole el cabello a su hermanastra cuando nadie la estaba viendo. Una vez que su papá y su madrastra repararon en la pérdida de estatus que Diana sufría, encontraron la valentía para hacerla sentir importante nuevamente. No es que pusieron toda la atención en ella a exclusión de los otros, sino que buscaron un equilibrio saludable entre pasar tiempo con papá y recibir un castigo cuando se portaba mal. Diana estaba sufriendo más pérdidas. Sin embargo, con el tiempo, la sensibilidad de su papá y de su madrastra ayudó a reparar esta situación.

Para analizar el impacto que tuvo en sus hijos la alteración por el orden de las edades, intente poner en práctica estas ideas:

- Si sus hijos tienen la edad suficiente para expresar sus sentimientos (y usted tiene la valentía necesaria), siéntese con ellos y pregúnteles cómo ha cambiado su papel como miembro de la familia desde que llegaron sus hermanastros. Analice con ellos los cambios en su trato y las responsabilidades que ganaron o perdieron en la nueva familia. Deje que expresen su tristeza o enojo por lo que sucedió, pero no les prometa restaurar el pasado (una nueva familia exige que todos cambien). Comprenda sus pérdidas y laméntese por ellas. Muéstreles su apoyo diciéndoles que confía en que podrán manejar los cambios.
- Ya sea que logre hablar con sus hijos o no, elabore una lista de la parte que cada uno desempeñaba antes de que los cambios sucedieran. Sea sensible al papel que cada uno solía desempeñar y, siempre que sea posible, devuélvales sus trabajos o reemplácelos por nuevos. Esto hará que se sientan importantes mientras colaboran en la casa y reciben su aprobación por hacerlo.
- Durante los primeros años, pase tiempo aparte con cada niño, sin sus hermanastros, para afirmar su singularidad.

CUESTIONES FINANCIERAS

Un buen escritor sabe cuándo pedir ayuda. Las finanzas de una familia reconstituida son increíblemente confusas y diversas, así que pedí ayuda. Para escribir esta sección, recurrí a una amiga de confianza y experta en las finanzas de familias reconstituidas, la doctora

Margorie Engel. La doctora Engel es actualmente la presidenta de la *Stepfamily Association of America* (Asociación de Familias Reconstituidas de los Estados Unidos), autora y asesora de los medios de comunicación, y ha escrito frecuentemente acerca de los asuntos financieros que afectan a la familia reconstituida. Generosamente nos dio estas sugerencias:

En la familia reconstituida el dinero no tiene una connotación neutral. Para las parejas casadas en segundas nupcias, el dinero siempre será una cuestión importante ya que detrás de él se encuentran la confianza, el compromiso y la garantía de la permanencia. Como consecuencia, es difícil definir cómo debe administrarse el dinero. No obstante, las experiencias pasadas de la vida hacen que estas parejas por lo general estén listas para buscar soluciones creativas ante nuevos desafíos. A menudo la familia reconstituida combina tres fondos comunes: lo tuyo, lo mío y lo nuestro.

Algunas parejas en su segundo matrimonio no pueden aceptar el tener un fondo en común, mientras que otras no son capaces de vivir sin esto. Cada pareja está convencida de que su filosofía es la estrategia secreta para que la pareja tenga una relación financiera feliz[8].

Cuentas separadas: "la tuya" y "la mía"

Tal vez a los esposos les dé vergüenza iniciar una charla sobre cómo mantener separadas las finanzas de la familia reconstituida. Sentir la necesidad de separar el dinero parece provenir de las circunstancias así como del temperamento. Cuando la pareja quiere mantener los gastos separados, está reconociendo que tiene intereses separados o distintos y que, como adultos, quieren tomar algunas decisiones sin tener que pedir "permiso".

Aunque el amor que sienten es profundo, el esfuerzo por evitar posibles problemas mueve a las parejas a mantener el dinero separado. "Evitar la dependencia" es otra razón para elegir mantener el dinero separado. Las leyes de divorcio han comunicado claramente a las mujeres que la dependencia financiera no tiene ni tendrá remuneración. Puede que la pareja haya consentido preservar la autonomía financiera, aunque la mayoría de ellos no hayan negociado un contrato económico formal.

Cuando dentro de una familia reconstituida ella cubre sus gastos y los de sus hijos, y su esposo los suyos y los de sus hijos, es como si dos familias separadas estuvieran viviendo bajo el mismo techo. Estas parejas con "fondos separados" creen firmemente que cada uno de ellos debe dividir en partes iguales los gastos de la casa, lo que no es un trato justo. La mayoría de las esposas no ganan tanto como sus maridos y la cuota que recibe la madre para los gastos de los hijos normalmente no cubre la diferencia. Por lo tanto, el 50% de los gastos familiares significarán en el ingreso de ella un porcentaje mucho mayor que en el de su esposo. Cuando este concepto de igualdad no funciona, la esposa termina sintiéndose dependiente mientras que el esposo siente que sus gastos son demasiados. El modelo tradicional del hombre como único sostén económico de la familia no encaja en la estructura de las familias reconstituidas. Tampoco encaja la idea de mitad y mitad.

Cuando la familia enfrenta una crisis económica, un sistema completamente separado también suele fracasar. Hay dos momentos decisivos en particular: cuando a uno de los cónyuges se le presenta una oportunidad laboral que no puede rechazar, y cuando el otro pierde el trabajo por reducción de personal. La necesidad hace que la pareja se encuentre económicamente unida... al menos hasta que se resuelva la situación.

Cuentas compartidas: "la tuya", "la mía" y "la nuestra"

Aunque una pareja casada por segunda vez comience una relación con la intención de mantener el dinero en bolsas separadas, suelen terminar creando un fondo común para ciertas cosas. El matrimonio significa que legalmente no pueden escapar de la responsabilidad de las decisiones económicas del otro. Desde un punto de vista práctico, es normal que las preferencias de cada uno por tener cuentas separadas comiencen a quedar en segundo lugar según la conveniencia.

Parece que para muchas parejas la mejor opción puede ser una de las dos variantes del sistema de tres cuentas: tuyo, mío y nuestro.

- Dos cuentas individuales reducidas y una extensa cuenta compartida o

- Dos cuentas grandes individuales y una pequeña cuenta compartida.

Las cuentas compartidas se financian en partes iguales o, como sucede en la mayoría de los casos, según el ingreso de cada cónyuge. Las parejas negocian en los asuntos relacionados con las responsabilidades económicas compartidas y administran sus propias cuentas de manera independiente.

En la mayoría de las familias reconstituidas sucede que cada cónyuge llega al matrimonio con una historia de crédito, tarjetas de crédito y cuentas bancarias personales. Tal vez también tengan cuentas con corredores de la bolsa o cuentas para su jubilación. Normalmente las parejas mantienen sus propias cuentas. Una pareja casada por segunda vez a menudo acuerda cubrir con las dos cuentas individuales los gastos regulares relacionados con sus hijos biológicos (cuota alimenticia y gastos de residencia), prima de seguro, mantenimiento y arreglo de la propiedad individual (autos, alquiler) y gastos personales para ropa, gastos profesionales, gastos médicos, pasatiempos y regalos. Los gastos compartidos, entre ellos alquiler/hipoteca, comestibles, entretenimientos y las vacaciones en familia/en pareja son flexibles y pueden cubrirse de acuerdo con la capacidad de cada uno. La mayoría de estas parejas también luchan por ahorrar para fondos de emergencias e inversiones.

Los asesores financieros aconsejan separar una suma de dinero en efectivo que se destina para las inversiones. Es preferible consolidar cuentas unidas para los hijos y los gastos compartidos de la casa con el ingreso o con el dinero de la cuota alimenticia. Esto evita la típica situación en la que la esposa gasta la mayor cantidad de dinero en bienes consumibles (alimentos, ropa, vacaciones, regalos para los niños) y el esposo invierte todo el dinero en activos importantes (la hipoteca, acciones, fondo para la jubilación).

Una sola cuenta en común

Muchas veces las familias reconstituidas optan por practicar la economía compartida. Normalmente uno de los primeros pasos se da cuando deciden crear un fondo compartido para las vacaciones, comprar un nuevo electrodoméstico para reemplazar otro o cuando deciden tener un hijo juntos. A veces es sólo cuestión de una transición psicológica.

Cuando todo el dinero se coloca en la misma bolsa, entra en juego un factor importante que determina el éxito de la administración: tomar decisiones en pareja. Puede que surjan enfrentamientos y que discutan porque uno de los cónyuges domina las decisiones financieras o porque no se reconoce el fondo común y eso es lo que la pareja normalmente está intentando evitar.

Hay algunas decisiones básicas que deben tomarse con respecto a la administración en común del dinero de la familia. Incluyen:

- Mantener al día un registro de la cuenta (o hacerlo mensualmente).
- Quién será responsable de pagar los gastos usando la cuenta en común.
- Qué se pagará con la cuenta compartida.
- Cuánto dinero puede retirar cada cónyuge sin consultarlo con el otro.

Una cuenta compartida en el banco tiene que abrirse en un lugar accesible en el que cada cónyuge pueda depositar y retirar dinero. Como sucede en la mayoría de los trabajos en equipo, normalmente el marido y la mujer tienen a cargo diferentes tareas financieras de acuerdo con la capacidad para realizarla. A veces, en especial después de una mala experiencia económica en el matrimonio anterior, la pareja necesita ganarse la confianza el uno del otro.

Cualquiera que sea el método...

Cuentas separadas, fondo común o cuentas compartidas. No existe una forma correcta o incorrecta de administrar la economía del hogar reconstituido. Todo dependerá de la cantidad de dinero disponible, los años de casados que tengan y las necesidades que surjan. Para empezar, el sistema de administración del dinero debe ser flexible, no esculpido en piedra.

Conversen acerca de cada una de las posibilidades. Al hacerlo, analicen cómo se tratarán si la primera elección fracasa después de un período de prueba. Una vez que se sentaron las bases del nuevo sistema financiero, programen períodos regulares de revisión. Pregúntense: "¿Funcionó bien? ¿Debemos hacer algunos cambios?". Siempre hay algo que funciona y siempre hay algo que falla. Sigan trabajando con lo que está funcionando y busquen nuevas opciones para reemplazar lo que está fallando. Es un proceso en curso que necesita soluciones y nuevas negociaciones[9].

Clave para tener una armonía financiera

- Para disfrutar de una buena relación, cada cónyuge debe disponer de una cantidad razonable de dinero para suplir las necesidades personales.
- Toda esposa debe tener un crédito a su nombre. Es muy importante en nuestra sociedad proteger el crédito (en caso de que uno de los cónyuges muera).
- Es muy importante que cada uno de los cónyuges tenga dinero disponible en caso de alguna emergencia.
- Un matrimonio necesita alimentarse. Todas las parejas necesitan un plan económico que suministre dinero para disfrutar momentos a solas y para disfrutar juntos. Uno de los factores fundamentales para un plan económico saludable es poder celebrar periódicamente los logros de este plan.

Razones para administrar el dinero en conjunto

- Es justo.
- Los gastos determinan un estilo de vida, por lo tanto ambos cónyuges merecen opinar a la hora de tomar decisiones.
- Da buenos resultados.
- Al hacerlo en conjunto, se toman mejores decisiones, se realizan mejores acciones y hay más motivos para confiar en su cónyuge.
- Tiene éxito.
- Las personas que toman decisiones juntas tienen un motivo para hacer que funcionen.

Decisiones, decisiones:

1. Cuando se divide el dinero:

- ¿Qué dinero debe separarse (cuenta corriente/de ahorro/para inversiones)?
- ¿Cuánto dinero aportará cada uno al hogar?

2. Cuando se crea un fondo común:
   - ¿Qué dinero, si lo hay, es personal?
   - ¿Qué debe compartirse?
   - ¿Cuáles son los gastos más importantes?
   - ¿Elaborarán un presupuesto anual? ¿Quién lo hará? ¿Se cumplirá?
3. ¿Quién llevará la contabilidad? ¿Qué se hará para respetarla?
   - ¿Con qué frecuencia: todas las semanas o todos los meses?
   - ¿Con qué exactitud?
4. ¿Cuánta conversación deben tener uno con el otro antes de realizar una compra (y la opinión de quién prevalecerá)?
5. Si se comparte o se divide el dinero:
   - ¿Cómo se enfrentarán las emergencias financieras y los gastos imprevistos?
   - ¿Cuándo deberá usarse el crédito?[10.]

REUNIONES FAMILIARES: UNA HERRAMIENTA PARA RESOLVER PROBLEMAS

A lo largo de este capítulo he ofrecido tácticas específicas para revolver los obstáculos analizados. Las reuniones familiares son otra estrategia para enfrentar algunas cuestiones y obstáculos. Es una de las herramientas más eficaces que puede agregar a la caja de herramientas de su familia. Utilícela en distintas circunstancias.

Las empresas se reúnen con regularidad para considerar las estrategias. Jefes de departamentos, supervisores y gerentes se reúnen para analizar los objetivos de producción del momento, los informes de las ventas y los esfuerzos del mercadeo. El propósito detrás de tales reuniones es promover el trabajo en equipo y mejorar la eficiencia y las ganancias a medida que todos trabajan con un objetivo en común. Los encuentros familiares ayudan a que las familias reconstituidas hagan lo mismo. Los objetivos son distintos (integración, formación espiritual y promover el respeto y el amor incondicional), pero el proceso es parecido.

Una reunión familiar semanal o quincenal es la ocasión perfecta para procesar las emociones y negociar preferencias, modificar reglas, poner castigos y determinar roles dentro del hogar. Se pueden planear las vacaciones y compartir sentimientos de pérdida y dolor. Pero quizás el resultado más inesperado que obtienen las familias que ponen esta herramienta en práctica es el sentido de identidad que surge de una nueva tradición. La reunión en sí se vuelve una tradición única que ayuda a los miembros a escucharse, pasar tiempo juntos y disfrutar estar unidos. No todas las familias reconstituidas tienen la disciplina de reunirse con regularidad, pero aquellas que lo hacen disfrutan los resultados.

¿Qué es una reunión familiar?

- Tiempo destinado a promover el diálogo significativo y crear un ambiente para analizar, tomar decisiones, resolver problemas, alentarse y colaborar en familia.
- Pueden ser estructuradas y formales o flexibles e informales.
- Todos ocupan un lugar y pueden hacer una contribución. Las reuniones son democráticas. Esto significa que todos pueden opinar, pero no todos tienen el mismo poder de decisión. Los padres tienen la palabra final, pero deben animar a los hijos a que hagan sus contribuciones siempre que sea posible.
- En definitiva, las reuniones familiares forjan las tan necesarias tradiciones familiares, despiertan recuerdos y afirman la identidad familiar.

¿Cómo empezamos?

- El proceso es más simple si las reuniones comienzan a hacerse cuando los hijos son pequeños (cuatro o cinco años). Puede que al principio los más grandes reaccionen mal, pero la mayoría llega a valorar el proceso una vez que disfrutan de sus beneficios.
- Simplemente tome la decisión de empezar, defina un plan de acción y comience.

Pautas generales para una reunión familiar eficaz:

- Haga que sea una prioridad. Debe realizarse en momentos previsibles y habituales (por ejemplo, todos los jueves por la noche). No permita que las distracciones debiliten su compromiso. Fije límites de tiempo y cúmplalos.

- Comience cada reunión con saludos y palabras de agradecimiento; sea genuino. El estímulo facilita la integración pero no debe manifestarse si no es sincero.
- Coloque una "agenda" (quizás en el refrigerador) y anime a que cada uno agregue algo a la lista. Asegúrese de analizar todos los puntos y de darle a cada uno la misma importancia.
- Roten los líderes para que cada hijo pueda tener una oportunidad (¡a los adolescentes les encantará estar a cargo de una reunión!).
- Respeten las opiniones y los sentimientos de los demás. Utilice sus habilidades para escuchar y hable con respeto. No deje que las reuniones se conviertan en una sesión de quejas. Primero busque entender y luego ser entendido.
- Trabaje para solucionar los problemas. Permita que se presenten ideas para posibles soluciones y las consecuencias en caso de que no se cumpla el acuerdo. Esto ayuda a que cada persona se haga cargo del problema y de la solución. También sirve para aclarar las expectativas y permite que cada uno sienta que la familia trabaja en equipo.
- Concluya el encuentro con una actividad agradable. Pueden hacerla juntos o separarse en grupos. Pueden tomar un helado, jugar minigolf o juegos de mesa. Diviértanse.

Resumen:

Las familias reconstituidas se enfrentan a una serie de obstáculos que pueden evitar, si no del todo, al menos en parte. Es probable que los obstáculos analizados en este capítulo, si no han sido abordados, añadan tensión y conflicto al matrimonio y al hogar. Tome la iniciativa a medida que se ocupe de abordar estas y otras cuestiones, y pida la sabiduría de Dios mientras busca soluciones.

Preguntas para discusión en el grupo de apoyo

PARA TODAS LAS PAREJAS

1. ¿Cuándo podrán empezar a tener reuniones familiares? Haga la prueba por unas semanas y decida si funcionan en su caso. Comente lo que vivió con su grupo de apoyo.
2. Enumere las pérdidas que experimentó cada persona en su casa. ¿De qué manera le ayuda esta lista a entender el comportamiento de cada uno?
3. ¿De qué pérdidas, que antes no había considerado, se dio cuenta en este capítulo?
4. Haga un estudio de la pérdida, el miedo y el enojo que sufre una familia reconstituida. Vuelva a leer los comentarios de la familia Torres en el capítulo 1 (páginas 18 y 19).
   - ¿Cómo se evidencian sus pérdidas en los temores actuales?
   - Elabore una lista de los temores que tiene cada persona. Analice las posibles similitudes con su hogar.
   - Fíjese cómo expresan el miedo y el enojo, especialmente Juan, Susana y Francisco.
5. Revise en la páginas 205-207 las estrategias prácticas para sobrellevar las pérdidas inadvertidas y el dolor no expresado. ¿Cuáles son las estrategias que ya está aplicando y cuáles podrían mejorar?
6. Identifique y haga una lista de sentimientos negativos. ¿Qué está haciendo para dejarlos ante el trono de Dios?
7. ¿Qué tradiciones quedan por resolver? ¿Cuáles han tenido éxitos? Comente algunas de sus soluciones creativas.
8. Para padrastros: ¿qué costumbres ha desarrollado hasta ahora para establecer una relación con sus hijastros?
9. Revise y comparte lo que piensa con respecto a lo que sucede cuando el orden de nacimiento de los hermanos se altera según las páginas 213-214.
10. ¿Cómo administró el dinero hasta ahora? Comente los cambios que crea necesario realizar a estas alturas.

PARA PAREJAS QUE ESTÁN CONSIDERANDO VOLVERSE A CASAR

1. El momento para comenzar a celebrar reuniones familiares formales es después de la boda. No obstante, puede comenzar a celebrar algunas reuniones informales durante la etapa del compromiso. ¿Cómo puede utilizar el tiempo para tomar decisiones con respecto a las reglas, las relaciones y cómo le llamarán los niños al padrastro después de la boda?
2. ¿Su relación actual se desarrolló en medio de una etapa de mucho dolor? ¿Esperaron de dos a tres años antes de profundizar la relación? Si no lo hicieron, disminuyan sus salidas y dense tiempo para lamentar y sanarse de las pérdidas.
3. Comente cómo se sentiría si su compañero admitiera afecto por su compañera anterior.
4. ¿Le agrada la idea de tener más hijos?
5. Considere el orden de nacimiento de cada niño. ¿Qué cambios sufrirá el rol, la posición y la relación con ellos cuando se case?
6. Programe un momento para analizar sus ideas en cuanto a la administración del dinero en el nuevo hogar. Revisen la sección "Cuestiones financieras" (páginas 215-220) y, a medida que trabajen en la sección "Decisiones, decisiones" (página 220), elaboren un plan tentativo.

CAPÍTULO NUEVE

Sexto paso inteligente: **Un paso cruzado**

Cómo superar los desafíos especiales

"Todo artesano utiliza sus herramientas con excelencia. El arte de construir una familia fuerte requiere diversas herramientas... y la destreza para utilizarlas".

El viaje de una familia reconstituida hacia la tierra prometida puede ser largo o relativamente breve. No obstante, una cosa es segura: el viaje trae consigo desafíos. Este capítulo analiza importantes desafíos que una familia reconstituida cristiana debe enfrentar y ofrece estrategias para manejar el impacto que causan. Incluye temas sobre la sexualidad, qué dice la Biblia a la familia reconstituida y la formación espiritual de los hijos que la conforman.

SEXUALIDAD

Una vez una madre me preguntó: "No es necesario que tratemos este tema, ¿verdad?". Por desgracia, sí es necesario. El tema de la sexualidad dentro de una familia reconstituida es importante (es importante en cualquier hogar), le guste o no. La educación sexual saludable de los hijos constituye una tarea fundamental en toda familia cristiana. Otra de ellas es proteger a los hijos de los abusos sexuales y de los mitos que circulan por el mundo. Las parejas que componen la familia reconstituida, así como los padres biológicos, deben tener presentes estos dos objetivos a medida que crían a sus hijos e hijastros. Sin embargo, la familia reconstituida tiene un desafío extra que debe abordarse.

Aunque las investigaciones acerca del intercambio sexual que sucede en las familias reconstituidas aún no concluyen, sí se sabe que los niños que no viven con sus padres biológicos corren mayores riesgos de ser víctimas del abuso sexual tanto de parte de familiares como de otros[1]. Esta conclusión no se limita solo a las familias reconstituidas sino que también se aplica a hogares con padres solteros o que viven en concubinato. No obstante, no asuma que la estructura atípica de la familia reconstituida es la culpable de todo. La estructura de la familia en sí, esto es, cómo está compuesto el hogar (padre soltero, biológico o familia reconstituida) no es tan responsable del creciente riesgo de abuso sexual como lo es el proceso de interacción que se desarrolla dentro del hogar. Cuando hay un ejercicio pobre de las funciones psicológicas por parte de los adultos, nuevas relaciones con papeles y límites confusos, valores mal definidos y el estrés que lleva a los padres a no controlar a sus hijos como deben, se dan las condiciones para el abuso sexual[2]. En otras palabras, el hecho de ser parte de una familia reconstituida no significa que los límites que protegen la identidad sexual se van a traspasar. Sin embargo, existe un mayor riesgo y necesita proteger su casa de los posibles impactos del abuso sexual, impactos que pueden ser devastadores.

Carol y Francisco se enteraron de algo que sacudió los fundamentos de su nueva familia. Durante dos años el hijo de Carol, de quince años, había estado entrando a la habitación de su hermanastra de catorce años para acariciarle los genitales. "¿Cómo pudo suceder esto?", preguntaba Carol. "Hace diez años que Francisco y yo estamos casados. Se conocen desde que tenían cuatro y cinco años. Crecieron juntos. ¿Cómo puede ser que algo así haya sucedido ahora?". El dolor y la conmoción de ella eran evidentes. Descubrir este tipo de violación sexual es traumático y desconcertante. ¿Cómo puede ocurrir algo así?

El mandato a la intimidad

Cuando dos familias se unen, se asume que las personas harán precisamente eso: "unirse". Esto crea la expectativa oculta de que las relaciones se desarrollarán y la unidad llegará. Las muestras de cariño, el afecto y los abrazos son formas no sexuales de transmitir esta unión. No obstante, para algunas personas cuyos límites psicológicos no están bien definidos, este contacto no sexual puede tener implicaciones sexuales.

Por ejemplo, los padres biológicos a veces se sienten cada vez más incómodos con los cambios físicos de su hija durante la adolescencia. En poco tiempo, una dulce niña se convierte en una hermosa mujer. Los padres, que de ninguna manera quieren que sus hijas sientan que su papá está pensando en ellas en términos sexuales, a menudo evitan el contacto físico. Por desgracia, la adolescente puede sentirse rechazada en lugar de interpretarlo como un reconocimiento de su creciente feminidad.

Asimismo, muchas veces los padrastros se ven confundidos por la relación física que tienen con su hijastra. Los abrazos de una pequeña niña adquieren un significado nuevo y extraño cuando provienen de una hijastra en pleno desarrollo. Un padrastro respetuoso puede también evitar el contacto físico. No obstante, aun esa actitud puede interpretarse como una reacción ante la sexualidad y provocar un cambio en la forma en que dos personas se ven la una a la otra. Los padres biológicos no deben olvidarse de abrazar y tener contacto físico con sus hijas en la etapa de la adolescencia (esto confirma a una niña insegura el valor y la dignidad que tiene como mujer). Los padrastros deben buscar mostrar claras intenciones no sexuales ante el contacto con las hijastras y contener la tentación de pensar que la caricia de su hijastra tiene connotaciones sexuales.

Además, un padrastro que trabaja para construir un matrimonio feliz con la mamá de una adolescente ayuda a reducir la ansiedad sexual. "A medida que maduran, las niñas comienzan a considerar que un buen matrimonio en una familia reconstituida es como una póliza de seguro sexual. La adolescente piensa que mientras más cerca el padrastro esté de su mamá, menos probables serán sus insinuaciones reales o imaginarias hacia ella. Una vez que desaparece la amenaza sexual, la adolescente suele mostrarse más abierta y franca"[3].

Un ambiente cargado de sexualidad

Además de esperar tener intimidad, las familias reconstituidas viven en un ambiente cargado de sexualidad. Hay una serie de razones que explican esto. Primero, los hijos ven que sus padres atraviesan por un período de cortejo y romance. Es probable que hasta los hijos les aconsejen qué tienen que hacer, decir o qué perfume usar en su cita. Además, con frecuencia el niño es testigo del creciente afecto físico y de las caricias que las parejas comparten a medida que el romance se hace más profundo. Un papá relató cómo esto impactó a sus hijos. "Durante el período de cortejo, yo besaba a mi futura esposa en la puerta de la casa antes de despedirme. Mi hijo más pequeño asomaba la cabeza y gritaba: "¡Viva, papi!". Los hijos no pueden dejar de percibir las demostraciones románticas ni de escuchar las conversaciones sobre a dónde irán a pasar la luna de miel. Y por si fuera poco, en el banquete de bodas el tío Rogelio les regala en broma "Las mil y una noches de erotismo".

Sin embargo, el romance no termina ahí. Lo que sucede después de la boda explica el segundo motivo. El primer año de casados normalmente está bañado de insinuaciones románticas y abrazos cariñosos en el sofá antes de ir a la cama. Todo esto transmite un mensaje: "el sexo está vivo en esta casa".

Roberto recuerda: "Cuando mi esposa y yo nos casamos, una mañana mi hijastra entró al dormitorio y dijo: "¿Qué está haciendo él aquí? ¿Y dónde está tu pijama, mamá?". Consuelo cuenta que sus cinco hijos e hijastros veían que su esposo y ella se besaban mucho durante el primer año de casados. A una de sus hijas la situación la ponía incómoda y siempre trataba de separarlos. La hija de él, por el otro lado, decía "Ooolala", mientras los varones se reían de "sus besos con la lengua". Si bien estos ejemplos son vergonzosos, por no decir otra cosa, algunos comentarios que hacen los hijos, si no se los sabe manejar, pueden debilitar a la familia.

Poco tiempo después de que Judit se casó con Antonio, Lisa, su hija de nueve años, empezó a entrar de noche a la habitación de su mamá para ver si ellos estaban teniendo relaciones sexuales. En algunas ocasiones, Lisa se sentaba frente a la puerta del dormitorio de ellos para ver si podía escucharlos hacer el amor. La curiosidad de Lisa por los aspectos sexuales del matrimonio de su mamá se despertó cuando Judit empezó a cerrar la puerta de la habitación. Antes de volverse a casar, Judit dejaba la puerta abierta. Sentía que como madre soltera era importante estar a disposición de sus hijos, especialmente durante la noche. Dormía con la puerta abierta para que ellos pudieran entrar en caso de que necesitaran algo. Era su manera de fortalecer a sus hijos después de la muerte de su esposo.

Una vez casada, Judit comenzó a cerrar la puerta para tener un poco de privacidad con su esposo. Sólo parte de ese tiempo era para hacer el amor. Sin embargo, para Lisa era una señal inconfundible de la sexualidad de la pareja, lo que alimentaba la curiosidad de la pequeña. "Entonces, ¿por qué no cerraban la puerta con llave?", podría preguntar alguien. Porque la puerta no tenía cerradura. Todos presten atención. Aquí viene un consejo útil para mejorar su vida sexual: ¡póngale llave a la puerta de su habitación!

En cierta ocasión, Lisa lo logró. Abrió la puerta súbitamente a las dos de la mañana y descubrió que su mamá y su padrastro estaban teniendo relaciones sexuales. Empezó a correr por la casa gritando: "¡Están teniendo relaciones sexuales! ¡Están teniendo relaciones sexuales!". Antonio y Judit estaban avergonzados a más no poder. Y como la vergüenza los había paralizado, no hicieron nada. Simplemente no pudieron hablar con Lisa acerca de esto. Después de aquella noche, cada vez que cerraban la puerta, aunque fuera por razones que nada tenían que ver con el sexo, Lisa más tarde los acusaba de irse al cuarto "sólo porque quieren tener relaciones sexuales". La vergüenza de la pareja creció y comenzaron a realizar ajustes en su matrimonio para evitar que una niña de nueve años los acusara. Pronto Lisa tuvo más control sobre la intimidad sexual y matrimonial de ellos que el que tenían Antonio o Judit.

La curiosidad es el resultado natural de una buena educación sexual. No podemos echarle la culpa a Lisa por eso. No obstante, la primera vez que ella entró a la habitación de su mamá y los acusó de "sólo querer tener relaciones sexuales", tenían que haber hecho dos cosas. Primero, la pareja tenía que haber puesto llave a la puerta y comenzar a enseñarles a sus hijos a respetar la privacidad del otro. En segundo lugar, Judit podría haber aprovechado esa situación como un trampolín para hablar de la sexualidad. Aunque Judit y Lisa ya hubieran hablado acerca del tema antes, esta era la oportunidad perfecta para hablarles acerca del sexo como un regalo de Dios para las parejas casadas. La satisfacción y la frecuencia de las relaciones de Antonio y Judit son temas que no deben tratarse, pero sí se debe reconocer el regalo de Dios. La participación de Antonio en esta conversación es decisión de la pareja y depende de la relación entre Lisa y él. Aparte de esta primera reacción, Judit tenía que castigar futuras malas conductas, acusaciones o preguntas inadecuadas con respecto a sus prácticas sexuales. "No es asunto tuyo si fuimos a la habitación para tener relaciones sexuales o no. Si quieres hablar sobre el sexo, podemos hacerlo mañana a la noche, pero no quiero escuchar preguntas sobre nuestra intimidad. La próxima vez, quedarás castigada por tres días. Y eso incluye tu clase de gimnasia. Tú elegirás".

La tercera razón para que el ambiente esté cargado de sexualidad en las familias reconstituidas se debe a la sexualidad del adolescente en desarrollo. Vivimos en una sociedad obsesionada con el sexo. Impregna la música, las películas y las conversaciones de todo adolescente promedio. El sexo está en todas partes… incluso dentro del cuerpo de los adolescentes. Los cambios hormonales y corporales también conducen a muchos pensamientos y sentimientos confusos. Es imperioso que a lo largo de su vida los padres le muestren al niño una perspectiva piadosa del sexo (su propósito y promesa). Sin embargo, la orientación que se da en los años de la adolescencia es la más importante. Si desde temprano los padres comienzan a hablar acerca del diseño de Dios para nuestros cuerpos y la sexualidad, las charlas importantes sobre el sexo con los adolescentes confundidos serán más sencillas. Ya sea que parezca simple o complicado, son temas que deben hablarse.

En definitiva, en la familia reconstituida los niños y los adolescentes en particular, están rodeados de una serie de dinámicas que los invitan a pensar en la sexualidad. En las familias biológicas el intercambio sexual entre ellos mismos es un tabú, pero las familias reconstituidas no disfrutan de este tipo de protección. Para compensar esta protección genética natural, las familias reconstituidas necesitan poner controles a la conducta a fin de desanimar la atracción sexual inconsciente e intencionada.

Límites que honran

El objetivo es poner controles (normas que regulen el comportamiento) que enseñen a los miembros de la familia a respetarse unos a otros. Respetar la privacidad y valorar la individualidad de cada uno es una lección importante que todos deben aprender. Aquí tiene unas sugerencias para hacerlo.

Establezca normas que respeten la privacidad. Puede parecer completamente innecesario, pero piense en la posibilidad de tener un código de vestir. Los adolescentes, en particular, pueden no darse cuenta de que su ropa invita a otros a considerarlos de maneras sexuales o verlos como un símbolo de la sexualidad. Las chicas, por ejemplo, que duermen en ropa interior y con una larga camiseta de manga corta pueden sentirse cómodas paseando por la casa con la ropa de dormir. Ellas no están de conscientes de la curiosidad natural que la forma de su cuerpo despierta en los varones[4]. Para ellos es fácil pasar a tener pensamientos sexuales que dejan de ser una mera curiosidad inocente. Si quiere contraatacar esta posibilidad, fije un código de vestir y explique por qué es necesario. Los códigos de vestir válidos para un retiro de jóvenes de la iglesia es un buen parámetro a considerar. Asegúrese de analizar en pareja qué criterio utilizarán. Pónganse de acuerdo y manténgase unidos. Luego, convoquen una reunión familiar e inviten a sus hijos más pequeños y a los adolescentes a que hagan sus aportes y determinen las reglas.

Otras reglas que puede implementar incluyen tocar a la puerta antes de entrar a una habitación y cómo las personas compartirán el uso del baño. Siempre me sorprendió la manera como los niños del programa de televisión *The Brady Bunch* (La familia Brady), aunque eran casi de la misma edad pero no parientes, nunca mostraron vergüenza o tensión sexual en el momento de compartir un solo baño. Una vez más, la versión de la vida de familia que propone Hollywood no se acerca ni poquito a la realidad. Ayude a sus hijos a elaborar un régimen cuidadoso que establezca horarios para bañarse y determine con quién se puede compartir el baño.

Estos límites son sobre todo importantes cuando un hermanastro que vive en otro hogar se muda a su casa. Los niños y adolescentes que se conocen hace años, pero que nunca han vivido juntos tiempo completo, necesitan normas de conducta explícitas. Por último, asegúrese de no pasar por alto las señales cuando alguien se sienta incómodo. Si percibe que un niño se aísla o muestra señales de estrés, acérquese a él con calma para investigar qué le pasa. Es preferible que peque de prudente.

Hable con franqueza con sus hijos adolescentes y preadolescentes (por separado) sobre los límites y conductas sexuales saludables. Establecer normas que honren la sexualidad y la privacidad ofrece a los adultos la oportunidad de tratar con los niños y los adolescentes el tema de la sexualidad. Aproveche tales oportunidades para enseñar el propósito por el cual Dios creó el sexo y la protección que ofrecen sus mandamientos. El mensaje que los padres en familias reconstituidas den a sus hijos es el que cualquier padre daría… sólo que se aplica a las personas dentro y fuera del hogar. El mensaje es este: nuestra sexualidad y la de otros es un regalo de Dios que debe cuidarse y honrarse. Una vida sexual saludable entre dos personas que están casadas ayuda a que crezca la relación entre ellos y con Dios. El sexo fuera de los límites que Dios establece deteriora las relaciones y levanta barreras de pecado que nos separan de Dios.

Por desgracia, algunos padres aplican la estrategia del temor para promover la pureza sexual antes del matrimonio. En un intento por alejar a sus hijos de pensamientos y deseos sexuales, los asustan con las consecuencias del sexo antes del matrimonio. Creo que debemos decirles a nuestros niños y adolescentes la verdad con respecto a las consecuencias físicas y emocionales del sexo prematrimonial. No obstante, la táctica del miedo no presenta el sexo como un regalo de Dios que debe honrarse. Se convierte en una maldición que debe evitarse. Cuando los niños llegan a ser adultos y se casan, cuesta cambiarles el mensaje y hacerles ver que el sexo es algo que debe aceptarse y procurarse. Para los padres, es mucho mejor enseñarles que el sexo es algo que debe cuidarse y honrarse. El mandato de Dios de no tener relaciones sexuales antes del matrimonio tiene la intención de protegernos del daño y proveer para nuestro deleite sexual en el matrimonio. Podemos enseñarles a nuestros hijos a cuidar el honor entre ellos para que el regalo de la sexualidad pueda disfrutarse más tarde en el contexto del matrimonio.

Hable de la atracción sexual de manera pragmática. Las charlas sanas y sinceras que tratan sobre las verdades sexuales de la vida hacen que para los niños sea algo normal. Por ejemplo, explicarle a una preadolescente lo que es la menstruación o hablar con un varón sobre las emisiones nocturnas antes de que estas sucedan los prepara para estas experiencias. Es importante prepararlos y mostrarles que es algo normal porque, además de enseñarles la higiene adecuada, hace que el niño entienda la perspectiva de Dios en el asunto. "¡Te estás convirtiendo en una mujer!" o "No tiene que darte vergüenza el tener sueños sexuales que resulten en la eyaculación, ni tampoco debes pensar que es un pecado".

De la misma manera, reconocer que puede existir la atracción sexual entre los hermanastros les enseña que es algo normal. Esto no quiere decir que se les va a dar permiso, sino que les enseñará el punto de vista correcto. Otra alternativa es quedarse callado y dejar que el niño determine el significado de tal atracción (no es una buena idea) o hacerle comentarios negativos que avergüencen al niño sin razón ("¿Cómo puedes pensar algo así de ella? Es repugnante").

En su lugar, un padre puede decirle a su hijo algo parecido a esto: "Mira, hijo, cuando hablamos de compartir el baño con tus hermanastras, se me ocurrió que algunos niños dentro de una familia reconstituida como la nuestra a veces tienen pensamientos sexuales pasajeros acerca de sus hermanastras. Si alguna vez te sucede, no significa que eres una mala persona o que estás desilusionando a Dios. Habrá muchos momentos en la vida en que tengas pensamientos o sentimientos sexuales hacia otras personas, pero sería inapropiado que actuaras en base a estos o que sigas pensando en la persona de esa manera. Así que si sucede, pídele a Dios que te ayude a dejar de pensar en tu hermanastra de esa manera. Y asegúrate de no deshonrar a la otra persona comportándote según lo que deseas o lo que piensas. Si los pensamientos persisten y comienzas a preocuparte, ten la libertad de hablar conmigo. No me voy a enojar. Encontraremos la forma de solucionarlo. ¿Tienes alguna pregunta?".

¿QUÉ DICEN LAS ESCRITURAS A LA FAMILIA RECONSTITUIDA?

A través de este libro hemos usado algunos pasajes de las Escrituras que se relacionan con la vida de la familia reconstituida. Dios, por medio de ella, nos presenta sus principios para la familia. Entonces, ¿cómo se aplican a la familia reconstituida los pasajes que hacen referencia a la "familia ideal"? Veamos algunos ejemplos.

> "Corrige a tu hijo, y te dará reposo; él dará satisfacciones a tu alma" (Proverbios 29:17).

> "Y vosotros, padres, no provoquéis a ira a vuestros hijos, sino criadlos en la disciplina y la instrucción del Señor" (Efesios 6:4).

Estos pasajes evidentemente están dirigidos a los padres e hijos biológicos, pero, ¿pueden aplicarse a los hijastros y padrastros? Si un niño ve que hay dos hombres asumiendo la responsabilidad de su desarrollo moral, ¿se confunde? ¿Qué sucede si le enseñan cosas parecidas pero que, a la vez, son diferentes? ¿Qué sucede si el padre biológico no está cumpliendo con su obligación? ¿Significa que el padrastro debe ocupar su lugar?

> "Hijos, obedeced en el Señor a vuestros padres, porque esto es justo. Honra a tu padre y a tu madre (que es el primer mandamiento con promesa), para que te vaya bien y vivas largo tiempo sobre la tierra" (Efesios 6:1-3).

Este mandamiento dirigido a los hijos sienta las bases para la jerarquía en el hogar. El padre y la madre deben guiar a sus hijos, y los hijos deben respetarlos como líderes. Pero, ¿los hijastros tienen la misma obligación? ¿Deben respetar a sus padrastros? ¿En qué sentido el hijastro puede honrar a su padrastro?

Está bastante claro que no tenemos pasajes en las Escrituras orientados específicamente a los padrastros y a los hijastros. Hay muchas historias de las que yo llamo "familias ampliadas", cuyas dinámicas reflejan las de la familia reconstituida de hoy. Sin embargo, no encontramos que Dios dé directivas a los padrastros o hijastros con respecto a la relación que deben tener entre ellos.

No obstante, sugeriría que *en principio, todas las Escrituras pueden aplicarse a los miembros de la familia reconstituida y a las relaciones entre ellos, así como se aplican a la gente de todas las culturas, razas y estructuras familiares. Sin embargo, el proceso puede ser diferente.* Consideremos dos ejemplos.

"Y vosotros, padres, no provoquéis a ira a vuestros hijos, sino criadlos en la disciplina y la instrucción del Señor" (Efesios 6:4). Este pasaje ordena a los padres que no hagan enojar a sus hijos. Hacer enojar a alguien significa estropear el humor, desanimar o desalentar. Sabemos que un niño desanimado es más propenso a portarse mal, a no colaborar, a aislarse y a hacer lo contrario. Sin una relación firme, es muy fácil desanimar a los hijos. Toman las críticas como algo personal y se resisten a ser corregidos. Los padrastros necesitan entender que en la primera etapa del desarrollo de la familia reconstituida es mucho más fácil que ellos hagan enojar a sus hijastros debido a la falta de una relación. En todo caso, los padrastros deben tener cuidado de no aumentar la oposición en el niño o hacer que se desanime, porque esto dificulta la corrección espiritual. Es probable que los hijos falten el respeto a un padrastro que pretende tener autoridad solo porque "es el hombre de la casa". También esto disminuye su grado de influencia espiritual.

Además, el hecho de que la Biblia define que el papel del esposo es ser "cabeza de la esposa" (Efesios 5:23) no les da permiso para reclamar algo en beneficio propio. Pablo desafía a los hombres a amar a sus esposas "como también Cristo amó a la iglesia y se entregó a sí mismo por ella" (Efesios 5:25). Eso me suena a sacrificio. ¿Alguna vez Cristo insistió en que se ocuparan de él? ¿Cuándo usó su poder y autoridad en beneficio propio? Nunca. Cristo sirvió a los demás para beneficiarlos. Desinteresadamente buscó llevarlos a una relación con Dios.

Bryan Chapell, en su libro *Each for the Other: Marriage As It's Meant to Be* [El uno para el otro: lo que el matrimonio debe ser] explica que "la autoridad no es el derecho de dar órdenes a los otros en busca del beneficio propio. Es la responsabilidad de velar por el bienestar de la familia. La autoridad bíblica busca el bien de otros y, por lo tanto, actúa según sus intereses. En este sentido, la cabeza del hogar se sacrifica por el bien de su familia y rinde sus deseos a las necesidades de los otros que viven en el hogar"[5]. Los padrastros que insisten en ocupar una posición de autoridad se confunden al pensar que no son capaces de liderar si no tienen la autoridad directa. Sin embargo, el buscar el bien de su esposa y el de los hijos de ella significa que el padrastro gobierna a través de la esposa, especialmente en los primeros años de casados. Esto honra el vínculo existente y asegura que la familia experimente las bendiciones de Dios. Él apoyará el papel de ella, negociará las decisiones en privado y le dará un enfoque espiritual al hogar, todo mientras desarrolla una relación con sus hijastros.

Entonces, ¿cómo deben los padrastros manejar el "corregir" o "instruir" en justicia? ¿Es parte de su trabajo también? ¡Por supuesto que sí! Los padrastros pueden ser maravillosos modelos y maestros espirituales para sus hijastros, y considero que Dios los llama a desempeñar ese papel. Sin embargo, es una pena que no todos los padrastros estén dispuestos a aceptar esta responsabilidad. Nunca olvidaré una llamada telefónica que recibí de una mamá cuyo segundo esposo se negaba a ser una influencia espiritual en la vida de sus dos hijas. Muchos hombres eluden esta responsabilidad por ignorancia, pero este no era su caso. Su esposo era uno de los ancianos de la iglesia, daba cursos sobre enriquecimiento matrimonial y había sido un padre piadoso y maravilloso con sus propios hijos (ahora cada uno tenía su hogar). Después de que su esposa murió de cáncer, volvió a casarse pero no sintió la necesidad de invertir tiempo y energías en sus hijastras, ni tampoco la responsabilidad de ser una buena influencia. Como ya había criado a su familia, no pensó que era responsabilidad suya ser un activo líder espiritual. En lugar de eso, jugaba al golf, vivía para sí y se ocupaba de sus asuntos. ¡Qué manera de desperdiciar una influencia espiritual positiva!

El padrastro necesita entender que el liderazgo espiritual no es un esfuerzo voluntario conveniente… es un llamado de Dios. Cuando entrega su vida a otra mujer al casarse con ella, también está asumiendo el compromiso de cuidar, disciplinar e instruir a sus hijos espiritualmente. No puede escoger sus papeles. Debe aceptar toda la tarea (de otro modo, no se vuelva a casar).

La buena noticia es que la mayoría de los padrastros quieren ser una influencia positiva para sus hijastros (espero que usted sea uno de ellos). Aun así, a medida que desarrolla este papel, debe ejercitar la sabiduría. En otras palabras: la responsabilidad de instruir espiritualmente a sus hijastros es suya, pero el proceso de aplicación será distinto al que utilizan los padres biológicos.

Al principio, por ejemplo, el padrastro se concentra en establecer una relación con sus hijastros (como se vio en el capítulo 7). Con los niños más grandes es posible que pasen meses para que se gane el derecho de enseñar verbalmente las verdades de Dios. Hasta ese momento, enséñeles con su ejemplo, llevando una vida a semejanza de Cristo. Muestre que es un hombre de Dios en palabra, hechos y, especialmente, en su trato con el padre biológico de su hijastro. Todo esto contribuye a formar un lazo respetable con sus hijastros (y esposa) y fortalece su grado de influencia espiritual.

Un padrastro sabio también muestra a Cristo cuando influye en la mamá de ellos (su esposa). Puede causar un impacto muy fuerte en sus hijastros si trabaja con su esposa tras bastidores para cultivar la expectativa de un hogar piadoso, normas que honren a Dios y la participación en un cuerpo de creyentes. Algunas formas de gobernar a la familia con ternura mientras las relaciones crecen son: guiarlos en oración, dirigir un tiempo espiritual en familia (meditación, cantar canciones de adoración, contar la forma en que Dios obra en su vida) y leer pasajes de las Escrituras en el desayuno.

Por último, déjeme recordarle a usted, padrastro, que los cristianos obedecemos a Dios porque confiamos en que en definitiva él quiere lo mejor para nosotros. Por ejemplo: Dios no declara que el sexo fuera del matrimonio es un pecado porque no quiere que nos divirtamos. Lo hace porque el sexo que se practica dentro de una relación pactada como lo es el matrimonio trae satisfacción y protege del dolor. Asimismo, su primer deber como padrastro es ganarse la confianza de sus hijastros para que ellos nunca encuentren la ocasión de cuestionar sus intenciones. Necesitan confiar en todo momento en que quiere lo mejor para ellos. De otra manera, su influencia, en el mejor de los casos, será mediocre. Pero una vez que desarrolle la confianza, podrá ser de gran influencia espiritual.

"Hijos, obedeced en el Señor a vuestros padres, porque esto es justo. Honra a tu padre y a tu madre (que es el primer mandamiento con promesa), para que te vaya bien y vivas largo tiempo sobre la tierra" (Efesios 6:1-3). Este pasaje revela que los hijos deben respetar a los padres y honrarlos mediante la obediencia. Para muchos hijastros, esto no es un problema. A otros les será difícil debido a los conflictos de lealtad o porque sienten que le están quitando la posición de autoridad a su papá biológico.

Es útil preparar al niño mentalmente para que honre a su padrastro. El padre puede sugerirle a sus hijos lo siguiente: "Honra a tu madrastra como honrarías a una profesora o a una anciana de la iglesia. No es tu mamá, pero se merece el mismo respeto que la directora de la escuela". Además, puede enseñarles a sus hijos que Dios espera que los hijos muestren respeto a todos los adultos. "Ante las canas te pondrás de pie. Darás honor al anciano y tendrás temor de tu Dios. Yo, el Señor" (Levítico 19:32). "Corona de honra son las canas; en el camino de la justicia se encuentra" (Proverbios 16:31). Dios espera que la gente respete a los mayores. Creo que puede enseñarles a sus hijos a honrar a sus padrastros tal como lo haría con cualquier persona mayor. Esto confirma el lugar que ocupa el otro padre biológico y ayuda a crear la expectativa de obediencia en el hogar.

Las Escrituras son una fuente inagotable de sabiduría para la familia reconstituida. Muchas veces requiere paciencia y la ayuda de otros para saber cuál es la mejor forma de aplicarla en el hogar. No obstante, hay muchos pasajes que hablan del amor, del afecto, de la comunicación y del papel del marido y de la mujer, que están esperándole para bendecirle. Recurra a la Palabra de Dios para formar una familia sólida. Muéstrese abierto a recibir la profundidad de la sabiduría de Dios y su providencia para su vida. Permanezca en la Palabra. Practíquela con su pareja. Practíquela con su familia. Haga que sea el manual de instrucciones de su vida.

LA FORMACIÓN ESPIRITUAL DE LOS HIJOS EN LA FAMILIA RECONSTITUIDA

Fue una pregunta sincera que no sabía cómo responder. Carla me dijo: "Mis hijos han pasado por muchos momentos difíciles. Fueron testigos del enojo y de la manipulación, de peleas entre su papá y yo. Fueron seis duros años viviendo con una madre soltera pobre y ahora atraviesan una etapa difícil de cambios con sus tres hermanastros. ¿Cómo afectará todo esto el crecimiento espiritual de ellos?" . Sinceramente, no sé. En realidad, nadie lo sabe.

Sin duda que la pérdida de una familia intacta debido a la muerte de alguno de los padres o a causa del divorcio tendrá un impacto importante en la formación espiritual del niño. Por desgracia, no se han hecho muchas investigaciones en cuanto al impacto positivo o negativo. No podemos afirmar nada con seguridad. Es probable que las pruebas lleven a que muchos niños crezcan espiritualmente, como lo hicieron muchas personas en la Biblia que experimentaron un crecimiento espiritual espontáneo como consecuencia de las penalidades que sufrieron. En 2 Corintios 1:8-11 el apóstol Pablo señala que las pruebas lo llevaron a confiar más en Dios. Para algunos niños y para algunos adultos, el dolor y la pérdida son un medio para confiar más en el Señor. Sin embargo, los padres necesitan enfrentar el hecho de que, si bien es posible que haya resultados positivos, el impacto en muchos niños será perjudicial.

Familia y fe

El plan de Dios para darse a conocer a los niños siempre ha estado centrado en la familia. El Salmo 78:1-8 (NVI) capta la esencia de ese plan:

Pueblo mío, atiende a mi enseñanza;
presta oído a las palabras de mi boca.
Mis labios pronunciarán parábolas
y evocarán misterios de antaño,
cosas que hemos oído y conocido,
y que nuestros padres nos han contado.
No las esconderemos de sus descendientes;
hablaremos a la generación venidera
del poder del Señor, de sus proezas,
y de las maravillas que ha realizado.
Él promulgó un decreto para Jacob,
dictó una ley para Israel;
ordenó a nuestros antepasados
enseñarlos a sus descendientes,
para que los conocieran las generaciones venideras
y los hijos que habrían de nacer,
que a su vez los enseñarían a sus hijos.
Así ellos pondrían su confianza en Dios
y no se olvidarían de sus proezas,
sino que cumplirían sus mandamientos.
Así no serían como sus antepasados:
generación obstinada y rebelde,
gente de corazón fluctuante,
cuyo espíritu no se mantuvo fiel a Dios.

Los niños llegan a conocer a Dios cuando las historias de las personas que viven a su alrededor destacan el amor y las obras poderosas de él. Y son sus padres quienes tienen la responsabilidad de contarles a sus hijos las historias de Dios. Pueden hacerlo de tres maneras.

Cuente la historia bíblica de la obra de Dios en el mundo y el sacrificio de Jesucristo. Los padres y los padrastros deben ser diligentes en imprimir los mandamientos de Dios en sus hijos. En Deuteronomio 6:7-9, Moisés le enseñó al pueblo a meditar en los mandamientos de Dios durante todo el ritmo natural de la vida cotidiana. Cuando lleve a sus hijos a la escuela, dirija un equipo de fútbol o tome decisiones con respecto al dinero, cuénteles a sus hijos la influencia que tiene su relación con Dios en lo que piensa y hace. El objetivo es enseñarles que piensen en Dios casi naturalmente en los pequeños y grandes momentos de la vida.

Cuente sus historias de fe. También se cuenta la historia de Dios a los hijos cuando los padres y padrastros relatan sus experiencias, incluso sus altibajos y los momentos de abundancia y sequía. La mayoría de los adultos nunca les han contado a sus hijos, durante el curso de sus vidas, cómo conocieron al Señor, ni tampoco quiénes fueron las personas clave que fortalecieron su convicción y su conocimiento de Dios. Esta es una de las historias más importantes que los padres pueden relatar porque extiende la obra de Dios hasta nuestros días... incluso hasta la misma herencia del niño. Contarles acerca de las derrotas o los días oscuros de su andar espiritual también puede ser útil. En lugar de mostrarles a sus hijos o hijastros que fue débil (como mucha gente teme) significa revelarles la eterna misericordia de Dios. También descubre las imperfecciones de nuestra fe y transmite el valor de "volver al Señor". Para que me entienda: cuando habla acerca de su historia de fe, está añadiendo color al blanco y negro de la Biblia.

Hace poco, a unos amigos nuestros les fue difícil abrirse a la dirección de Dios cuando un compromiso militar los alejaría de sus familiares consanguíneos a un lugar desconocido del país. Se resistían ante lo inevitable, pero en el momento en que la respuesta a sus oraciones (de no tener que ser trasladados) fue "No", Gregorio y Luisa finalmente encontraron paz en la sumisión y la obediencia ciega. Como sus dos hijas eran muy pequeñas para comprender la importancia de la prueba, les aconsejé escribirles una carta relatando la experiencia... una carta que las niñas leerían en la adolescencia cuando pudieran comprender el testimonio de la fe de sus padres. Por medio de esta carta, una experiencia de vida actual y natural más tarde se convertiría en un motivo de aprendizaje.

Viva su fe. Contar a los hijos historias de Dios implica que los padres vivan una vida de fe inconfundible delante de sus hijos. Dar el ejemplo de un andar fiel es la historia más importante que los padres pueden "contar" a sus hijos. Hace algunos años alguien me mostró parte de un poema que refleja la importancia de un ejemplo de vida.

> Prefiero mil veces ver un sermón que escucharlo.
> Prefiero que alguien camine a mi lado a que sólo me muestre el camino.
> Mejor aprendiz es la vista y más dispuesta que un oído.
> Un buen consejo es confuso, pero un ejemplo siempre es claro.
>
> –Edgar A. Guest (1881-1959)

La vida es una historia. Si la historia de su vida no gira alrededor de una relación con Cristo, sus hijos verán la Escuela Dominical y la meditación familiar como lindas experiencias, pero nada que tenga un verdadero sentido eterno. Para que la verdad cobre vida, debe ser vivida delante de nuestros hijos. De otra manera, la verdad se convierte en un concepto más en un mundo lleno de filosofías alternas.

Padres, relaten una historia específica acerca de Dios. Me di cuenta hace años que, como padre, tengo una enorme responsabilidad: ser la primera impresión positiva que mis hijos tengan de Dios. Generalmente los niños forman su primera imagen del Padre celestial basándose en su experiencia con su padre terrenal. Tal como Dios creó al hombre a su imagen y semejanza, los hombres (nosotros, los papás) "creamos" a Dios a nuestra imagen[6]. Si es un padre distante y que nunca está disponible, a sus hijos les puede resultar difícil percibir la presencia de Dios o confiar en su obra en sus vidas. Si usted estalla en ira cuando sus hijos cometen errores, imagínese de quién huirán después de caer en pecado. Si es duro y severo, fácilmente Dios se convertirá en alguien a quien deben temer y a quien no deben acercarse. Considere la siguiente declaración de Martín Lutero: "Me cuesta orar el Padrenuestro porque cada vez que digo 'Padre nuestro', me acuerdo de mi papá, un hombre duro, inflexible e implacable. No puedo dejar de pensar en Dios como alguien así". Su influencia y comportamiento como padre son factores críticos en el desarrollo espiritual de los hijos. Algunos padrastros también llegarán a tener esta influencia sobre sus hijastros, en especial los padrastros de hijos pequeños que se convierten en la segunda imagen palpable de Dios. Ya que sus hijastros tienen un padre biológico, que también está creando una imagen de Dios, nunca puede estar seguro de hasta qué punto ellos están "prestando atención" a su conducta. Su deber es, entonces, vivir como si fuera el único ejemplo que ellos tendrán.

¿Alguna vez seremos el papá perfecto? Yo sé que no lo soy. (Pido perdón a mis hijos mucho más seguido de lo que me gustaría). No obstante, el desafío es darles a nuestros hijos un bocado de lo que Dios es... un bocado que despierte el apetito espiritual. Somos embajadores de Dios, no solo de su mensaje, sino también de su imagen. Tenemos la oportunidad de presentarles un Padre celestial que se estremece cuando está con sus hijos y que anhela pasar tiempo con ellos. Esta clase de introducción a Dios viene primordialmente mediante la historia de nuestra vida. Papá y padrastro, ¿cuál es la historia que están leyendo sus hijos en su vida?

Las familias también tienen una historia de vida. Puede caracterizarse por la fidelidad o el egoísmo, el sacrificio o el instinto de conservación, la calidez o la frialdad, la seguridad o la inseguridad, el amor incondicional o el rechazo condicional. Todos estos ingredientes se combinan para crear una cultura que inspire o frene una relación espiritual con Dios. Si la experiencia de familia de un niño la determina el caos, donde los padres no se hacen cargo de los hijos y en la que los hijos tienen pocos límites y aprenden la autocomplacencia, ¿por qué sería atractivo el camino arduo y angosto del discipulado? Si la familia es abusiva o negligente, es fácil enojarse con Dios, quien, según el niño, parece haberlo abandonado. Por otro lado, ¿no sería más probable que un niño que experimente amor, límites y estabilidad en su hogar encuentre una relación con Cristo? ¿Qué sucede si un niño percibe amor entre los cónyuges? ¿No aumentaría las posibilidades de crecimiento espiritual? Un cuerpo de investigadores descubrió que los adolescentes que tienen padres felizmente casados eran quince veces más propensos a tomar en serio los asuntos de Dios que aquellos cuyos padres eran infelices en su matrimonio[7]. Entonces, ¿qué sucede con los niños cuyos padres se divorcian y se vuelven a casar?

La formación de la fe y el divorcio

A principios de este milenio los investigadores iniciaron un debate amistoso sobre el impacto que el divorcio causa a largo plazo en los hijos. Muchas de las conclusiones se basan en el bienestar de ellos, a corto y a largo plazo. Desafortunadamente, el bienestar por lo general se limita a aspectos como el rendimiento escolar, la delincuencia juvenil, aptitudes vocacionales y perturbaciones emocionales o problemas de adicción. Pero, ¿qué sucede con la conducta moral?

Mavis Hetherington, una investigadora de renombre, llegó a la conclusión de que sólo el 20% de los niños de hogares donde hubo divorcio sufren problemas emocionales, psicológicos y de comportamiento después del divorcio. Sin embargo, ella reconoció lo que yo llamo "un fuerte impacto en la conducta moral"[8]. Cuando fueron comparados con sus padres, quienes en su mayoría fueron criados nada menos que en la década de 1960, los hijos resultaron ser más materialistas y autocomplacientes. Hetherington cita ejemplos específicos relacionados con el sexo, la cohabitación y el tener hijos: Mientras que sólo el 10% de los padres era sexualmente activo a los quince años, la mitad de los hijos de padres divorciados lo era a la misma edad. Menos del 5% de los padres vivieron juntos antes de casarse, pero el 50% de los hijos lo había practicado. El 20% de los padres decía que la convivencia era buena antes del matrimonio, mientras que el 80% de los hijos lo aprobaba. Finalmente, observó que casi el 20% de los hijos de familias divorciadas tenían hijos fuera del matrimonio y que el 58% había tenido un aborto[9].

Sin duda los desafíos que trae el divorcio y la adaptación a una nueva familia repercuten en el comportamiento y en las decisiones espirituales de los niños y jóvenes, lo que, a su vez, causa complicadas consecuencias en la espiritualidad del adulto. Además del impacto en la conducta moral, parece también haber un impacto en la comprensión de la narración bíblica y las cuestiones de la fe.

Elizabeth Marquardt ha dirigido numerosas entrevistas con niños de familias divorciadas y descubrió que muchos de ellos no se pueden identificar con personajes clave de las historias bíblicas[10]. Por ejemplo, para un niño que tiene una relación distante con uno de sus padres, el padre de la parábola del hijo pródigo es irreconocible. Peor aún: cuando un padre abandona su fe, los niños experimentan un cambio de roles en el que el padre es el pródigo y ellos son los que esperan su regreso. A otros les cuesta guardar el cuarto mandamiento (honrar a su padre y a su madre). Es como si dijeran: "Si no se honraron en el matrimonio, ¿por qué debo honrarlos yo?". No queda duda de que el divorcio de los padres acarrea un sinfín de emociones confusas en su comprensión de Dios, de su Palabra y de las cuestiones de la fe.

Mientras escribo estas palabras estoy muy consciente de lo deprimente que debe ser escuchar esto para usted que ansía criar hijos fieles. También es probable que resuciten el enojo y la culpa por causa de un pasado que no puede cambiar. Sin embargo, no todo está perdido. Recuerde el capítulo 1 y la charla sobre Jehová-Rafa (Dios el sanador). El Creador del universo otra vez puede convertir en agua dulce el agua amarga de la vida. Parte del proceso de sanidad se hace más sencillo cuando su familia actual está fortalecida y usted es un ejemplo del estilo de vida que quiere que sus hijos adopten. Mientras que el proceso de transición entre el divorcio y un segundo matrimonio desbarata las etapas del desarrollo de la fe normativa en los niños, yo creo que la mayoría de las veces una familia reconstituida sólida y estable puede lograr enderezar el camino. Además, debe cultivar intencionalmente en su hogar la cultura de la fe. Haga que Dios sea una realidad en sus hijos e hijastros.

¿Qué sucede si los valores que se les inculcan en su otro hogar chocan con la fe cristiana?

"Quiero que mis dos hijos amen al Señor y tengan una relación con su papá. Sin embargo, cuando pasan tiempo con su papá y su madrastra, están expuestos a un estilo de vida que va en contra de lo que la Biblia enseña. ¿Qué debo hacer? Me siento tentada a desalentarlos a que vayan a la casa de su papá". La pregunta de Judit la he escuchado en repetidas ocasiones a lo largo del país. Los padres cristianos quieren que sus hijos crezcan en la fe. Pero, ¿qué debe hacer cuando el otro hogar está haciendo que la oveja se aleje del Pastor?

Antes de darle algunas sugerencias, déjeme hablar acerca de la tentación que enfrenta Judit de limitar el contacto entre sus hijos y el padre de ellos. Si bien su deseo de proteger la fe de sus hijos es comprensible, no es recomendable convertirse en una barrera entre el padre biológico y sus hijos. Cuando esto sucede, normalmente los hijos comienzan a guardarle rencor al padre que bloquea el acceso al otro padre. Al final, termina debilitando su influencia espiritual. Además, el otro papá se puede sentir engañado y deseoso de vengarse, lo que termina exponiendo a sus hijos a mayores conflictos.

No puede proteger a sus hijos de todas las malas influencias que existen. Debe buscar otras formas de influenciarlos. Enseguida comparto algunas sugerencias.

Primero, admita que no puede controlar lo que se le enseña o demuestra a su hijo en la otra casa. Muchas personas todavía intentan cambiar a sus ex cónyuges, incluso después de años de estar separados. (Si no pudo cambiar a su cónyuge durante el matrimonio, ¿qué le hace pensar que lo hará una vez que están divorciados?). Ceder el control le obliga a dejar que Dios tome el control de lo que no puede cambiar y aprovechar al máximo el tiempo con sus hijos.

Mientras sus hijos estén en su casa, enséñeles a honrar al Señor. Todos los padres necesitan ser ejemplos de un andar cristiano y comunicar a sus hijos los mandamientos de Dios (Deuteronomio 6:4-9). No obstante, también necesita vacunarlos. Las vacunas son inyecciones controladas de un virus. Permiten que el cuerpo desarrolle anticuerpos que combatan un virus vivo en caso de contagios. Las vacunas espirituales son puntos de vista opuestos a la Palabra de Dios que luego exponen los conceptos bíblicos que ayudarán a los niños a enfrentarlos. Por ejemplo, pueden ver y analizar un programa de televisión que glorifique la codicia y luego mostrarles la perspectiva espiritual del dinero y la mayordomía.

Los hijos que tienen un padre que no lleva una vida cristiana necesitan vacunas que los ayuden a manejarse en un ambiente hostil hacia su creciente fe. Es importante, sin embargo, que mantenga una posición neutral con respecto al otro padre. La vacuna no debe ser un ataque personal. Un comentario como: "Tu padre no debe mentirle a su jefe… es tan arrogante" divide la lealtad del niño y su hostilidad se convierte en una carga para ellos. En sentido irónico, también disminuye su grado de influencia cuando se ponen a la defensiva ante su negativismo. Una respuesta más apropiada sería: "Algunas personas creen que está bien mentir cuando tienen una finalidad; pero Dios es verdad y quiere que nosotros seamos sinceros. Decir la verdad como Dios lo hace nos ayuda a entablar y a mantener una relación con él. Hablemos un poco del tema…".

Tal vez tenga que soportar años de una vida pródiga cuando sus hijos prueben los valores que les enseñan en la otra casa. Esta verdad asusta a muchos padres. Los hijos pueden probar el estilo de vida "más fácil" de la otra casa, especialmente durante la adolescencia, cuando deciden si la fe que han recibido (fe heredada) será su propia fe (fe asimilada)[11]. Exhórtelos con amor hacia el Señor (sin alejarlos del otro padre) y esté disponible cuando ellos vuelvan arrepentidos.

Ore todos los días pidiendo fuerzas para caminar en la luz, y para presentar a sus hijos a Jesús en cada oportunidad. Su ejemplo es un puente poderoso para llevarlos a hacer un compromiso personal con Cristo. Haga todo lo que pueda para "criarlos en la disciplina y la instrucción del Señor" (Efesios 6:4).

Preguntas para discusión en el grupo de apoyo

PARA TODAS LAS PAREJAS

1. ¿Qué límites han puesto para disuadir la atracción sexual no saludable? ¿Cuáles necesita agregar?
2. ¿Qué aspectos de una sexualidad saludable han conversado con sus hijos?
3. ¿Cuánto tiempo dedican a leer la Biblia y a adquirir sabiduría para el hogar? Oren juntos y pídanle a Dios que su amor se haga realidad en sus vidas.
4. ¿Qué temores tiene relacionados con la formación espiritual de sus hijos?
5. De las tácticas que se sugieren en este capítulo para instruirlos en la fe, ¿cuáles no está practicando bien?
6. ¿El andar de ustedes respalda sus palabras?

7. ¿Qué diferencias hay entre los valores espirituales de los dos hogares de sus hijos? ¿Qué están haciendo para vacunarlos contra los mensajes no cristianos?

PARA PAREJAS QUE ESTÁN CONSIDERANDO VOLVERSE A CASAR

1. Analicen el impacto que puede tener la sexualidad en la familia y los límites que adoptarán.
2. Antes de casarse, creo que es muy importante que las parejas consideren seriamente la dirección bíblica para un segundo matrimonio. Los animo a coordinar una reunión con el pastor para hablar del tema.
3. Analicen los papeles que Dios planeó para el marido y la mujer dentro del matrimonio. ¿Qué significa para el esposo, en términos prácticos, ser la cabeza o el siervo líder del hogar? (Efesios 5:21-33). ¿Qué significa para la mujer amar al esposo y a los hijos? (Tito 2:4, 5).
4. Conversen sobre las expectativas que tienen el uno para el otro en cuanto a la formación espiritual de los hijos.
5. Comience a hacer que la oración y los comentarios informales y espontáneos acerca del lugar que Dios ocupa en su vida sean una práctica común en la familia. Desarrolle una estrategia para su formación espiritual personal y la de sus hijos.

CAPÍTULO DIEZ

Séptimo paso inteligente: **Siga adelante**

Rumbo a la tierra prometida: Historias de personas que lo están logrando

"Aconteció después de la muerte de Moisés... que el SEÑOR habló a Josué..., diciendo: 'Mi siervo Moisés ha muerto. Ahora, levántate, pasa el Jordán tú con todo este pueblo, a la tierra que yo doy a los hijos de Israel... como lo había prometido a Moisés... Esfuérzate y sé valiente, porque tú harás que este pueblo tome posesión de la tierra que juré a sus padres que les daría. Solamente esfuérzate y sé muy valiente, para cuidar de cumplir toda la ley que mi siervo Moisés te mandó. No te apartes de ella ni a la derecha ni a la izquierda, para que tengas éxito en todo lo que emprendas'" (Josué 1:1-3, 6, 7).

¿Hay esperanza para el que está cansado? Sí.

Como los israelitas fueron infieles, Dios les prohibió durante cuarenta años entrar a la tierra prometida. Podrían haber llegado en pocas semanas. Después de vagar tantos años por el desierto, seguramente estaban cansados. Cuando finalmente estuvieron a punto de entrar al lugar de destino, la recompensa por haber acabado el viaje estaba delante de ellos. Lo único que tenían que hacer era cruzar el Jordán y reclamar la tierra que Dios les había prometido.

Sin embargo, Dios se daba cuenta de que necesitaban una palabra final de aliento. Moisés, un líder a toda prueba, había muerto y el liderazgo había pasado a manos de Josué. Y una vez que cruzaran el Jordán rumbo a la tierra prometida, les aguardaban feroces batallas mientras reclamaban la tierra. Josué y el pueblo necesitaban un impulso de valor y el Señor lo dio: "No temas ni desmayes, porque el SEÑOR tu Dios estará contigo dondequiera que vayas" (Josué 1:9).

Para la mayoría de las familias reconstituidas, el viaje hacia la tierra prometida está bañado de incertidumbres y dilemas frustrantes. Aun así, muchos han logrado más que sobrevivir. Han aprendido a prosperar con lo que produce su olla de cocción lenta. Es raro que una familia reconstituida termine siendo lo que cada cocinero soñó que sería. No obstante, para aquellos que se mantienen abiertos a las relaciones que se desarrollan, con todas sus imperfecciones, la nueva familia puede ser una experiencia agradable y satisfactoria.

Quizás usted esté a punto de entrar a su tierra prometida y no lo sepa. Un río más, unas batallas más y la recompensa será suya. No obstante, necesita algunas palabras finales de aliento.

Este capítulo cuenta las historias de algunos que, de una u otra manera, están saboreando los frutos de la tierra prometida. Algunos relatos están escritos desde el punto de vista de uno de los miembros de la familia y otros los narro yo. Verá que experimentar las recompensas de la tierra prometida no significa que haya terminado la tarea. La vida familiar presenta desafíos desde la cuna hasta la sepultura. Aun así, el alcanzar un cierto grado de integración sí crea un espíritu de unidad y amor que hace que sea más fácil vivir algunas circunstancias. Espero que estas historias le inspiren y le animen. No son personas perfectas, sólo sus compañeros de viaje.

Si después de leer estas historias le gustaría alentar a otros, puede contarnos por medio de Internet cómo ha sido su experiencia rumbo a la tierra prometida. Visite *www.SuccessfulStepfamilies.com* y haga clic en *Promised Land Stepfamilies* [Una tierra prometida para las familias reconstituidas] y escriba su historia (puede ser anónima, si así lo prefiere). La leerán miles de personas que buscan esperanza e inspiración.

"No es exactamente lo que yo planeaba, pero la vida ha sido buena conmigo"

BARRY: *Las cosas no sucedieron como yo las planeé. Nunca pensé en trabajar en una escuela pública como maestro ni tampoco ser padrastro. Las dos cosas sucedieron y no las cambiaría por nada en el mundo. Durante años oré por encontrar algún día la mujer indicada y Dios, en su gracia, respondió a mi oración de una manera que excedió mis expectativas. Hace diecisiete años me casé con Lisa (cuando tenía treinta y cuatro años) por todos los motivos correctos. Éramos muy buenos amigos y aquella relación floreció en la clase de amor que contribuye a un matrimonio sólido. El compromiso que teníamos el uno con el otro se basaba totalmente en nuestro compromiso con Dios. Nuestro objetivo fue, desde un principio, que él ocuparía el primer lugar.*

Lisa tenía dos hijos: Kevin, de trece años y Haley, de cinco. Hacía tres años que Lisa se había divorciado y, como era de esperar, a Kevin no le emocionaba del todo el "tipo" que se casaría con su mamá. Haley estaba entusiasmada y un día antes de la boda me dijo que ella me llamaría papá. Eso me puso un poco más que incómodo, ya que su verdadero papá vivía a unos treinta kilómetros.

Pensamos que era una buena idea permitir que los niños participaran en la boda: Kevin sería el padrino de boda y Haley llevaría las flores. Salió bastante bien, pero no estoy totalmente seguro de que haya sido bueno para Kevin. Era evidente que le agradaba, pero también era evidente el miedo que tenía de serle desleal a su papá.

Tal vez nuestra situación sea única: el padre de los niños pareció cederme su rol de papá en los años que siguieron. Se hizo cargo de la cuota alimenticia (con regateos ocasionales) pero a medida que pasaba el tiempo perdió el contacto con los niños. Al principio, Kevin pasaba varios fines de semana con él, pero Haley casi nunca lo hizo. La frecuencia de las visitas disminuyó. Finalmente el padre se mudó a otro lugar. Ha sido muy difícil, en ocasiones, reservar mi opinión, pero creo que tanto Lisa como yo hemos logrado no criticar al padre de los niños y de este modo, aumentar sus sentimientos de deslealtad. Si bien su conducta facilitó mi tarea, siempre sentí pena por él. Se perdió de conocer a dos personas maravillosas.

Habría sido útil haber recibido algún tipo de capacitación en el arte de ser padrastro. Como muchos, yo estaba improvisando. Parecía razonable que no pudiera convertirme al instante en un verdadero padre. Era evidente que fácilmente tendríamos problemas si intentaba ser el primero en imponer disciplina, en especial con Kevin. Lisa cumplió muy bien ese papel hasta que los niños y yo tuvimos una buena relación. No me acuerdo bien cuánto tiempo pasó hasta lograrlo, aunque, sin duda, con Kevin llevó más tiempo que con Haley. Creo que pasaron cuatro o cinco años antes de que se sintiera cómodo conmigo. La vida de una familia reconstituida no está libre de complicaciones. Mencione cualquier mala decisión que un adolescente pueda tomar. Nuestros hijos las tomaron. Los dolores de cabeza que estas decisiones dan verdaderamente pueden poner a prueba la fe y el equilibrio emocional de los padres. Sospecho que el dolor es el mismo para el padrastro que para el padre biológico. Es fácil ver cómo la presión puede incluso llevar al límite a un buen matrimonio. Lisa y yo nos apoyamos el uno en el otro y en nuestra fe para superarlos. Hubo momentos en que habría sido bueno recibir un consejo de otra persona. Sin embargo, no sabía de ningún grupo de apoyo para padrastros y en aquel entonces tampoco había uno en nuestra iglesia. La mayoría de nuestros amigos no podía relacionarse con los problemas y la complejidad innata de una familia reconstituida, porque vivían en familias nucleares tradicionales. Dependíamos del poder de la oración para sobrevivir (muchas veces parece una especie de supervivencia).

Hasta ahora hemos sobrevivido. Quizás podemos decir que hemos prevalecido. Kevin y Haley (ahora de treinta y vein-

tidós años), innegablemente, han crecido. Kevin está casado y tiene dos hermosos hijos; él está listo para enfrentar la paternidad. Haley tiene una hija pequeña. Sabemos que como mamá soltera, lo suyo será una batalla cuesta arriba, pero creemos que en el último año ella ha madurado muchísimo y se ha vuelto en la dirección correcta para buscar ayuda.

Cuando los hijos pasan los veintiún años la tarea de ser padres no termina. Los problemas y los dolores del alma siguen. No estoy seguro si Kevin o Haley han logrado llegar a algún tipo de resolución con respecto a su padre biológico. Él se mantiene en contacto hasta cierto punto, pero los dos hijos guardan mucha ira y mucho resentimiento. A Lisa y a mí nos gustaría ayudarlos, pero no sabemos cómo.

A pesar de los problemas, ser un padrastro ha sido una experiencia que me ha hecho crecer en mi fe. Lisa y yo nos damos cuenta de que no podríamos haber sobrevivido sin la ayuda directa de Dios. Saber que el Señor ayuda en cada aspecto práctico y cotidiano hace maravillas para la fe.

Es muy gratificante saber que se puede tener una buena relación adulta con un hijastro. Kevin y yo somos amigos. Les hace saber a sus hijos que yo soy "papá". Antes mencioné que Haley comenzó a llamarme papá desde antes de la boda y me emociona que no haya roto su promesa hasta el día de hoy. Nunca ha dicho o insinuado que no soy su verdadero papá. La vida no fue como yo planeaba, pero ha sido buena conmigo.

"Dios nos dio grandes lecciones"

CINDY RAYMOND: *Hace once años crucé las puertas de esta iglesia para asistir a un seminario para personas que necesitaban recuperarse de un divorcio. Después de un año de ir de una iglesia a otra, Dios hizo que la Segunda Iglesia Bautista se convirtiera en un hogar para mis hijos y para mí. Dios utilizó los siguientes cinco años para enseñarme de su amor y fidelidad, su plan y provisión y, por sobre todas las cosas, su perdón y sanidad.*

Mi esposo llegó a la iglesia en condiciones similares. Después de un año de vivir como papá soltero, sus hijas se fueron a vivir con él definitivamente. En su búsqueda de darles a sus hijas algo más, también hizo a la Segunda Iglesia Bautista su hogar.

Como Dios lo había planeado, nos conocimos en una boda. Varias semanas después nos encontramos un miércoles en una reunión. Mientras más tiempo pasábamos juntos, encontrábamos que teníamos mucho en común. Los dos habíamos estado casados y divorciados aproximadamente la misma cantidad de tiempo. Los dos queríamos algo distinto para nosotros y para nuestros hijos. Los dos queríamos que nuestros hijos crecieran en un hogar cristiano. Los dos queríamos dar un buen ejemplo durante nuestro noviazgo. Ambos estábamos plenamente conscientes de querer hacer las cosas a la manera de Dios. Teníamos una segunda oportunidad y las piezas encajaban.

Yo tengo dos hijos. Él tiene dos hijas. No éramos la familia Brady Bunch, pero eso se debió a que no teníamos a una Alice. Rodeados de familiares y amigos, nos casamos en diciembre con nuestros hijos a nuestro lado. No nos estábamos casando sólo como pareja. Nos estábamos casando como familia. Todos tomamos los votos. Al partir para disfrutar de nuestra corta luna de miel, estábamos llenos de esperanzas y ansiosos por comenzar juntos este nuevo viaje.

Cuando festejamos nuestra primera Navidad, una vida nueva y un año nuevo, la frágil estabilidad de nuestra nueva familia comenzó a tambalearse. Una mañana nos despertamos como Dorothy y Toto, dándonos cuenta de que ya no estábamos en Kansas. Supuse (grave error: en una familia reconstituida, nunca supongas nada) que la relación entre nosotros y entre nuestros hijos mejoraría una vez que dijéramos "Sí, acepto". Sin embargo, tres semanas después de la boda, la hija mayor de mi esposo decidió irse de casa y mudarse con su mamá.

Nadie nos había preparado para las tormentas que nos esperaban después de aquella decisión. Sabíamos que estábamos en la voluntad de Dios, pero no estábamos bien preparados para enfrentar los desafíos que vendrían. Algunos eran extremos, pero otros son los que toda familia reconstituida enfrenta. Tuvimos que hacerles frente a las visitas de los fines de semana, a las tradiciones de días festivos que cambiaban constantemente, a los hogares de familiares con valores morales diferentes y a las promesas rotas de los ex cónyuges. Tuvimos que enfrentar visitas a la sala de emergencias de viejos y nuevos familiares, tres citas a la corte para modificar asuntos relacionados con la custodia, llamadas del consejero escolar y la familia que quería apoyarnos pero que no tenía idea de cómo hacerlo. Hubo semanas en que nos sentimos desanimados y derrotados. Conocíamos el plan de Dios para la familia... pero, ¿cómo encajaba ese diseño en la estructura de una familia reconstituida?

Nuestras expectativas no se cumplían. La relación marido-mujer recibía una paliza cada vez que surgía una nueva crisis. Tratar de poner a Dios en primer lugar y nuestra relación en segundo lugar se convirtió en una lucha de todos los días. La tensión de defender a nuestros hijos hizo estragos. Tratar de que todo fuera justo e igual era agotador. Había escuchado que la segunda vez el divorcio era más sencillo, así que comencé a pensar: "Sé que pasaré por otro divorcio y luego la vida continuará...". Sin embargo, esta vez habíamos hecho las cosas de otra manera. Habíamos hecho un pacto con Dios, y el divorcio no era una opción. (A veces ese pacto y el fundamento en Cristo era todo lo que teníamos).

En estos últimos seis años, Dios nos ha dado grandes lecciones. Nos ama y quiere que nuestro matrimonio sea exitoso. Él está recompensando nuestros esfuerzos. No lo hicimos solos. Buscamos el buen consejo. Nos rodeamos de amigos cristianos fuertes que nos han desafiado a mantenernos fieles sin importar cuán desalentadora sea una situación. Hemos aprendido a esperar lo inesperado. Estamos aprendiendo acerca de la paciencia, la gracia y el perdón. A veces me pregunto si algún día "armonizaremos". De hecho, todavía tenemos crisis que enfrentar. Este año operaron de la rodilla a uno de nuestros hijos, a mi esposo le diagnosticaron cáncer y nuestro otro hijo se fracturó la pierna. La diferencia es que estamos enfrentando estas situaciones como familia y no como piezas separadas de un todo. Dios nos ha dado la firme determinación para sobrevivir en medio de las adversidades. Y los dos sabemos que hay algo que nunca cambia: nuestro compromiso con Cristo y saber que nuestra esperanza está en él y que él tiene planes para nuestra vida.

"Tenemos problemas para hacer que esta nueva familia funcione"

PERRY, PSICÓLOGO DE FAMILIA: *Siete meses después de que se casaron, Kevin y Jamie decidieron consultar al psicólogo de familia de su congregación. La familia reconstituida recién formada cuyos integrantes eran Jamie, Kevin y sus tres hijas, parecía comenzar bien pero iba rumbo a una predecible frustración. La primera razón por la que Kevin y Jamie buscaron apoyo psicológico fue para mejorar la confianza y la comunicación en su matrimonio y ayudar a que la familia reconstituida se integrara. Pese a la sorprendente iniciativa de ambos, no pasó mucho tiempo hasta que empezaran a salir a la luz algunos problemas típicos de la familia reconstituida.*

Kevin es un carpintero talentoso y trabajador y Jamie es una diseñadora gráfica creativa. Jamie estuvo casada dos veces antes. Kevin solo una vez y tenía tres hijas de trece, doce y nueve años. Las tres niñas visitaban a su mamá dos veces al mes y eran muy leales a ella. Las reglas en la casa de mamá y en la casa de papá eran muy diferentes, y las niñas a menudo se quejaban de que Jamie insistiera tanto en la limpieza. Siempre que podían, mostraban preferencia por su mamá y por sus costumbres. Jamie se tomaba esto como algo muy perso-

nal. Todo esto a ella le resultaba muy difícil porque siempre había querido tener hijos, pero un embarazo ectópico y sus luchas contra la infertilidad le habían impedido tener hijos. Al casarse con Kevin, fantaseaba con tener una relación madre e hija con las niñas. Después de todo, según Kevin, su mamá había sido un mal ejemplo para ellas. Jamie pensaba que era la combinación perfecta: unas niñas que necesitaban una mamá cristiana y una mujer que necesitaba desempeñar el papel de madre. Esta expectativa provocó un conflicto que amenazaría al matrimonio.

Es cierto que Kevin no era experto en tomar decisiones ni en resolver conflictos con su ex esposa. Todo esto, sumado al deseo de que Jamie y sus hijas formaran un lazo íntimo, hizo que Kevin comenzara a pasarle las responsabilidades de las niñas a ella. Incluso dejaba que Jamie negociara con su ex esposa, ya que cada vez que él hablaba con ella, terminaban discutiendo y enojados. Esto, sin embargo, provocó más conflictos entre Jamie y las niñas, a quienes les molestaban sus rígidas estructuras, sus expectativas y su autoridad.

Desde el inicio de la terapia, Kevin y Jamie comprendieron que el proceso de integración no es instantáneo, y comenzaron a lamentarse por la expectativa poco realista de que el amor ocurre en un instante. Aprendieron a segmentar la relación entre ellos para que Kevin pudiera pasar tiempo a solas con sus hijas (Jamie mientras tanto se dedicaba a su pasatiempo, las artesanías, como un factor compensatorio por sentirse excluida). Kevin dio la cara y comenzó a tratar con su ex esposa y sus hijas cara a cara, sacando a Jamie de en medio. Jamie se dio cuenta de que el intentar cumplir el rol de madre solo creaba una barrera entre ella y sus hijastras. Por ejemplo, en lugar de criticarlas abiertamente, aprendió a elogiarlas (y guardar sus críticas para las conversaciones privadas con Kevin). Esto le quitó la carga de pelear con las niñas y minimizó los celos entre Jamie y la ex esposa de Kevin.

A pesar de estos cambios, Kevin y Jamie seguían sintien-

do que la familia "no estaba funcionando como una verdadera familia". Kevin estaba molesto con Jamie porque ella "no quiere a mis hijas como debiera". Jamie criticaba abiertamente a las niñas cuando sentía que la trataban como una extraña. La respuesta de ellas era predecible. "Si dice que somos desordenadas, ¿por qué no comportarnos como tales?". La presión de una relación distante entre madrastra e hijastra estaba haciendo estragos en la familia. Con el tiempo, Jamie llegó a entender que la lealtad que sus hijastras le rendían a su mamá no dejaría espacio para ella (y el hecho de que las criticaba no ayudaba en nada). Jamie necesitaba reducir sus expectativas y dejarlas honrar a su mamá. Para ella, era un paso importante pero implicaba un enorme desafío.

Las luchas que desde temprano enfrentaron como matrimonio giraban principalmente alrededor de la relación triangular entre Kevin, Jamie y sus hijastras. Una vez que aquellas cuestiones empezaron a calmarse, comenzaron a surgir otros conflictos matrimoniales. La pareja se quejaba de que tenían problemas de comunicación y distintas opiniones con respecto a cómo disfrutar de la intimidad y la diversión. Algunos conflictos recurrentes, tales como la división de las tareas del hogar y la interferencia de Jamie en las negociaciones entre Kevin y su ex, no se trataron con mucho éxito. Jamie se mostraba agresiva e insistía en abordar esos temas, mientras que Kevin se retiraba de lo que él consideraba que era una situación que no tenía solución. La distancia resultante solo aportaba al negativismo y la frustración de la pareja. Sin embargo, el tiempo y el esfuerzo de la terapia permitieron que la pareja aprendiera a comunicarse como equipo. Los ciclos negativos de interacción terminaron y los dos comenzaron a tratarse con respeto. El enojo y la frustración fueron canalizados y controlados. Kevin aprendió a escuchar las quejas de Jamie sin defender a sus hijas y aprendió a expresar sus sentimientos. Jamie buscó formas de aceptar su posición fuera del círculo padre e hijas, y también aprendió a tener compasión de sus hijastras. Para los dos disminuyeron los regaños verbales y creció el sentido de compañerismo.

Kevin y Jamie se estaban convirtiendo en una familia reconstituida inteligente. Con mucho esfuerzo habían logrado aceptar sus diferencias como familia reconstituida y estaban aplicando a sus problemas principios comprobados. Mientras tanto, la olla de cocción lenta siguió cocinando y al final la familia pudo comenzar a disfrutar algunas recompensas. El matrimonio de Kevin y Jamie se hizo más fuerte y satisfactorio. Poco a poco se fue desarrollando una relación entre Jamie y sus hijastras hasta llegar a sentir respeto y cariño mutuo.

Sin embargo, el viaje a la tierra prometida no significó el fin de las tensiones. Kevin todavía se frustra al tratar con su ex esposa. A veces Jamie se siente excluida (aunque entiende por qué) y la etapa de la adolescencia en las niñas ha vuelto a encender algunas de las diferencias filosóficas en la crianza de los hijos que Kevin y Jamie habían debatido antes. Así es la vida. El viaje continúa.

"Una obra en progreso"

Shawn tiene una hija de veintiún años. Su primera esposa, Andrea, falleció de cáncer cuando todavía era joven. A los cuarenta y seis, Shawn se casó con una mujer divorciada, madre de dos hijos: Elisa, de quince años, y Bobbie, de once. Si bien la nueva familia parecía haber tenido un comienzo sin contratiempos, no pasó mucho tiempo antes de que comenzaran los roces y la relación entre Shawn y Elisa se volviera bastante conflictiva. El rechazo de Elisa no era del todo personal (muchas veces el rechazo hacia los padrastros tiene más que ver con el pasado que con el presente). No obstante, a Shawn le costaba no sentirse herido cada vez que ella mostraba su rechazo. Luego de mucha oración y consideración, Shawn sintió que era necesario extenderle una mano a Elisa y transmitirle su deseo de entablar una relación con ella.

Su carta dirigida a Elisa ilustra lo que es comprender equilibradamente cómo funciona la vida de una familia reconstituida. Shawn es muy objetivo y comprensivo, y expresa con eficacia su postura en la relación con Elisa. La carta no fue algo mágico que los llevara directo a la tierra prometida. Más bien, representa un esfuerzo intencionado por seguir en la dirección correcta. Observe cómo la perseverancia en acción, la disposición a escuchar y comprender, y la paciencia triunfan en medio de las presiones.

Querida Elisa:

Nunca tuvimos la oportunidad de sentarnos y comentar cómo nos hacía sentir el que yo formara parte de tu casa y viceversa. Como no soy tan bueno con las palabras como tú, en esta carta te contaré parte de lo que pienso y de lo que siento para que puedas comprender un poco más el lugar de donde provengo.

Primero, quiero que sepas que me habría gustado que tu papá y tu mamá estuvieran juntos, y que tú y Bobbie crecieran en una familia normal. Eso es lo que Dios quiere y como se supone que debemos vivir. Sin embargo, esa no es la realidad. La realidad es que cada uno de nosotros debemos vivir juntos y funcionar.

Me gustaría que mi primera esposa, Andrea, estuviera aquí también y que Janice [la hija de Shawn] tuviera a su mamá para disfrutarla y apoyarse en ella. Pero no es ese el caso. Está enterrada en un cementerio en Ohio. Lo que sí es cierto es que a la mamá de Janice le gustaría que ella siguiera con su vida y llegara a ser todo lo que ella puede ser. Con la ayuda de Dios, las circunstancias difíciles pueden ser ocasiones para formar vidas buenas. Dios le ha dado muchos amigos y mamás sustitutas que la ayudan a seguir adelante.

Y yo le doy gracias a Dios por darme una nueva compañera, porque tu mamá se ha vuelto parte de mi vida y porque nos tenemos el uno al otro para apoyarnos, disfrutar y construir una vida nueva. Cuando estamos juntos, somos más fuertes. Y juntos podemos ayudarte mejor a crecer y a realizarte como persona que si tu mamá continuara luchando sola. Creo que ya lo sabes.

Dadas las circunstancias, estas son algunas cosas que quiero para ti.

Quiero que sigas teniendo una relación cariñosa con tu

padre, Gary. Él es tu papá y debes disfrutar lo más que puedas con él. Te ama y ha hecho un buen trabajo en mostrarte su amor por ti. Sé que también tú lo amas.

Quiero que sigas teniendo esa relación especial que veo que tienes con tu mamá. Mi presencia en su vida debe ayudarla a amarte, sostenerte y desarrollarte. No estoy para alejarla de ti.

Quiero que los cuatro (tú, Bobbie, tu mamá y yo) y Janice (cuando esté) compartamos esta linda casa y la vida que nos ha sido dada de modo que disfrutemos de todo lo que la vida es: compartir, amar, sostener y simplemente disfrutar. Esto no es una zona de combate. Es un refugio. El mundo está lleno de obstáculos y enemigos. Una vez le dije a una alumna en sus primeros años de secundaria que necesitaba descubrir quiénes eran sus amigos. Todos en esta familia somos amigos y juntos podemos permanecer firmes contra aquellos de afuera que quieran derrotarnos.

Quiero estar a tu lado y ayudarte como pueda. Al mismo tiempo, no puedo permitir que me "dispares" y no me pondré voluntariamente como blanco de tu objetivo. Estoy convencido de que tienes las mismas metas que tu mamá y yo. Si podemos ponernos de acuerdo, todos podremos comenzar a realizar el plan que Dios tiene para nuestras vidas.

Por sobre todas las cosas, quiero que encuentres un lugar donde puedas afirmarte en medio del caos, la incertidumbre y la inestabilidad donde la vida te ha puesto. Una vez tuve la oportunidad de pasar un fin de semana con un hombre sabio que había escrito un libro llamado A Place to Stand *[En tierra firme]. Allí explicaba que sólo cuando colocamos nuestra vida en las manos de Dios y seguimos a Jesús, podemos verdaderamente hacer frente a las dificultades que se nos presenten. Quiero que tengas una relación íntima con Dios. Quiero que seas capaz de depositar "en él toda ansiedad, porque él cuida de nosotros". Un hombre llamado Pedro una vez le escribió eso a uno de sus amigos cuya familia se había separado y sus vidas estaban desintegradas. Le prometió que Dios cuidaba de ellos y que él los sostendría y guiaría en medio del caos. Quiero que sepas que puedes tener esa misma paz que esas personas tuvieron.*

Por último, Elisa, quiero que seas todo lo que puedas ser. Tienes salud, eres inteligente, tienes una madre maravillosa, un papá que te quiere, eres capaz de expresar tus pensamientos de una manera superior a tu edad, talento para la música y el arte, tienes aptitudes naturales para la cocina, un corazón tierno que se preocupa por los animales como Aggie y por tus padres y amigos. Tu mamá ha comenzado a pulir algunas asperezas de tu vida. Entre ellas están algunos aspectos sociales, como son tu conducta en la escuela y el orden de tu habitación. Por favor, intenta verlas como aspectos que a la larga, te ayudarán, aunque ahora parezcan exigentes o irrazonables.

Elisa, no creo que Dios te haya puesto estos desafíos para que fracases. Él no quiere el mal para tu vida, pero ha permitido algunas dificultades para que te fortalezcan y en el futuro puedas hacer su voluntad. Quiero que confíes en que él lo puede todo, en que él sí se preocupa por ti... y entonces quiero que elijas una conducta que te haga crecer y no una que te haga daño a ti y a los demás.

Si haces estas cosas, serás más feliz y podrás cuidar mejor de aquellos que están a tu alrededor. Dios te ha dado la responsabilidad de brindar amor, cariño y afecto a otros, comenzando por tu papá, tu mamá y tu hermano. Espero que elijas sobreponerte al dolor, conocer el gozo y ser aquello para lo cual fuiste creada. Otro sabio escribió que casi nunca causamos nuestros propios problemas, pero son nuestros. Y es la manera de enfrentarlos lo que determina quiénes somos, en quiénes nos estamos convirtiendo y cómo nos ven los demás.

Son pocos los que pueden manejar la vida por sí solos. Yo puedo ayudarte, pero primero debes invitarme a formar parte de ella. Yo estaré aquí cuando elijas hacerlo.

Tu padrastro,
Shawn

"Un viaje espiritual de regreso a casa"

"¿Conoces el significado de la vida?", pregunta el personaje que Jack Palance representa en la película *City Slickers* (Cowboys de ciudad). "Una cosa, nada más. Te aferras a eso y nada de lo demás tiene importancia". ¿Sabes? Tiene razón. En la película, el sentido de "una cosa" es relativo: es cualquier cosa que la persona decida que sea. Pero la verdad objetiva es que una relación con Dios es lo único que importa. Puede tener una carrera profesional maravillosa, hijos hermosos, una familia reconstituida amorosa y aún así, no tener esperanza cuando haya dado el último suspiro. Un andar espiritual con Cristo es lo que da esperanza eterna.

Sin embargo, para el cristiano existen más motivos para buscar a Dios que únicamente la esperanza del cielo. La primera carta a Timoteo 4:8 nos dice que la piedad "incluye una promesa no sólo para la vida presente, sino también para la venidera". Eso es lo que yo llamo doble deleite. La esperanza del cielo, y la mejor y más satisfactoria vida posible aquí en la tierra. El Creador del universo estableció una verdad increíble al formar al ser humano como un ser capaz de relacionarse: una relación obediente y amorosa con Dios aumenta nuestra capacidad de amarnos unos a otros. Amar a Dios primero mejora nuestras relaciones terrenales.

Aun así, el camino espiritual de muchas familias reconstituidas tiene muchos baches. La tristeza del divorcio y el subsiguiente juicio espiritual que muchos reciben de la familia cercana y de la gente en la iglesia hacen que se vuelva difícil una relación activa con Dios. Además, la sensación de ser indignas de la gracia de Dios con frecuencia impide que las personas reclamen su vida en Cristo (ver el capítulo 4).

Esta historia, escrita por uno de mis amigos más queridos y respetados, representa el camino de un hijo pródigo de regreso a casa. Para James, la construcción de una familia reconstituida exitosa comenzó con su disposición de dar un paso al frente. Tal vez la suya también.

James Caldwell:
Mensaje de un compañero pecador

Muchos de ustedes que están leyendo este libro no tuvieron una parte activa en su divorcio. Entiendo que en muchos divorcios hay una "víctima" y el "malo de la película". Esta carta es para "los malos de la película" que sinceramente quieren dejar las tinieblas y caminar en la luz y el amor de Jesucristo.

Hola, me llamo James. Soy un pecador múltiple. Durante treinta y siete años anduve por un mundo muy tenebroso. Mis pecados fueron muchos y cada uno de ellos me alejó más de Dios y aumentó mi capacidad destructora. ¿Por qué me interesan este libro y las familias reconstituidas? Porque vivo en una familia reconstituida y el autor de este libro me demostró que Dios me aceptaba si decidía arrepentirme, creía en Jesucristo y aceptaba ser bautizado dentro de la familia de Dios.

La clave es la fe en Dios, no en el hombre. Muchas veces, antes de creer en Jesús hace dos años, intenté enderezar mi vida. Asistía a alguna iglesia, justificaba la relación en la que en ese momento estaba involucrado y, debido a que necesitaba ser aceptado, buscaba personas que creyeran en mí. Entonces pretendía hacer las cosas de otra manera. Y allí era donde mis esfuerzos espirituales chocaban contra la pared. Finalmente, terminaba abandonando la congregación y regresaba a mi vida de pecado. El problema central tenía que ver con quién tenía el control de mi vida: yo. No permitía que Dios fuera el Artífice Principal.

Cada vez que fracasaba debido a que mi arrepentimiento no había sido del todo sincero, mis amigos y familiares comenzaban a verme como un caso imposible, lo cual hacía que me sintiera más avergonzado. Cada ciclo hacía que menos personas me aceptaran y que se produjera una mayor resistencia de mi parte para volver a intentar ser "bueno" de nuevo.

¿Le suena familiar este ciclo? Si es así, siga leyendo. Hasta que nosotros, las personas adultas que formamos familias reconstituidas, no superemos el pecado que nos esclaviza, no tendremos fuerzas para obrar cambios positivos en nuestras familias. El hecho de que esté leyendo este libro demuestra una cosa: usted desea cambiar. En algún lugar de su corazón se alberga el anhelo por volver a casa. Lo que anhela es una relación con Dios. Él le llama a formar parte de su reino. Dios quiere que vuelva a casa. La pregunta es ¿cómo? Es fácil sentirse derrotado. ¿Qué pensará la gente de la iglesia si vuelvo? ¿Me aceptarán? Si estas son sus dudas, entienda que vienen de Satanás. Él quiere mantenerle desalentado, impotente, bajo su control. Sin embargo, no debe dejar que lo que piensen los demás le impida buscar una relación con Jesucristo.

El primer paso es darse cuenta de que "todos pecaron y no alcanzan la gloria de Dios" (Romanos 3:23). No somos los únicos pecadores. Tal vez nuestros pecados sean más públicos, o quizás más numerosos. No obstante, la realidad es que todos somos pecadores y que la salvación se nos ofrece a todos.

El segundo paso es reconocer que somos impotentes. No importa cuánto intentemos ser mejores, no podemos lograrlo por nuestras propias fuerzas. ¿Qué hacemos? Reclamamos el poder redentor de Dios y confiamos en que su Espíritu Santo nos ayudará a hacer que nuestras vidas sean diferentes.

Tercer paso (el más difícil): arrepentirse. La mujer samaritana que estaba junto al pozo (Juan 4) y la mujer adúltera (Juan 8) fueron limpiadas por medio de la fe en Cristo. Las palabras de Jesús al despedir a la mujer adúltera todavía resuenan en mis oídos: "Vete y no peques más". Pero es tan difícil... Ya sea que tu hábito sea el alcohol, las drogas, el sexo, la pornografía, el trabajo o la mera pereza, Dios y sólo Dios puede eliminarlo. El milagro de la salvación no nos protege de la futura tentación. Es una batalla de todos los días. Para ganarla debemos armarnos con la Palabra de Dios, rodearnos de otros creyentes y buscar a Dios con más entusiasmo del que teníamos cuando buscábamos el mal. Debemos alejarnos de toda actividad, estilo de vida, amigos y hábitos que nos lleven a pecar. El alejarnos de estas cosas es un elemento crucial para comenzar a construir la familia que tanto queremos.

Entonces, ¿tenemos el éxito garantizado? No. No existe la recuperación infalible. ¿Me estoy alabando al decir "Mírenme"? En ninguna manera. Vivo con la vergüenza de mi pasado y con la esperanza de un futuro. ¿Vale la pena el esfuerzo? Para mí, sí. Por ejemplo, después de mi bautismo, vi a mis dos hijastros bautizarse. El legado que Dios ha comenzado en mis hijastros es maravilloso. No obstante, una vida dedicada nuevamente a Cristo no negará las consecuencias de nuestros pecados pasados. Tengo un hijo que no me habla. Está enojado y resentido. Dios me prometió la salvación de mis pecados, pero no la ausencia de las consecuencias del pecado. Todos los días sufro dolor. Dios no ha prometido protegerme del pasado y tengo que estar dispuesto a aceptar y tratar con sus consecuencias. Mi única esperanza está en él.

Amo a Jesús. Estoy convencido de que él vino a mi vida y me cambió. Dios nos acepta como estamos: sucios, desesperanzados, con miedo y solos. Tiene poder para hacer que la muerte sea vida. El camino es simple: confiese sus pecados, pídale al Señor de señores que habite en usted, arrepiéntase y muera a sí mismo en la sepultura del bautismo. Luego, trabaje para usted y por su familia como nunca lo ha hecho. Esfuércese por alcanzar el objetivo de llegar a ser como Cristo.

He perdido dieciocho años siguiendo impulsos egoístas y siendo un miembro del ejército de Satanás. Espero que el leer esto le dé valor para caminar de regreso a Jesús junto con su esposa e hijos. Ni una sola persona tiene el poder para producir cambios eternos. Nuestra fe y esperanza deben estar en Dios. Solo él tiene el poder para dar esperanzas en medio de la desesperanza, vida en medio de la muerte y luz en la oscuridad. Ron se tomó el tiempo para hablarle a mi familia acerca de la esperanza en Jesús, lo que ha abierto nuestros ojos al hecho de que durante todos estos años Dios nos ha estado extendiendo su mano con amor e interés. El perdón de Dios no tiene límites. El hombre es el que le pone límites. Dios está esperando para perdonar y construir algo especial en el interior de cada ser humano… ¡incluso en usted! Hay un nuevo comienzo a disposición de cada uno. Un nuevo comienzo que puede impactar la clase de hogar que sus bisnietos disfrutarán. En este viaje, Dios está con usted.

Preguntas para discusión en el grupo de apoyo

PARA TODAS LAS PAREJAS

1. ¿Con qué historia se sienten más identificados? ¿Por qué?
2. ¿De qué maneras su vida no resultó ser como la planearon? ¿Cómo ha sido bendecida su vida, a pesar de sus planes?

3. A través de lo que han experimentado como familia, ¿qué les enseñó Dios acerca de rendirse a su voluntad?
4. ¿Qué piensan de los que buscan asistencia sociopsicológica? ¿Cómo pueden saber si es una buena idea buscar ayuda externa?
5. La carta de Shawn a su hijastra logró un buen equilibrio entre sus sentimientos y los de su hijastra. Analicen ese equilibrio y lo que necesitan cambiar para lograr el equilibrio en su hogar.
6. ¿En qué aspectos necesitan acercarse a Dios? ¿Qué aspectos de su vida les cuesta trabajo entregarle?

Considere narrar su historia en *www.SuccessfulStepfamilies.com.* Puede inspirar a otras parejas a que continúen en el camino.

CAPÍTULO ONCE

Preguntas inteligentes, respuestas inteligentes

"En la opinión del insensato su camino es derecho, pero el que obedece el consejo es sabio" (Proverbios 12:15).

Durante algunos años estuve recopilando preguntas de las familias reconstituidas en un intento por comprender cuáles son las cuestiones que comúnmente las inquietan. Este capítulo se refiere a algunos interrogantes de importancia que no han sido abordados en los capítulos previos.

Solicité la pericia de varios investigadores de familias reconstituidas, de médicos y psicólogos para que dieran respuesta a algunas de estas preguntas clave. Ellos colaboraron de manera desinteresada y brindaron toda su sabiduría y conocimiento práctico para nuestro beneficio.

El enojo y las emociones no resueltas

Mi ex esposa habla mal de mí y de mi actual esposa. ¿Cómo podemos hacerle ver que eso hace que la vida sea más difícil para los niños?

El enojo y las emociones no resueltas de una ruptura marital previa llevan a los ex cónyuges a criticarse el uno al otro en un esfuerzo por ganar la lealtad de los hijos o para buscar venganza por las desigualdades percibidas durante el matrimonio. Además, la madre biológica en cuestión quizás se sienta amenazada por la presencia de la madrastra. Los padres biológicos necesitan que se les recuerde que los hijos siempre serán fieles a ellos (a menos que ellos sean los que interrumpan el contacto). Hablar mal de una madrastra es innecesario. Los niños pueden respetar y obedecer a una madrastra, e incluso ocuparse de ella, y eso jamás cambiará el estrecho lazo que tienen con la madre biológica.

Para aliviar el temor infundado de esta madre, la madrastra y su esposo deben comunicarle a la ex esposa su deseo de cooperación y de no generar problemas en la relación del niño con su madre. En especial, la madrastra es la que debe decir por medio de una llamada telefónica o un mensaje electrónico: "Quiero que sepas que tu relación con Elizabeth y Amelia es sumamente importante para ellas. Por favor, comprende que jamás trataré de reemplazarte ni impediré tu relación con ellas. Es más, me pregunto qué querrías que hiciera para que ellas estuvieran más en contacto contigo. ¿Puedes sugerirme alguna idea? A partir de hoy mi compromiso contigo y con las niñas es alentar su amor y respeto. Si consideras que hay algo que puedo hacer diferente, por favor no dejes de decírmelo". Esto puede o no producir un impacto en las críticas de la madre. No obstante, la intención es que este mensaje la ayude a sentirse menos amenazada y, por lo tanto, sienta menos necesidad de ser negativa acerca de la madrastra.

Haga lo que esté de su parte para actuar como Cristo con relación a cualquier persona del otro hogar, aunque sea alguien sumamente negativa. Quizás no sea capaz de producir un cambio sustancial en un ex cónyuge, pero al menos no será culpable de no haberlo intentado.

¿Cuándo comienza el período de integración?

El período de siete años de integración, ¿comienza durante el noviazgo o a partir del día de la boda?

Sin lugar a dudas, lo que sucede antes de la boda, incluso el tiempo que se dedica a lamentar las pérdidas y el tiempo que la pareja dedica al cortejo y al noviazgo, impacta en la cantidad de tiempo necesario para la integración. Sin embargo, no importa cuánto tiempo pasen juntos antes de la boda, una gran cantidad de cambios emocionales y psicológicos tendrá lugar luego de la boda tanto en los niños como en los adultos, y también producirá un impacto en el tiempo que requiera la integración[1]. Lo que una vez fuera una cálida relación de citas es ahora un lazo legal y psicológico que trae a personas de distintas familias a convivir en la misma casa, compartiendo la comida y hasta el papel sanitario. No es para nada lo mismo que durante el cortejo. Las cosas cambian.

Por ejemplo, con frecuencia los padrastros después de la boda sienten un incremento en la responsabilidad espiritual y parental hacia los niños. "Antes de la boda, ellos eran sus hijos" —comenta Tomás—. "Yo me mantenía al margen y no opinaba. Sin embargo, al casarnos, sentí que tenía que ser parte de lo que pasaba. Después de todo, estaban viviendo en mi casa e interactuaban con mis propios hijos". Los padres biológicos, por el otro lado, puede que se resistan a la mayor participación del padrastro, por percibirla como una amenaza para sus hijos. También puede suceder lo contrario. Quizás dejen demasiada responsabilidad sobre el nuevo padrastro porque "ahora somos una familia". Además, los hijastros a los que no les molestaba que el "novio de mamá" anduviera por allí, podrían resentir la intervención del padrastro. Mientras era el novio de la madre, el padre biológico no decía nada; pero luego de la boda puede que comience a enviar mensajes a sus hijos que los presionen a no disfrutar de su presencia. Estos cambios psicológicos posteriores al casamiento se constituyen en un territorio nuevo para la pareja. Es más, en cierto sentido pueden sentir que están comenzando de nuevo.

La relación padrastro-hijastro con frecuencia dictamina la velocidad del proceso de integración de la familia reconstituida (ver el capítulo 7). Muchos factores, entre los que se incluyen la edad de los niños y las experiencias familiares previas, afectan la velocidad con la que se desarrolla un vínculo con un padrastro. Haga su tarea antes de la boda. Avance lentamente durante el cortejo y permita que usted y los niños cuenten con todo el tiempo necesario para llorar las pérdidas. Luego, hágales saber a sus hijos su decisión de casarse y deles tiempo para que se hagan a la idea. Involúcrelos todo lo que pueda en los planes de la boda[2]. Todos los días renueve su compromiso con ellos y expréseles su amor incondicional. Sin embargo, tenga presente que la verdadera vida de la familia reconstituida comienza con el matrimonio. Habrá que realizar múltiples ajustes, aun en la mejor de las circunstancias. Haga que vivan un día a la vez y manténgase aferrado a la mano de Dios.

Relaciones con hijastros adultos

¿Cómo puedo desarrollar una relación con mis dos hijastros que ya eran adultos cuando nos casamos?

Respondido por la doctora Susan J. Gamache, psicóloga registrada[3].

Los padrastros que se suman a una familia con hijos adultos pueden colaborar en desarrollar relaciones positivas con los hijos adultos si mantienen algunos asuntos en mente. Primero, existe una amplia variedad de relaciones de padrastros e hijastros que van desde "casi igual que con mamá o papá" a "completamente distinto que con mamá y papá", y todo lo que va en medio. Los nuevos padrastros de hijastros adultos necesitan recordar que estos jóvenes ya han pasado la edad de recibir nuevos padres. Sin embargo, aun así pueden disfrutar de una relación cálida y de apoyo con la nueva pareja de mamá o de papá.

Comience por observar qué es lo que le resulta importante o interesante a ese joven. No necesariamente tiene que gustarle a usted para saber que es importante para ellos. Puede hacer mucho por conseguir un comienzo suave, sin tropiezos, si los acepta tal y como son. Una palabra de advertencia: La familia ya tiene una larga historia que usted no puede cambiar. Si observa que hay cosas que le parecen extrañas o le resultan incómodas, converse con su pareja primero. Trate de comprender por qué las cosas son como son. Cuanto mejor se pueda comunicar con su pareja acerca de estos aspectos de la vida familiar, más sencillo será poder aceptar de manera compasiva la idiosincrasia familiar. Si las cosas están muy tirantes entre su pareja y los hijos, no podrá hacer nada por solucionarlo. A veces, sólo ser un "testigo imparcial" de lo que sucede puede ser una contribución valiosa y hacer que sea alguien a quien puedan recurrir con tranquilidad. Sin embargo, proponerse hacer que la familia cambie es una buena manera de distanciar a todo el mundo.

Segundo, las familias siguen siendo familias siempre. Tiene todo el tiempo necesario para establecer relaciones cálidas. Si los hijastros están en la universidad y no se interesan demasiado por la familia, es algo natural. Tiene que ser paciente. Una vez que aparezcan en la escena los nietos se iniciará todo un nuevo ciclo familiar.

Tercero, descubrirá que desarrollará lazos más estrechos con los pequeños nietos políticos que con sus padres. En otras palabras, es posible que los nietos le consideren como abuelo o abuela, mientras que los padres de ellos no le consideren a usted como padre/madre. Esto puede resultar un tanto incómodo, pero tiene sentido. Los niños pequeños están muy abiertos a relacionarse con los adultos. Si su relación con ellos es cálida y receptiva, los pequeños le incluirán en la categoría de abuelo. Esto brinda otra oportunidad para relacionarse con los hijastros adultos. Su apoyo hacia ellos como jóvenes padres, hará que todos tengan una unión más estrecha.

Recuerdos de un padre fallecido

¿Cómo se puede incluir los recuerdos de la madre fallecida de un hijastro de manera tal que él no piense que todo el mundo se ha olvidado de ella, pero que a la vez no impida la participación y aceptación del muchacho de su nueva familia?

Este interrogante de una madrastra revela un error bastante común: permitir que las personas recuerden el pasado o que disfruten de sus recuerdos creará barreras para logros futuros. No es así. A decir verdad, sucede lo contrario. Colocar fotografías de la madre muerta y escuchar los relatos de su vida, hacen que la madrastra construya un camino para que el hijastro la acepte y la respete a ella. Reconocer el pasado de ninguna manera amenaza a la nueva familia. Es más, negar los recuerdos y la tristeza de las personas ayuda mucho a socavar a la nueva familia.

Para avanzar en esto, la familia reconstituida provocará conversaciones ocasionales y espontáneas acerca del fallecimiento de la madre (un modelo típico para que los hijos lloren la pérdida) y se interesará en los sentimientos del niño hacia ella. Si atraviesa por un tiempo en el que desea hablar del tema con frecuencia, el padre biológico debe asumir una participación activa en la conversación. Ambos (incluyendo otros hijos biológicos presentes) estarán llorando la pérdida juntos. Es una manera saludable de atrevesar por el luto familiar. Un padrastro que alienta y permite tal conversación, a veces en su presencia, con el tiempo le estará dando a su nueva familia un maravilloso regalo.

La disciplina de los hijos que no conviven en el hogar

¿Qué tipo de disciplina debemos ejercer cuando nuestra hija nos visita en el verano? ¿Debemos tratarla como a una visita y así mantener la paz o establecer pautas disciplinarias en cuanto a la conducta y la responsabilidad?

Es muy tentador ser permisivo con los hijos que no viven con uno. Los padres biológicos anhelan tanto que sus hijos se sientan bien cuando los visitan que con frecuencia los eximen de las reglas de la casa. Esto hace que todos los demás habitantes de la casa deban acomodarse al niño que está de visita (lo cual le da demasiado poder al menor). Esto generará resentimientos entre el padrastro y el padre biológico o entre los hijos que residen allí y el padre biológico que desempeña una conducta dual. La suposición de que "hacérselas fácil a ellos" es la mejor manera de darles una buena experiencia, no es cierta.

Los niños que vienen de visita deben obedecer las reglas de la casa y participar en las tareas como todos los demás. Necesitarán que se les recuerden las normas y se les dé un cierto "espacio de gracia" mientras se acomodan, pero en definitiva, la estructura es beneficiosa para todos.

El rechazo de un padre biológico

El padre de mi hija no desea llamarla ni tampoco la viene a buscar los fines de semana que tiene asignados. Cuando ella pregunta por qué no puede ver a su padre, ¿qué puedo responderle?

Observar cómo su hijo sufre el rechazo de un padre que no se involucra o que no se interesa por él es algo que destroza el corazón. He visto que es sumamente doloroso para los niños cuando un padre que promete pasar tiempo con ellos, vez tras vez rompe su promesa. Su esperanza se eleva sólo para dar contra las rocas de la decepción una y otra vez.

Rogelio, el padre de Julia, vivía en la otra punta del estado donde residía ella con su familia reconstituida. Él se había vuelto a casar y había tenido un hijo. El nuevo matrimonio y su nueva familia reconstituida, sumados a su profesión, consumían todo el tiempo de Rogelio. No obstante, su sentido de culpa por no hacer tiempo para estar con su hija lo llevó (con buenas intenciones) a prometerle fines de semana especiales que jamás llegaron a ser reales.

Cuando Julia entró en la adolescencia, ella miraba de continuo al horizonte; es decir, vivía pendiente de si su papá por fin cumpliría sus promesas. Se volvió contra su padrastro y su madre, y decayó su entusiasmo por sus estudios. Hasta ese punto había sido una buena estudiante, pero ahora sus calificaciones se habían venido abajo, al igual que la tolerancia de la madre con respecto a su conducta. Todo se complicó cuando Rogelio insinuó que se podía ir a vivir con él en un par de años. Él culpaba a su ex esposa de los problemas escolares de Julia y daba por sentado que todo sería mejor cuando por fin pudieran estar juntos. Esto hizo que padre e hija compartieran una intimidad superficial generada en la fantasía de las promesas vacías.

Al final, Julia comenzó a preguntarse por qué su padre no se interesaba en ella. Al ir creciendo y al aumentar sus capacidades cognitivas consiguió ver más allá de las vacías promesas que su padre le había hecho tantas veces. Cuando por fin reconoció el engaño de su padre, cayó en la depresión y se culpó a sí misma. Su madre preguntó qué podía decir para ayudar a Julia.

Le recordé a la madre que ninguna explicación podría mitigar el dolor de Julia. Los padres no pueden quitar el dolor de un hijo, tan sólo pueden ayudarlos a enfrentar la realidad. Le sugerí a esta madre que estaba bien sentirse enojada con Rogelio, pero que luego debía hacer que la conversación girara hacia Julia y sus sentimientos. En respuesta a la declaración de Julia: "Pareciera que papá piensa que enviarme dinero es suficiente", su madre podría decir: "Esto es difícil para ti, ¿no es cierto? Pareciera que a tu padre no le importaras en realidad. Siento tristeza por ti. Dime más acerca de cómo te sientes". Una respuesta de esta clase transmite comprensión del dolor y da importancia a la experiencia de la niña. La madre de Julia no debe criticar abiertamente a Rogelio ("Es un egoísta") ni tampoco excusarlo ("Tiene demasiado trabajo"). Concentrarse en los sentimientos de Julia y ayudarla a desarrollar un plan para relacionarse con su padre es lo mejor que puede hacer.

Por último, lo mejor para los que tienen hijos más pequeños es una explicación neutral acerca de por qué un padre no se involucra. "A veces las madres y los padres hacen cosas porque no se sienten bien o porque se confunden en cuanto a lo que es importante. [Ahora cambia el enfoque hacia los sentimientos del niño]. Parece que esto te hace sentir mal. Cuéntame cómo te sientes".

Romper los lazos con un ex cónyuge

La ex esposa de mi marido se sigue apoyando en él hasta en lo más elemental. Mi esposo conversa con ella con mucha frecuencia (casi todos los días), por cuestiones relacionadas con los hijos. ¿Cómo hago para controlar mis sentimientos de que ella se está entrometiendo en nuestro nuevo matrimonio?

Los lazos con los ex cónyuges a veces perpetúan modelos malsanos. Ya hemos mencionado que el enojo y el dolor pueden mantener unidas a las personas. Según mi experiencia, cuando dos ex cónyuges siguen siendo capaces de llamarse para pedirse favores personales, se está estableciendo una dinámica basada en la culpa y la obligación.

En el capítulo 6 tratamos acerca de la necesidad de cortar los lazos maritales y retener los parentales cuando los cónyuges se divorcian. Los favores personales como arreglar la cortadora de césped, consolar a un ex que está herido o dar un consejo económico son cuestiones que encajan en la realidad de los intercambios maritales. Cuando usted o su ex se llaman para tales favores, están perpetuando un lazo malsano. Uno de los dos se volvió a casar, por lo tanto, ya no existe una obligación de llevar a cabo tales favores.

Los nuevos cónyuges son por lo general los primeros en señalar lo que consideran que es un lazo malsano. Es lógico que lo hagan ya que lo consideran una amenaza para el nuevo matrimonio. Con frecuencia, su pareja defenderá su manera de actuar y no reconocerá lo que sucede. Ponerse a la defensiva en cuanto a la continua interacción personal por lo general indica un sentido de la obligación o de culpa que mantiene los patrones de conducta vivos.

La ex esposa de Jaime lo llama para que arregle una puerta y él parte como un rayo. Su actual esposa, Ana, no comprende por qué él siente esa necesidad de ir y se pregunta si no será un indicio de cierto interés romántico en ella. Sin embargo, para comprender su sentido de obligación, fíjese cómo ocurrieron los hechos en cuanto al divorcio y el nuevo casamiento. Jaime había tenido una aventura amorosa con Ana que finalmente dio por terminado su matrimonio. Esta aventura y nuevo casamiento ocurrió durante un tiempo de rebeldía espiritual de Jaime. Más tarde, cuando Jaime se dio cuenta de su pecado, lo confesó, se arrepintió y volvió al Señor. Recién entonces se le abrieron los ojos a las consecuencias de su pecado en la vida tanto de sus hijos como de su ex esposa. Sintió que debía compensarlos de alguna manera. Al mismo tiempo, su ex esposa seguía esperando que Jaime volviera a casa. Sus lazos emocionales con Jaime eran muy fuertes y ella disfrutaba de las oportunidades en las que podía conversar con él. Disfrazadas tras cuestiones relacionadas con los hijos, ella llamaba a Jaime y le solicitaba favores personales como que le reparara la puerta. Jaime accedía porque pensaba: *La dejé sola, sin alguien que la ayude. Tengo que hacer esto por ella.* De lo que Jaime no se daba cuenta era que al acudir a los llamados de su ex, estaba alimentando el interés de ella por él, y esto generaba cada vez más pedidos de su parte.

Si bien las consecuencias espirituales y prácticas de la aventura y el divorcio de Jaime son tremendas (en especial en sus hijos), lo cierto es que ahora él está casado con Ana y se debe por completo a ese compromiso. Sí, su relación con sus hijos es importante y debe esforzarse por ser el mejor padre posible, colaborando en la tenencia y la manutención. Sin embargo, tiene que trazar una raya entre las cuestiones parentales y las maritales.

La próxima vez que reciba un pedido de ayuda, Jaime debe tomarse unos instantes para evaluar (no tiene por qué darle una respuesta inmediata por teléfono a su ex) si es una cuestión parental o personal (marital). Si es personal, debe responder que no con amabilidad y respeto. Por ejemplo: "Sé que antes te ayudaba con el mantenimiento de la casa, pero no considero que sea mi obligación arreglar la puerta. Esta vez debo decirte que no. ¿Cómo le fue a Marcos en su examen de matemática?".

Por último, las conversaciones acerca de los hijos pueden ser excesivas y, también, personales. La cantidad de tiempo que usted y su ex cónyuge conversan sobre los hijos puede generar una falsa intimidad personal. Haga que sus conversaciones acerca de sus hijos sean respetuosas, formales y se prolonguen solo lo necesario. Luego, invierta el tiempo extra en sus hijos y su nuevo matrimonio.

Cómo reducir la fricción y la tensión

¿Cuál es mi papel como padre biológico en la reducción de la fricción y la tensión en nuestro hogar?

Respondida por el doctor Craig E. Everett[4].

Las familias reconstituidas no funcionan bien como una democracia, ni siquiera cuando los hijos son adolescentes. Es necesario que se forme una especie de jerarquía por parte de los padres, en especial en las primeras etapas de formación de una familia reconstituida (quizás durante los dos primeros años juntos). En la mayoría de las familias [reconstituidas] es difícil para el padrastro asumir mucho poder o autoridad sobre los hijos del otro padre. Aunque fuera posible, no es recomendable porque las necesidades de los hijos indican que requieren contar con tiempo para familiarizarse y aceptar al nuevo padrastro en su vida. El proceso para lograr esto variará muchísimo de una a otra familia y, con frecuencia, depende de las siguientes cuestiones:

1. Edades y madurez relativa de los hijos.
2. Preparación y ajuste de los hijos respecto al divorcio de los padres.
3. La forma en que presentaron al padrastro a los niños luego del divorcio (o antes en algunos casos).
4. La comodidad, la paciencia y los recursos personales relativos del padrastro para ocuparse de sus hijastros.
5. La capacidad del padre biológico de equilibrar su nuevo rol como cónyuge mientras continúa con su rol de padre biológico.
6. El apoyo relativo (comparado con el sabotaje) hacia el padre biológico y la familia reconstituida que se presenta y se transmite al niño por parte del otro padre biológico.

Aunque los padres vueltos a casar hayan hecho un curso de terapia familiar para mejorar su comprensión de la dinámica de la familia reconstituida, sus habilidades comunicativas y cómo tomar decisiones, el padre biológico debe mantener el control del equipo parental y tener el poder reconocido para estructurar y disciplinar cuando sea necesario. El poder del padre biológico puede definirse y negociarse en forma privada con el padrastro. Sin embargo, cuando el que interactúa es el padrastro, el poder del padre biológico debe ser claramente comprendido y respetado por los hijos y por el padrastro.

En las familias reconstituidas con altos niveles de fricción y tensión, en especial luego de las primeras transiciones, con frecuencia esta jerarquía no es del todo clara o es débil todavía. Los hijos pueden percibir que su padre se halla en conflicto permanente al compartir la paternidad con el padrastro. Ellos pueden percibir que su padre le ha dado autoridad al padrastro, a quien ellos no conocen y en quien no confían. Incluso puede que reaccionen ante lo que perciben como una intromisión por parte del padrastro en su vida y en su hogar. El padre biológico puede sentir que no tiene apoyo de su pareja en cuestiones parentales y el padrastro puede sentir que no está involucrado o sentirse inútil dentro de la familia.

Toda esta dinámica dentro de una familia reconstituida puede conducir a que existan fricciones y tensiones internas. El padre biológico, en consulta con su nueva pareja, necesita asumir cierto liderazgo y mantener una clara jerarquía parental de manera que los hijos puedan sentirse seguros y sus vidas puedan ser predecibles.

El doctor Everett nos ofrece un excelente consejo. Y como este asunto es bastante común entre los padres biológicos, me gustaría abordarlo desde otro ángulo. La triangulación es un término que usan los terapeutas familiares para describir un proceso relacional entre tres personas. El triángulo por lo general involucra a dos personas cuya relación es inestable y a una tercera persona cuya presencia añade estabilidad al diluir la incomodidad de las dos personas. (Esto suena demasiado técnico, ¿no es verdad?). Así es cómo la triangulación se produce en una familia reconstituida:

Un padrastro y su hijastro comienzan a llevarse mal, quizás por criticarse mutuamente o por falta de cooperación. Para poder traer algo de estabilidad en medio de la tensión, interviene el padre biológico y aconseja a ambas partes cómo podrían llevarse mejor. Después de todo, quién mejor para intervenir que quien tiene más interés en que todos se lleven bien, ¿no es verdad? No, no es así. El proceso de triangulación brinda tan sólo una estabilidad temporal al conflicto entre las dos personas, pero a veces genera dificultades a largo plazo.

Si bien los triángulos pueden ser de ayuda en un momento de transición, un modelo habitual de triangulación puede en realidad evitar que se resuelvan los problemas. Los padres biológicos deben procurar el delicado equilibrio de apoyar y escuchar a ambas partes sin convertirse en quien salga a rescatarlos siempre. Cuando se obliga al padre biológico a que cierre cada resquicio entre un padrastro y un hijastro, entonces los dos jamás podrán salvar sus diferencias y dependerán de continuo de la ayuda del padre biológico. La ironía de este círculo vicioso es que el conflicto se extiende durante mucho tiempo debido a la participación del padre biológico.

Las tensiones se reducirán cuando el prestar atención a las frustraciones de un hijo se equilibre con la validación de sus preocupaciones (sin por eso estar de acuerdo con la postura del niño, porque los acuerdos forman una alianza peligrosa entre el padre y el hijo que va en contra del padrastro). Hay que decir: "Es hora de que tú y Roberto arreglen esto. Cuéntame cómo marcha". Del mismo modo,

Roberto puede expresar sus frustraciones acerca de su hijastro, pero sigue necesitando hallar una manera de construir un puente que llegue al niño y resuelva el conflicto.

Este mismo principio se aplica a los conflictos entre hermanastros (y hermanos). Un adulto que siempre interviene en los conflictos entre los hijos les quita a estos la oportunidad de negociar, de aprender a hacer tratos o canjes y de hallar otras soluciones a sus problemas. Alguien se queja: "Mamá, Javier tomó mi juego de la computadora sin pedírmelo". En vez de ofrecer una solución, salga de la triangulación y aliente a ambos para que resuelvan el problema. Dígale: "Veo que estás molesto. ¿Qué te dijo Javier cuando se lo dijiste?". Cuando el niño responda: "Nada, porque no le dije nada a él", usted le responde: "Deberías hacerlo. Sé que podrás solucionarlo". Luego controle la conversación a cierta distancia. Finalmente, ambos serán capaces de construir un puente y restablecer su relación.

Desear que su decisión de volverse a casar sólo traiga alegría y ningún dolor a sus hijos y a su esposo significa que desea que todos se lleven bien. Tiene que saber que no todas las personas de su familia reconstituida estarán felices todo el tiempo. Aprenda a vivir con la ansiedad y la infelicidad de los demás. Aunque eso le haga sentirse incómoda, la ansiedad entre ellos en realidad es lo que los motivará al cambio. Si intenta ayudarlos a que se sientan mejor todo el tiempo, les estará quitando una motivación muy necesaria para el cambio.

Trato justo para los nietos biológicos y los nietos políticos

¿Cómo hacer para que los abuelos sean justos con los nietos políticos?

Con frecuencia los abuelos se hallan en situaciones embarazosas. Los conflictos de lealtades los llevan a tomar decisiones, involuntarias o a propósito, que son reflejo de los lazos más estrechos. Por ejemplo, en lealtad hacia su hijo, puede que los abuelos no pasen mucho tiempo con los nietos que vivan con su ex nuera. O la incomodidad de tener que apoyar a los nietos biológicos durante un tiempo difícil de transición puede llevarlos a ser injustos cuando llega el tiempo de hacer regalos navideños. Regalar obsequios de igual costo a los nietos y a los nietos políticos podría parecer una traición a sus nietos que ya experimentan una pérdida en la familia reconstituida.

No importa cuál sea la motivación para la conducta previa del abuelo, los padres biológicos tienen la responsabilidad de comunicar sus expectativas de que los abuelos traten a los niños de forma equitativa. Esto podría llegar a poner a los abuelos en mayores aprietos (al menos en su mente), pero la idea de igualdad o justicia es la que prevalece. Tenga en cuenta que es obligación del padre biológico expresar con palabras esta expectativa; en la mayoría de los casos el padrastro no tiene el suficiente peso como para hacer la solicitud.

Para establecer los límites, puede decirles algo como: "Reconozco que nuestra situación no es como a ustedes les gustaría, pero pueden ayudar a los niños haciendo ciertas cosas. Por favor, traten a todos por igual cuando hagan regalos e inviten a actuaciones y celebraciones. Pueden pasar tiempo con Josué y Julia [nietos biológicos] sin María y Carlos [nietos políticos]. Más adelante, veremos cuánto tiempo quieren pasar con ustedes María y Carlos. Si ellos están dispuestos, sería de enorme ayuda para nuestra familia que ustedes pasen un tiempo con ellos. Sé que a veces se sienten incómodos entre nosotros y la otra casa, por eso, si quieren hacerme preguntas, no dejen de llamarme".

En algunas situaciones, los límites han sido claramente marcados pero los abuelos no quieren respetarlos. Tal vez deba establecer límites más estrictos todavía. "Hemos hablado varias veces acerca de la equidad en los regalos de cumpleaños, pero siguen gastando mucho dinero en Josué y Julia, y casi nada en María y Carlos. Hasta que no puedan reconocer a todos los niños de nuestra familia de una manera justa, no permitiremos que les hagan regalos a ninguno de ellos. Esto es importante para nuestra familia y para los niños también. Esperamos que puedan comprenderlo". A veces, defender a su familia implica que trace límites claros y los mantenga firmes.

Diferencias entre los hijos

¿Cómo se puede armonizar con los hijos cuando estos tienen personalidades tan distintas? Pareciera que favorezco a mis hijos y castigo demasiado a mis hijastros.

Respondido por la doctora Francesca Adler-Baeder[5]

Esta es una pregunta que por lo general formulan los padres en una primera familia acerca de los hermanos, y los padrastros acerca de los hermanastros. Los niños son individuos singulares desde el día en que nacen, e interactúan con su entorno (y las personas que están en ese entorno). Aunque solemos pensar en la crianza como algo que "hacemos" para los hijos (un modelo de influencia unidireccional), en realidad, el ser padres es un modelo de influencia bidireccional. Esto significa que hay acción y reacción en ambos sentidos. Entonces tiene sentido que cada relación padre-hijo tenga sus propias características. El considerar la paternidad de esta manera explica por qué es tan difícil interactuar con todos los niños de una familia exactamente de la misma manera. Habrá diferencias. La dificultad está en que los niños se vuelven muy astutos en las comparaciones y en detectar las diferencias. Ellos consideran que estas diferencias son "preferencias", o un trato "mejor o peor", o afirman "la quieres más a ella que a mí", en vez de considerar que son relaciones diferentes. Incluso, por lo general no son capaces de reconocer o de comprender siquiera el rol que juegan en la relación y en su conducta.

En la relación entre hermanos, el padre debe abordar el tema de las comparaciones asegurándoles que no es que un hijo sea más querido que el otro, sino que cada uno es amado de manera "diferente". En las familias reconstituidas, las respuestas son más complicadas. En la mayoría de los casos, un padre tiene un apego emocional y un amor más fuerte hacia su hijo biológico que hacia el hijastro. Es bueno reconocerlo. Las relaciones con padrastros e hijastros requieren tiempo para desarrollarse, y las relaciones amorosas no siempre se desarrollan entre un padrastro y un hijastro. Que nadie le obligue a tener que comparar a un hijo con un hijastro. Por ejemplo, una posible respuesta hacia la acusación (o la pregunta) de un hijastro podría ser: "Tengo una relación distinta con cada miembro de esta familia y no las comparo. Cuidamos, respetamos y valoramos a todos los miembros de esta familia. Tenemos reglas y valores de familia que se aplican a todos por igual".

De manera que así es: puede sentir más cariño por un hijo biológico que por un hijastro y también es cierto que las conductas distintas de los hijos pueden provocar distintas reacciones de nuestra parte. Es decir, un adulto puede hacer muchísimo para promover la equidad y para hacer sentir a los hijos (tanto a los biológicos como a los hijastros) que son cuidados y valorados.

Tenga cuidado de que las "etiquetas" que pone a los niños no sean las que dirijan sus reacciones ni tampoco exageren las cualidades. En muchas familias pareciera que hay un "niño bueno" (que procura agradar a sus padres) y un "niño malo" que parece ser más inquieto y suele querer sobrepasar los límites. Con el tiempo, esas etiquetas (creadas de forma consciente o inconsciente por los padres) establecen un ciclo de conductas esperadas. Vemos esas expectativas confirmadas y expresamos de alguna forma la etiqueta del niño, lo que a su vez hace que el niño viva según lo que expresa la etiqueta. "Eres perezoso", "Te olvidas de todo; no tienes sentido de responsabilidad" y "Siempre te metes en problemas" se convierten en profecías a ser cumplidas. Además, cuando estas atribuciones se desarrollan, es altamente probable que los padres no las reconozcan o no se concentren en las conductas opuestas. Una técnica para contrarrestar este fenómeno una vez que se ha establecido un ciclo negativo es la de verbalizar de manera consciente la respuesta: "Tú no eres así" y luego etiquetar al niño con la cualidad que desea que desarrolle: "Eres una persona considerada; me extraña que hayas entrado a la habitación de tu hermana y hayas tomado su suéter sin pedir permiso". Es mucho más probable que el niño comience a vivir acorde a las etiquetas positivas.

Preste atención a las conductas positivas. A veces, los niños establecen modelos de conducta negativa porque esta clase de conducta capta la atención, y la atención negativa es mejor que no recibir atención. "Descúbralos haciendo algo bueno" es una excelente guía para quienes son padres por primera vez y debería ser una herramienta empleada a lo largo de todo el desarrollo. La investigación demuestra que con el aumento de la cantidad de interacciones positivas disminuye la cantidad de interacciones negativas en una relación (esto también se cumple en los matrimonios). Intente dedicar más tiempo a solas con su hijastro realizando actividades positivas. Es posible que comience a ver un mayor equilibrio en las conductas de los niños y también en sus respuestas.

Establezca reglas familiares y sea consecuente en mantenerlas. Es mucho mejor tener un plan para controlar la conducta que pensar en consecuencias o castigos en el momento en que desobedecen. Esto es particularmente útil en las nuevas familias reconstituidas, dado que los padrastros deben entrar cautelosamente en su función disciplinaria con los hijastros. Es recomendable que los padrastros hagan cumplir las "reglas de la casa" de la forma en que lo hace una niñera. Las reglas y las consecuencias se pueden acordar junto con los niños. Seguirlas, entonces, será una consecuencia lógica. La coherencia es la clave para ser justos entre los niños de una casa: reacciones parecidas ante acciones parecidas. Si uno recibe más castigo que otro, será como resultado de su propia decisión al actuar y no por las diferencias de los sentimientos que usted tenga hacia ellos.

El acoso o la intimidación dentro de la familia reconstituida

¿Qué se hace cuando un hijo acosa a su hermanastro? Es difícil no defender a mi hijo o no culpar a mi hijastro.

Respondido por la doctora Sandra Volgy Everett[6].

El acoso o la conducta agresiva hacia otro miembro de la familia no debe tolerarse, se trate de hijos biológicos o de los hijastros. Con frecuencia, en las familias reconstituidas, estos conflictos entre los hijos manifiestan síntomas de las dificultades que la familia en conjunto está teniendo para unirse y estrechar lazos. Tales conflictos pueden indicar también que los adultos quizá tengan dificultades para crear una unidad de copaternidad. Los sentimientos de lealtad que padres e hijos tienen unos con otros muchas veces producen diferencias en cómo se interpreta y se aplica la disciplina. Cuando su rol de padrastro difiere de su rol con sus propios hijos, eso generará resentimiento y amargura entre los miembros de la familia. Por supuesto, esto también puede afectar otras áreas de funcionamiento de la familia.

Es importante que sea coherente al aplicar la disciplina a todos los niños de la familia y que tenga iguales expectativas según las edades y el nivel de habilidad de cada uno. Si un niño intimida a otro, póngase firme contra tal agresión y aplique el castigo adecuado y coherente al niño agresor, ya se trate de un hijo biológico o de un hijastro. Es también importante que enseñe a sus hijos a resolver sus diferencias y sus sentimientos en una discusión familiar (o en una reunión familiar) en vez de hacerlo de manera agresiva.

A las familias reconstituidas les cuesta fijar métodos disciplinarios debido a la historia que cada familia trae a la familia reconstituida. Cada uno está acostumbrado a la manera en que se aplicaba la disciplina en su familia anterior, y nadie quiere abandonar esos métodos por otros nuevos que quizás no sean tan cómodos o predecibles. Al principio, es común que los niños se resistan a los nuevos métodos disciplinarios, en especial si esos métodos son más estructurados, sistemáticos o rígidos que los métodos conocidos. Si su padre biológico promueve y alienta la aceptación, eso los ayudará a aceptar los métodos nuevos. Y si ambos presentan un frente unido en cuanto a la manera en que manejan las cuestiones, mucho mejor.

Una de las características de María que atrajo a Timoteo era su capacidad para planificar y estructurar su vida. A Timoteo siempre le había costado organizarse en la vida, en el trabajo y como padre. La capacidad de María de organizar la agenda familiar y generar una expectativa más alta para la conducta tiene sin dudas sus ventajas, aunque generó muchos conflictos. Los hijos de Timoteo no estaban acostumbrados a las exigencias de ella, ni tampoco les agradó la expectativa que ella tenía acerca de que ellos también se organizaran con sus posesiones y con sus tareas escolares. Al final, María trató de hacer que los niños mantuvieran normas que Timoteo no pudo soportar. Los conflictos entre los hijos eran frecuentes y ambos padres se sentían vencidos por el otro.

Ayude a que sus hijos acepten la nueva disciplina y los métodos parentales definiéndolos en un encuentro familiar. De esta manera, los hijos podrán opinar y expresarse. Un debate abierto les permite exteriorizar su frustración y aprender métodos de comunicación que pueden ayudarlos a no recurrir a formas agresivas para resolver sus disputas.

Respeto hacia un padrastro

Mi hijastro no cumple con las reglas ni me trata de manera respetuosa. Mi cónyuge considera que esto es darle libertad para que exprese sus emociones. ¿Qué debo hacer? ¿Cómo les explico a mis hijos la aplicación de una norma para uno y otra para el otro?

El primer problema que enfrentamos aquí es la autoridad del padrastro. Si esta situación aconteciera durante los primeros años, hay muchas cosas que deben ponerse en su lugar para darle autoridad a este padrastro (ver el capítulo 7). Sin embargo, consideraremos que la pareja está procurando establecer reglas para la convivencia y que el padre biológico las ha transmitido con claridad. Supongamos también que el padre biológico ha transmitido la expectativa de que el padrastro es el adulto a cargo cuando el padre biológico no está presente y que deben tratarlo con respeto. Entonces, ¿qué está sucediendo?

Transmitir una expectativa de respeto por el padrastro pero luego permitir la mala conducta y justificarla diciendo que se trata de "libertad de expresión" es un doble mensaje que socavará la integración de la familia reconstituida. Este padre biológico se está dejando llevar por las emociones o por una diferencia en el estilo de ser padres.

Puede que en realidad no esté de acuerdo con las reglas de la casa o que le preocupe el enojo de su hijo por haberse vuelto a casar. Sin embargo, preservar la relación con su hijo a costa de la posición de su esposa (al no exigir respeto y obediencia) a largo plazo produce más daño que beneficio. No sólo perjudica la autoridad de la madrastra sino que admite una doble moral en sus hijastros. Es más, el matrimonio comenzará a socavarse porque uno considerará que el otro no lo apoya en la familia. Esto no es bueno.

Hable con su esposo y pregúntele acerca de sus temores en cuanto a su hijo. Existe la tentación de enfrentar al esposo y pedirle explicaciones de por qué la trata tan mal y sabotea su posición dentro de la familia. Sin embargo, esto provocará que él se ponga a la defensiva. (Quizás ya lo intentó y no funcionó; ¿por qué habría de funcionar ahora?). Pruebe un enfoque distinto.

Concéntrese en lo que él siente y en lo que hace que se comporte de esa manera. Ayúdelo en su lucha con sus temores y preocupaciones. Luego, cuando se dé cuenta de que usted está de su lado, explíquele de qué manera su conducta le está causando daño a su hijo (no a usted) a largo plazo al desestabilizar a la familia. Intente obtener la cooperación y juntos busquen una solución. De ser necesario, busquen ayuda externa. Otra persona puede lograr que su esposo escuche lo que no quiere escuchar de usted.

Una madre que no tiene la custodia y manifiesta hostilidad

¿Qué se puede hacer con una madre biológica que no tiene la custodia (mi ex esposa) que nos cataloga como malvados ("son malos y egoístas")? Mi esposa (la madrastra) está indefensa. No es sólo que las conversaciones con mi ex son unilaterales (su forma de ver las cosas y no existe otra) sino que mis hijos están evidentemente influenciados por ella.

Respondido por Jean McBride, psicóloga especializada en matrimonio y familia[7].

Las parejas que vuelven a casarse enfrentan numerosos desafíos al tratar de unir a su nueva familia reconstituida y al comenzar a dar los primeros pasos para poder sentirse como una familia. Quizás uno de los desafíos más complicados y con mayor carga emocional sea ocuparse de los hijos del otro padre. Hasta hace poco casi no existían los modelos de cómo los padres y los padrastros podían trabajar juntos por el bien de los hijos. En cambio, las personas actuaban desde una posición basada en el temor, como adversarios, donde los padres biológicos y los padrastros compiten por el codiciado título de "padre verdadero" ante los ojos de los hijos. Para abordar esta pregunta de manera efectiva, hay varios puntos a considerar.

Las investigaciones demuestran que a las madrastras les cuesta más entablar una relación con sus hijastros que lo que les cuesta a los padrastros. Existen varias razones para ello. El rol de la madre conlleva un respeto y una reverencia que son automáticos. Además, la mitología cultural dice que "las madres saben cómo cuidar a sus hijos" y "el toque de una madre hace que todo vaya mejor". Esto es difícil para la madrastra. Las madres biológicas con frecuencia temen que la madrastra las reemplace, lo que genera muchísima ansiedad y celos. Por su parte, las madrastras se sienten devaluadas, faltas de importancia o invisibles. Los hijos perciben ese tironeo entre su madre y su madrastra e intentan salir del medio. Según el razonamiento de un niño, sentir aprecio por una madrastra con frecuencia implica una deslealtad hacia su madre biológica.

El divorcio es un suceso complicado y multifacético en la vida de una familia. Cada miembro de la familia puede experimentar intensos sentimientos de pérdida, de tristeza, de dolor, de enojo, de soledad, de desesperación, de temor y de abandono, por nombrar sólo algunos. Incluso puede haber sentimientos de alivio, de esperanza y de libertad. Los sentimientos intensos con frecuencia se manifiestan por medio de las acciones. En la pregunta mencionada es muy probable que la madre biológica esté comunicando sus sentimientos por medio de su hostilidad y de los intentos por mantener a los hijos de su lado.

¿Cómo hace una nueva familia reconstituida para tener una posibilidad de éxito frente a esta clase de presión? Algunas sugerencias:

Desarrolle una actitud compasiva hacia todos los miembros de la familia. Para nadie es sencillo. Los hijos, los padres biológicos y los padrastros, todos luchan por hacer lo mejor ante las circunstancias dadas.

Concéntrese en las cosas que puede controlar. Por ejemplo, una madrastra puede reaccionar mal ante lo que la madre de los niños dice y hace, o puede encauzar sus energías de manera más productiva conociendo más a los niños y permitiendo que ellos la conozcan a ella. Trate de que este período de conocimiento mutuo se desarrolle poco a poco y con sutileza, y no albergue expectativas demasiado elevadas. Algunas cosas irán bien y otras no. Acepte ambas como parte del desarrollo normal de una familia reconstituida.

¿Recuerda el consejo: "lento pero seguro"? Los niños reaccionan mejor ante lo estructurado y lo predecible. Para una nueva familia reconstituida, muchas veces el mejor curso de acción es sencillamente mantener el rumbo.

Separe un tiempo a solas con su pareja. Planee pasar un tiempo juntos cada semana, aunque solo sea para tomar una taza de té o dar una vuelta a la manzana. Cuando la pareja tiene lazos firmes, ambos podrán hacerle frente a casi todo.

Separe un tiempo para estar a solas. Ocúpese de sí mismo. Pase un tiempo a solas durante el cual pueda recargar sus baterías emocionales y físicas. No descuide su cuidado personal.

Establezca buenos límites. Haga todo lo que esté de su parte para tener una buena comunicación y cooperar con el otro padre del niño. Y al mismo tiempo, sea claro en cuanto a sus propios límites. Sepa en qué áreas puede ceder y en cuáles no. Mantenga el tono de la conversación formal y concéntrese en la resolución de los problemas.

Mantenga a los niños fuera de la discordia. Ocúpese de los asuntos de la copaternidad sin involucrar a los hijos. Evite expresarse mal del otro padre o hacerlo quedar mal ante los ojos del niño. No ceda a la tentación de tratar al otro padre tan mal como él lo trata a usted.

Mantenga su sentido del humor. Concéntrese en las bondades de la vida en vez de hacerlo en los aspectos negativos. Procure reír con su familia al menos una vez al día.

Preguntas para discusión en el grupo de apoyo

PARA TODAS LAS PAREJAS

1. Por turnos comenten (como pareja y en el grupo) qué preguntas son las más relevantes en su situación. Mencionen las respuestas que les fueron de ayuda y por qué.
2. ¿Qué otros interrogantes tiene? Menciónelos a su pareja o grupo y luego propongan posibles soluciones. Decida cuál es la solución que podría probar.

TERCERA PARTE

Un mensaje a la iglesia

El ministerio a las familias reconstituidas representa el próximo desafío para las iglesias en todo el mundo. Estas familias son un campo listo para la siega, pero los obreros son pocos. La mayor parte del ministerio a las familias reconstituidas se debe al esfuerzo de los laicos. En otras palabras: las mismas familias reconstituidas son las que llevan a cabo el ministerio que se realiza en la mayoría de las iglesias. Pocos son los pastores o los líderes de la iglesia que colocaron en su lista de prioridades el ministerio a las familias reconstituidas. Al menos, todavía no.

Para las familias reconstituidas que lean este libro: Ustedes son parte de la iglesia. Y como miembros de la familia de Dios, tienen la oportunidad de servir en su reino. Como miembros de su iglesia tienen la responsabilidad de involucrarse en el ministerio. Es mi oración que este capítulo les anime a iniciar, en el ámbito local, un grupo de capacitación para la familia reconstituida. Quizás podrían comenzar por mostrarle este capítulo (o todo el libro) a su pastor. Luego reflexionen sobre las ideas del presente capítulo y cómo podrían iniciar un ministerio local con familias reconstituidas. Como creo que algunos líderes ministeriales leerán primero este capítulo, he repetido cierta información de otras partes del libro con la esperanza de que ellos también puedan captar la visión del ministerio a las familias reconstituidas.

Para los pastores que lean este libro: las familias reconstituidas conformarán un importante número dentro del ámbito de su ministerio, si no lo son ya. La necesidad es real y usted, hermano pastor, puede ayudarlos. Por favor, siga leyendo para descubrir cómo puede hacerlo.

CAPÍTULO DOCE

Ministerio a las familias reconstituidas

Por favor, le ruego me responda si sabe cómo ayudarme. No sé qué hacer. Me casé dos veces y tengo un hijo de cada matrimonio. Mi actual esposa se manifiesta cada vez más hostil hacia mi primer hijo. Precisamente ayer se quejó porque dice que paso demasiado tiempo con él y muy poco con nuestro hijo. Está amargada y celosa, y es posesiva (incluso quiere que lo saque de mi testamento). Y yo estoy atrapado en el medio. Haga lo que haga, alguien saldrá perdiendo. Sé que no ayuda para nada que mi primera esposa haga quedar mal a mi esposa actual (están siempre compitiendo). De nuevo, estoy en el medio. Si tiene alguna sugerencia, se lo agradeceré.

—Correo electrónico de un padre

Ministrar a las familias reconstituidas será uno de los grandes desafíos del nuevo milenio. Resulta claro que las cuestiones relacionales y espirituales de los miembros de la familia reconstituida son oportunidades para que la iglesia toque la vida de las personas con el poder del evangelio. Sin embargo, la iglesia está muy lejos de comprender cómo es la vida de la familia reconstituida y ha sido muy lenta para ofrecer ayuda. Como consecuencia de esto, Satanás y sus fuerzas se están aprovechando de múltiples generaciones. Los adultos y los niños se sienten desanimados, desilusionados y, por consiguiente, apartados del servicio activo en el reino de Dios.

El mejor blanco de Satanás es (como siempre lo ha sido) el hogar. Por ejemplo, si consigue evitar que una familia reconstituida se integre de manera exitosa tendrá cautivas a varias generaciones. La depresión, la ansiedad, el abuso de sustancias y otras adicciones (a la comida, al trabajo, etc.) se convierten en mecanismos temporales que abordan tanto adolescentes como adultos que padecen circunstancias familiares poco saludables. Entonces, las conductas inadecuadas sabotean y ocupan el lugar de las relaciones saludables e íntimas de la familia. Además, los hijos experimentan lo que es el amor condicional al ser testigos de cómo sus padres se involucran en una serie de matrimonios tipo "velcro" (que se pegan y se despegan a voluntad). Eso ocasiona que los hijos tengan una visión cínica del matrimonio y cierta tendencia a la desconfianza cuando se casan. No todas las familias reconstituidas son insalubres, pero la mayoría podrían beneficiarse en gran manera si contaran con una formación práctica y un sistema de apoyo estable. La iglesia es perfectamente capaz de proveer ambas cosas.

Debo recordar, por supuesto, que los esfuerzos de Satanás por atar de pies y manos a las familias primarias y a las reconstituidas no son nuevos. Recibo innumerables mensajes electrónicos de familias reconstituidas de todo el mundo, pero el mensaje con el que se inicia este capítulo no se trata de un correo electrónico. A decir verdad, es una reconstrucción de la historia de Abraham, Sara y Agar que hallamos en Génesis 16 y 21. En contraste con la familia reconstituida de nuestros días, su "familia expandida" incluye a un hombre con dos esposas en vez de una esposa y una ex, pero la dinámica es exactamente la misma de la que hoy en día vemos en una familia reconstituida. En verdad, la iglesia debe hallar una manera de responder a esto o la siguiente generación repetirá innecesariamente los mismos errores que hemos visto durante siglos[1].

MINISTERIO PARA LA VIDA FAMILIAR

Las iglesias han estado sosteniendo que la familia es el principal vehículo para la formación espiritual del niño (ver Salmo 78; Deuteronomio 6) y la madurez espiritual de los adultos. Las familias occidentales han pasado por cambios drásticos durante los últimos cincuenta años, y las iglesias en general han quedado rezagadas en sus intentos por ministrar de manera efectiva a la composición familiar tan cambiante. Para ser más específicos, la mayoría de los ministerios familiares de la iglesia siguen pasando por alto a las familias reconstituidas, aunque en nuestros países ellas agrupan a un gran número de niños y adultos.

Considero que la iglesia siempre debe mantener al matrimonio como el más alto ideal de Dios para la vida de un hombre y una mujer. Nada debe reemplazarlo. Sin embargo, para los que ya están en una familia reconstituida, la iglesia debe brindarles sanidad en su ruptura y pérdida, además de equiparlos para el futuro. Debemos ser tan firmes en la prevención del divorcio en el segundo o el tercer matrimonio como lo somos en la prevención del divorcio del primero. Sin embargo, lamento informar que la iglesia, por lo general, no se ocupa con seriedad del enriquecimiento ni de la prevención del divorcio de la familia reconstituida. Analice las convincentes estadísticas acerca de las familias reconstituidas norteamericanas:

- El 46% de los matrimonios corresponden a segundas nupcias de uno o de ambos miembros de la pareja[2]. La tasa de divorcios para los que se vuelven a casar, con hijastros, es 50% más alta que en aquellos que no los tienen[3].
- Aproximadamente un tercio de todos los hijos menores de dieciocho años viven en un hogar con una familia reconstituida donde cohabitan padres casados o en pareja[4].
- Uno de cada tres norteamericanos es hoy un padrastro, un hijastro, un hermanastro o algún otro miembro de una familia reconstituida, y más de la mitad de los norteamericanos estarán en una situación así (padrastro, hijastro, etc.) durante su vida[5].
- Se prevé que para el año 2010, en los EE. UU. de A. habrá más familias reconstituidas que de cualquier otro tipo[6].

- La tasa de divorcio en los nuevos casamientos sigue rondando el 60%[7]. Por decirlo de otra manera, el 50% de los niños norteamericanos verá que sus padres se divorcian y el 50% de esos niños verá que al menos uno de sus padres se divorcia una segunda vez.

A pesar de que prevalecen las familias reconstituidas y a pesar de la tasa de divorcio en los nuevos casamientos, este grupo sigue siendo uno de los más descuidados dentro de las iglesias. No obstante, me siento agradecido de que las iglesias y los "gigantes dormidos" organizacionales basados en la fe están comenzando a despertar ante las increíbles oportunidades para el ministerio a las familias reconstituidas y para alcanzar a la comunidad. Este tipo de familias carecen de una imagen clara y coherente del rompecabezas tridimensional que están tratando de construir. Las iglesias pueden integrar los principios de la Biblia con valiosas investigaciones y proveerles de los elementos que necesitan a través de programas de capacitación práctica. Entonces, las oportunidades para el crecimiento familiar y espiritual, para los miembros de la iglesia y los que no lo son, serán importantísimas. No obstante, aún existen muchas barreras.

BARRERAS PARA EL MINISTERIO A LAS FAMILIAS RECONSTITUIDAS

La primera barrera es que la mayoría de los líderes de la iglesia no perciben la necesidad. No podemos comenzar a ocuparnos de lo que preocupa a las familias reconstituidas hasta que nos demos cuenta y reconozcamos que estas existen. A pesar del enorme número de familias reconstituidas en la población en general, estas permanecen invisibles para muchos líderes de las iglesias por diversas razones:

Primero, las iglesias tienen menos familias reconstituidas. No es extraño que estas familias sumen el 6% de la congregación en comparación al 25 a 30% de la población general de los EE.UU. de A[8]. Entonces, el problema es que los líderes de la iglesia a veces no interactúan lo suficiente con las familias reconstituidas de la congregación o de la comunidad como para darse cuenta de que el número va en aumento o de cuáles son sus luchas y dificultades. Y aunque lo hagan, les resulta difícil hallar materiales prácticos y bíblicos que los ayuden en esto (hasta la publicación de este libro). Es más, las parejas de familias reconstituidas que se sienten superadas en número por los hogares con parejas en primeras nupcias puede que no pidan ayuda a sus líderes. En otras palabras, puede que tengamos más familias reconstituidas en nuestra congregación de lo que los números sugieren debido a la falta de información que brindan las mismas familias con estas características.

Las llamo "familias reconstituidas secretas" y se sientan en nuestros bancos todos los domingos. No quieren que las identifiquen como familias reconstituidas. Temen el juicio por su pasado y que les recuerden las diferencias. Hace poco, el líder de nuestro grupo de apoyo a familias reconstituidas y yo asistimos a una conferencia sobre familias de este tipo. Le pregunté cuántas familias así había en nuestra congregación. Además de las que yo conocía bien, mencionó seis más de las que yo no tenía idea que eran matrimonios en segundas nupcias. Me quedé helado. Aun en una iglesia como la nuestra, abierta a las familias reconstituidas y que cuenta con ministerios para ellas, y que incluso apoya mis seminarios específicos, tenemos parejas de familias reconstituidas que tienen miedo de "salir del ropero". En verdad, la vergüenza y un sentido de falta de valor se cuentan entre las mayores barreras para un ministerio efectivo a las familias reconstituidas. Las iglesias deben comenzar a planificar oportunidades educativas para estas familias, pero lo más importante es transmitir un mensaje de aceptación, si no serán pocas las que saquen provecho de los programas que ofrezcamos.

Otro de los motivos por el que hay menos familias reconstituidas en las congregaciones locales es que con frecuencia dichas familias están *espiritualmente marginadas*. Esto sucede por diversas razones. La primera es *la vergüenza y la culpa personal por el divorcio o el pecado pasado*. La misma vergüenza y temor que hace que algunos se "encierren en el ropero" hace que otros se aparten de Dios y de la iglesia. Una persona dijo: "No estoy segura de que Dios me acepte por causa de mi nuevo matrimonio. Incluso, tengo miedo de leer la Biblia porque no estoy segura de lo que pueda encontrar allí". Esta duda y esta vergüenza apartan a la gente de Dios por temor a la condenación, y de los cristianos a quienes perciben como "personas mejores" que ellos.

Además, muchas personas divorciadas y vueltas a casar *son marginadas porque la iglesia las excluye socialmente o las juzga espiritualmente.* Un ejemplo perfecto de esto es la pareja que mencioné en el capítulo 3 a quien un pastor le dijo de manera directa: "Lo siento. El origen y el pasado de ustedes podría infectar a los demás, de manera que no los podemos tener en nuestra iglesia". Hacen sentir a las familias reconstituidas como extraños impuros, como cristianos de segunda que no encajan ni social ni ideológicamente. Esto margina a las parejas vueltas a casar y les da un fuerte sentido de falta de valía.

Luego de asistir a mi seminario sobre "Cómo construir una familia reconstituida exitosa", un padre vuelto a casar le dijo a uno de sus ancianos: "Me alegro de haber venido este fin de semana. Jamás pensé que yo podría volver a pisar una iglesia". Era evidente que se sentía indigno e inaceptable. Al auspiciar este seminario aquella iglesia hizo una declaración: Aquí la gracia de Dios está disponible. Si siente que es inmerecedor del perdón de Dios, ¡Bienvenido al club!

Cuando de tanto en tanto una familia que busca una iglesia visita una congregación, se encuentra con mensajes sutiles expresados en lenguaje eclesial o con programas que los excluyen del resto de las parejas. Por ejemplo, el consejo que se da en los cursos de capacitación para padres, por lo general no brinda respuesta a las luchas cotidianas de los padres de familias reconstituidas, y las cuestiones en cuanto a los ex quedan sin respuesta porque nadie sabe cómo aconsejar en esos casos. El mensaje inadvertido pero desafortunado es: "No perteneces aquí" y las familias reconstituidas lo escuchan fuerte y claramente. Según comentó una mujer: "Me desanima tanto ir a la iglesia porque nadie presta atención a mi pedido de ayuda. Es como si mis necesidades no fueran importantes".

Una tercera barrera para el desarrollo de un ministerio con familias reconstituidas es *que las iglesias no quieren percibir la necesidad.* Como pastor de tiempo completo en un ministerio con familias sé que el ministerio en la iglesia local es una profesión estresante.

Los pastores se enfrentan a una tecnología siempre cambiante, distintos estilos de liderazgo para los *baby-boomers* (los nacidos después de la Segunda Guerra Mundial) o para la generación del milenio, preferencias musicales en continuo cambio e iglesias polarizadas (con algunos miembros que luchan por mantener las cosas como están mientras otros impulsan los cambios radicales en la metodología del ministerio). La lista de desafíos que deben enfrentar los pastores es interminable. Y ahora, con la idea de comprender a las familias reconstituidas, a los líderes de la iglesia se les pide que reconsideren los conceptos más conocidos respecto al matrimonio y la vida familiar. Esto exigirá que, como mínimo, den un paso atrás en cuanto al consejo familiar conocido, recopilen material y den una mirada renovada a la audiencia a la que ministran. Y eso encima de todo lo que los pastores están tratando de abordar. Es un desafío en verdad difícil.

Por eso, la mayoría de los ministerios con familias reconstituidas son esfuerzos de los miembros involucrados. Cansadas de luchar solas, las parejas de familias reconstituidas terminan uniéndose a otras parejas para formar grupos de capacitación y apoyo. Existe algo de material que les puede brindar orientación con base bíblica pero, por sobre todo, las parejas encuentran apoyo en otros que pasan por luchas parecidas. Organizaciones como la que dirijo *(www.SuccessfulStepfamilies.com)*, intentan ayudar.

Sé que está ocupado, pero cuando pueda aliente a las familias reconstituidas de su iglesia y separe algo del presupuesto para ministrarles. Aliente a las parejas de estas familias para que sigan trabajando tomando en cuenta todas las etapas de la vida familiar. Cuando pueda, capacítese y capacite a otros, pero procure bendecir sus esfuerzos ministeriales locales. Aproveche este libro para aprender sobre el tema y aliente a los líderes para que adquieran copias para otras parejas. Usen las preguntas para trabajarlas durante el intercambio de ideas en los grupos de apoyo. Hablaré más adelante acerca de esto.

La cuarta barrera clave para el ministerio con las familias reconstituidas está relacionada con *las luchas teológicas sobre el matrimonio y el divorcio.* Abordar el matrimonio, divorcio y nuevo casamiento desde un punto de vista bíblico está fuera de los propósitos de este libro. Nos basta con decir que cada pastor y cada iglesia tienen que estudiar con atención el texto bíblico para llegar a una postura doctrinal al respecto. Yo no he conseguido responder a todos mis interrogantes. Justo cuando creo tener todo bajo control, surge otra pregunta de difícil respuesta usando la Biblia. Sin embargo, estoy seguro de que el divorcio no es el "pecado imperdonable" y que una vez vueltos a casar, más allá de la historia de cada uno, cada pareja debe esforzarse por honrar sus votos.

Ministrar a las familias reconstituidas no significa que estemos a favor del divorcio o del adulterio, como creer en los hospitales no nos convierte en personas que estemos a favor de las enfermedades[9]. En el ministerio con familias reconstituidas no se trata de aprobar la conducta pasada ni de rebajar las normas divinas para el matrimonio. Lo que Dios espera del matrimonio es que las personas honren sus votos maritales. Algunas veces nos confundimos al pensar que todo lo que Dios desea es que vivamos con una persona toda nuestra vida (puede vivir con alguien y no amarlo como prometió), cuando lo que Dios desea son personas que permanezcan fieles a sus compromisos y los lleven a la práctica lo mejor que puedan. Dios detesta el divorcio (Malaquías 2:16) porque eso es romper un pacto; él jamás rompe un pacto y tampoco quiere que lo hagamos nosotros. Sin embargo, las parejas casadas en primeras nupcias pueden permanecer unidas pero aun así no honrar su pacto de amor, honor y respeto. Lo que quiero decir es que el nuevo casamiento también es un pacto que se debe honrar. Las personas pueden necesitar arrepentirse de las decisiones previas que las llevaron a un nuevo matrimonio pero, una vez que se hace la promesa, debemos ayudar a las parejas a mantener su compromiso.

Por extraño que parezca, algunos me presionan para que aliente el divorcio entre los que se volvieron a casar. Mis presentaciones en radio y televisión me convirtieron en blanco fácil de muchos cuya teología está cerrada a la idea del nuevo casamiento. Una mujer me escribió una carta en la que me acusaba de alentar a las personas a "casarse en adulterio" y sugería que yo "debería decirles que abandonaran el nuevo matrimonio para así arreglar sus cuentas con Dios".

¿Cómo puede ser que la ruptura intencional de un nuevo pacto (el pecado del divorcio) sea parte de arreglar sus cuentas con Dios? Esto sólo tiene sentido para quienes se niegan a reconocer el nuevo matrimonio como una unión legítima. Si bien reitero que un análisis exhaustivo de las Escrituras está fuera del propósito de este libro, en cuanto a este tema en particular haré mención de la conversación de Jesús con la mujer en el pozo (Juan 4:1-26). En el versículo 18, Jesús señala que ella había tenido cinco maridos y que estaba viviendo con un hombre con el cual no estaba casada. (Fíjese que Jesús distingue muy bien entre los matrimonios anteriores y la relación actual de cohabitación). Si hubiera sido imposible para esta compañera matrimonial en serie casarse luego del primer matrimonio, entonces Jesús habría dicho que ella había estado casada una vez y había convivido con cinco hombres más. Pero no lo hizo. Al parecer, sea que un matrimonio comience bien o no, una vez que la pareja hace una promesa de pacto de casarse, estarán casados y deben honrar esa promesa. Sin excusar las circunstancias que rodean a la decisión de casarse, creo que nuestra obligación luego de la boda es equipar a la pareja para hacer que su matrimonio sea inteligente y exitoso.

Entonces, el ministerio con familias reconstituidas se ocupa de la prevención del divorcio. También se ocupa de reducir las presiones de la vida de las familias reconstituidas que apartan a las personas del servicio en el reino de Dios y evitan que los padres críen hijos en el conocimiento del Señor. Es más, cuando el cuerpo de Cristo se convierte en una comunidad de apoyo, las familias reconstituidas hallarán dirección y aliento para continuar en su recorrido por el desierto hacia la tierra prometida[10]. La iglesia tiene un mensaje que puede aplastar el ataque de Satanás contra el hogar de la familia reconstituida: Primero, Dios perdona a los imperfectos en las familias reconstituidas al igual que perdona a las personas imperfectas de las familias tradicionales y biológicas. Y segundo, la fortaleza y la sanidad de Dios están disponibles para cualquiera que se acerca a él con fe. Es hora de que la iglesia exprese ese mensaje de redención y esperanza, y se convierta en una familia espiritual ampliada para las familias reconstituidas.

SUGERENCIAS MINISTERIALES PRÁCTICAS

Estoy muy entusiasmada con el seminario. En verdad estoy ansiosa por la perspectiva que nos dará este seminario. Contamos con actividades y programas para atender a los casados en primeras nupcias pero no tenemos nada para suplir las necesidades de los que se vuelven a casar. Muchas parejas están mal preparadas para manejar las cuestiones exclusivas de las familias reconstituidas. Ingresamos al matrimonio sabiendo que estábamos haciendo bien las cosas ante los ojos de Dios, pero fuimos y estamos abrumados por las cuestiones que fueron apareciendo. He visto a muchísimos amigos que no lo lograron la segunda vez porque nosotros, la iglesia, no tuvimos los elementos para ayudarlos.

—Cindy Raymond, Segunda Iglesia Bautista de Houston

A continuación se presentan algunas maneras prácticas en que su iglesia puede iniciar un ministerio con familias reconstituidas.

Transmita mensajes de esperanza y determinación a las familias reconstituidas de la congregación. El "vagar por el desierto" puede ser largo y atemorizante (ver el capítulo 1), pero existe una tierra prometida de plenitud matrimonial, relaciones interpersonales, bienestar para los hijos y redención espiritual. Rételos a que no se den por vencidos (divorcio o aceptar la mediocridad), sino que confíen en Dios y permanezcan en el camino para llegar a la tierra prometida.

Mantenga una mentalidad de alcanzar a otros (evangelizadora). Quizá cuente con unas pocas familias reconstituidas en su congregación, pero hay muchas en la comunidad que le rodea. Instruya a su liderazgo y al resto del cuerpo pastoral para que consideren el ministerio de la familia reconstituida como un esfuerzo de alcance. Diseñe sus clases (títulos de las charlas, horario de reuniones, etc.) teniendo en mente a los que no asisten a la iglesia.

Comience con un grupo de capacitación o clase bíblica para familias reconstituidas. En este libro hallará preguntas para el intercambio de ideas donde los grupos puedan aprender y crecer juntos. Consiga a una pareja de una familia reconstituida cuyo matrimonio esté funcionando bien y quizás otra pareja de una familia tradicional para que lideren juntas el grupo. El equipo de liderazgo debe dedicar tiempo a la oración mientras leen y estudian este libro. Anuncie su intención de comenzar un grupo y adquiera una copia de este libro para todos los que asistan. Solicite al grupo que lea un capítulo determinado y luego reúnanse para hablar sobre cómo se aplica a cada hogar. Es probable que necesiten reunirse más de una vez para considerar cada capítulo.

Mantenga abierto el grupo, de manera que las parejas que se han casado de nuevo o aquellas que estén por hacerlo entren o salgan del grupo cuando lo deseen. Según mi experiencia, las parejas se sienten atraídas al grupo según su necesidad. Una vez que se estabilicen, es posible que las parejas dejen de asistir. No se desanime si la asistencia es fluctuante, tan sólo dispóngase a ayudar en el momento de necesidad. Las parejas que estén por volverse a casar pueden beneficiarse de escuchar las realidades de la vida de una familia reconstituida y aprender de las soluciones que descubrieron otros miembros del grupo.

En mi iglesia descubrimos que una vez que las personas de un grupo crean lazos, se hace muy difícil que ingresen nuevos miembros. De manera similar a los que están fuera del círculo en la familia reconstituida, los nuevos integrantes se sienten desconectados cuando asisten por primera vez. Luego de un par de años, el grupo inicial ya establecido tiene una historia en común que es difícil de penetrar. No tema iniciar un nuevo grupo aproximadamente cada dos años. Puede alentar al grupo establecido a que reorienten el estudio hacia temas de discipulado y madurez espiritual. El nuevo grupo se referirá a los principios elementales de la vida en la familia reconstituida y se ofrecerán aliento unos a otros.

Por último, permita que el grupo decida la frecuencia con la que habrán de reunirse (todos los domingos por la mañana, cada quince días o una vez por mes) y denomínenlo "grupo de capacitación" en vez de "grupo de apoyo". Descubrí que es más fácil que los hombres asistan a un encuentro educativo. El nombre "grupo de apoyo" les genera temores de que tendrán que revelar sentimientos profundos y personales, e implica que les es difícil llevar las riendas de su propia vida.

Una vez que haya formado su grupo, y si vive en los Estados

Unidos, comuníquese con la *Stepfamily Association of America* [Asociación de familias reconstituidas de los EE. UU. de A.] en cuanto a abrir un grupo local y busque material cristiano adicional para estudiar con el mismo. (Visite nuestra página electrónica: *www.SuccessfulStepfamilies*.com).

Cuando una familia reconstituida visite su iglesia, capacite al equipo de recepción para que no formulen demasiadas preguntas acerca de por qué tienen apellidos distintos. Preguntarle a un padrastro por qué su apellido es Rodríguez, el de la mujer es González y el de sus hijos es Pérez, parecerá como la inquisición y sólo acarreará mayor culpa y vergüenza. Salúdelos como lo haría con cualquier otra familia. Si cuentan con un grupo de capacitación, avíseles, pero no les exija que asistan. Para muchos significará un consuelo relacionarse con otras familias reconstituidas, mientras que otros no querrán ser encasillados. Al comienzo, permítales ocultar su pasado si necesitan hacerlo.

Que los maestros de las clases bíblicas para niños tomen conciencia de las complejidades de las familias reconstituidas. Por ejemplo, durante la preparación de las actividades para el día de las madres o el día de los padres, puede ofrecerle al niño que prepare dos tarjetas, una para el padre biológico y otra para el padrastro (pero sólo si el niño lo desea). Además, desde el púlpito incorpore lenguaje que reconozca a los padrastros y a las madrastras; aliente su rol y compadézcase de sus luchas.

También descubra quién está autorizado a retirar a los niños luego de la clase bíblica y quién no. Por ejemplo, algunos padres finalizan su fin de semana de visita cuando dejan a sus hijos en el coro de niños. A fin de evitar confusiones, los padres que tengan la custodia deben indicar por escrito quién está autorizado a recoger a los niños. Quizás pueda iniciar cada trimestre con una reunión de padres y maestros a la que asistan ambas familias y dejen por escrito estas cuestiones de quién retira a los pequeños.

Trate de que el pastor o consejero de jóvenes esté informado

- Los padres biológicos son los que deben completar y firmar los formularios médicos. Los padrastros por lo general no tienen el derecho legal de dar consentimiento para tratamientos clínicos a menos que tal derecho esté documentado. El apéndice A contiene un formulario que les da permiso a los padrastros para tomar decisiones médicas de emergencia. Haga que un notario certifique el formulario y archívelo. Además, si el grupo de jóvenes viaja, asegúrese de que el otro padre esté al tanto de sus planes, en especial si el padrastro va de acompañante. Este formulario de consentimiento para viajar que, al ser firmado por el otro padre biológico le da permiso al hijastro a viajar con los padrastros, se puede obtener en la *Stepfamily Association of America* [Asociación de familias reconstituidas de los EE. UU. de A.] (*www.saafamilies.org*).*

- Recomiendo que el plan de estudio bíblico incluya clases que traten las luchas más comunes que enfrenta el adolescente en una familia reconstituida. Por ejemplo, cómo honrar a los padrastros según Efesios 6:1-3 mientras que lucha contra sentimientos de deslealtad hacia los padres biológicos, conflictos con los hermanastros y padres biológicos que no se involucran. Los adolescentes necesitan un espacio para poder conversar sobre tales temas con sus líderes de jóvenes y que estos comprendan lo que experimentan.

Cuando se dicten clases sobre el matrimonio y el enriquecimiento familiar o se predique acerca de estos temas, mencione las presiones del padrastro y del nuevo matrimonio. Hable acerca de sus necesidades cada vez que pueda. En las clases acerca de cómo ser padres, por ejemplo, comenten en grupo cómo deberían manejar los padrastros determinada situación y, de vez en cuando, brinde ejemplos de casos tomados de situaciones de familias reconstituidas. Además, analice los pasajes bíblicos conocidos que se refieren a la vida familiar para ver de qué manera se aplican (o si deben aplicarse de manera diferente) a las situaciones de las familias reconstituidas (ver el capítulo 9).

---

*Nota del Editor: Estas son prácticas recomendadas para quienes viven en los EE. UU. de A., pero que pueden ser diferentes en otros países. Se recomienda usar el sentido común.

La consejería prematrimonial debe educar a las parejas acerca de la dinámica de las familias reconstituidas. Antes de volverse a casar, la mayoría de las parejas tienen escaso conocimiento práctico de la vida de la familia reconstituida o de las luchas que enfrentarán. Debe considerar que es su tarea ayudar a las parejas a analizar de manera crítica tanto los aspectos fuertes de su relación como la dinámica potencial de la familia reconstituida[11]. Para poder ofrecer una asesoría prematrimonial sólida, ayude a las parejas en todos los temas que enfrentan las parejas que se casan por primera vez. Luego, haga que las cuestiones relacionadas con la vida de la familia reconstituida sean su prioridad. De no hacerlo, les estará dando a las parejas un falso sentido de seguridad en cuanto a su futuro.

Recomiendo que solicite a las parejas con hijos de una relación anterior que lean este libro como parte de su consejería prematrimonial. Comenten los capítulos en forma privada o en las clases previas al nuevo casamiento. Luego, relacione a estas parejas con otras que lleven un tiempo transitando este camino. Por ejemplo, abra su grupo de capacitación de familias reconstituidas a los padres solteros y a las parejas que estén pensando volverse a casar. Solicíteles que asistan a las reuniones y escuchen las historias reales. Organice un programa de consejería para que las parejas que acaban de volverse a casar y las que están por hacerlo puedan conversar con parejas mayores que hayan atravesado el "mar de la oposición" (ver el capítulo uno). Considere prioritario darle a las parejas una idea aproximada del rompecabezas que intentan armar.

También recomiendo que los pastores usen el perfil "Prepare-MC"[12]. Este inventario es útil para identificar los aspectos fuertes de la pareja y las áreas de crecimiento, y también sirve para establecer las prioridades en las sesiones. Sólo cuenta con una cantidad limitada de reuniones, de manera que es crucial que las aproveche al máximo.

Los temas de las sesiones incluirán todo lo relacionado con el matrimonio cristiano como: expectativas de su cónyuge, el matrimonio de Efesios 5 (los roles de sumisión y el rol del líder-siervo), intimidad espiritual, habilidades de comunicación y resolución de problemas, metas para el matrimonio y la sexualidad. No obstante, las sesiones también deben enfocarse a la familia reconstituida. Es decisión suya quién o quiénes asistirán a las sesiones, pero es buena idea combinar adultos y niños para comentar las expectativas que cada uno tiene respecto al otro, los roles, la autoridad de los padrastros y cómo los hijos llamarán al padrastro. Se puede invitar a los ex cónyuges a una sesión con la pareja (si es que consiguen mantener bajo control el conflicto y la hostilidad) para negociar las responsabilidades parentales. Las sesiones sólo con hijos podrán ayudar a los pequeños a expresar sus pérdidas y sus temores relativos a la nueva familia. Si no se siente competente como para manejar sesiones así, puede solicitar la colaboración de un psicólogo de confianza que le ayude con estos encuentros previos al nuevo casamiento[13].

Por último, planee una sesión de seguimiento a los seis meses y otra al año de la boda para evaluar el proceso de ajuste de la pareja y de la familia reconstituida. Aconséjelos en las dificultades si es necesario y ofrézcales apoyo a lo largo del camino.

Organice un seminario para familias reconstituidas, apoye un retiro para esta clase de familias u ofrezca un curso breve para los adultos de estas familias. Lo que sea ¡pero haga algo! Uno de los pioneros en la capacitación de familias reconstituidas cristianas, Dick Dunn, afirma que, aunque el 60% de las parejas que se vuelven a casar se divorciarán, el 80% de ellas podría haber sobrevivido en su deambular por el desierto con apenas un poco de información y de apoyo[14]. Creo que tiene razón. Y la iglesia está perfectamente posicionada para ofrecer ambas cosas. Entonces, ¿qué está haciendo para ministrar al que pronto será el tipo de familia más numeroso?

LLAMADO AL MINISTERIO

¿Qué le diría a alguien que le sugiriera que no puede ministrar o evangelizar a la mitad de la población de su comunidad? Digamos, por ejemplo, que alguien le dice que sea insensible a las necesidades de las mujeres de su comunidad (que son aproximadamente la mitad de la población). ¿Aceptaría esa restricción? Quizás se sienta mejor si le dijeran que dejara de lado a los hombres. Me imagino que en cualquiera de estos dos casos usted no se sentiría bien descuidando a la mitad de la población de su comunidad.

Las proyecciones actuales del país sugieren que uno de cada dos norteamericanos vivirán en una situación de familia reconstituida en algún momento de su vida. Sea como padrastro, hijastro, hermanastro, abuelo o tío político; el 50% de nosotros viviremos en al menos una situación así. ¿Se imagina descuidar a todas esas personas o ser ajeno a las necesidades de su familia? Probablemente no. El ministerio a las familias reconstituidas es una oportunidad increíble para todas las iglesias. Sin embargo, se necesita comenzar con la disposición para conseguir material y ampliar su ministerio a las familias expandidas. Los bisnietos de las familias reconstituidas de su iglesia y de su comunidad necesitan que sea fiel en la tarea de fortalecer a sus antepasados. Es más, la capacitación y el enriquecimiento de la familia reconstituida son aspectos necesarios y vitales del ministerio en este nuevo milenio. Lo que resta preguntar es: ¿cuándo comenzará?

Apéndice A

Permiso médico para tratar a un niño

Fecha____________________

A quien corresponda:

Referente a ____

____

Nombre completo del niño, dirección, fecha de nacimiento, número de Seguro Social

Como padres del niño antes mencionado, ________________________
Nombre del padrastro o la madrastra

concedemos nuestro permiso para autorizar un tratamiento médico de emergencia para este niño.

Alergias que el niño tiene: ________________________________

Anote cualquier alergia que el niño tenga a comidas, medicamentos, etc. o escriba "Ninguna"

El médico regular de este niño/a es:___________________________

____

Nombre, dirección completa y número de teléfono

Este niño está asegurado bajo la póliza de seguro médico:

____

____

Escriba el nombre de la compañía, número de la póliza, el nombre del asegurado y el número de identificación

____
Firma

____
Nombre del padre

____
Dirección del padre

____
Teléfono del trabajo

____
Teléfono de la casa

____
Notario público o testigo

____
Fecha

____
Mi comisión termina

____
Firma

____
Nombre de la madre

____
Dirección de la madre

____
Teléfono del trabajo

____
Teléfono de la casa

____
Notario público o testigo

____
Fecha

____
Mi comisión termina

NOTA: Esta carta debe estar firmada por un notario público en el caso de los Estados Unidos. En otros países puede ser un testigo legal.

Recursos

RECURSOS PARA LAS FAMILIAS RECONSTITUIDAS Y LAS IGLESIAS

Programas de educación, organizaciones y sitio Web para matrimonios

Deal, Ron L. *Successful Stepfamilies: Christian Resources for Church and Home.* [Familias reconstituidas: Fuentes cristianas para la iglesia y el hogar]. *www.SuccessfulStepfamilies.com*

FamilyLife [Vida familiar]. *www. familylife.com*

Family Medallion [Medallón de la familia]. www *familymedallion.com.* ¿Planea volverse a casar? Este sitio provee medallones que los padres pueden dar a sus hijos durante la ceremonia de la boda. Una manera maravillosa de darle seguridad a los hijos y comenzar su familia.

Enfoque a la familia, *www.family.org*

Marriage Alive International, www.marriagealive.com, 888-690-6667.

Marriage Savers, www.marriagesavers.org, 9500 Michaels Court, Bethesda, MD 20817-2214, 301-469-5870.

PAIRS International, www.pairs.com, Pairs Foundation, Ltd. 1056 Creekford Drive, Weston, FL 33326.

PREP and Christian PREP: Prevention and Relationship Enhancement Program [Programa de prevención y mejoramiento de las relaciones], *www.prepinc.com*, P.O. Box 102530, Denver, CO 80250-2530, 303-759-9931.

The Second Wives Club, www.secondwivesclub.com

Stepfamily Association of America (SAA), www.SAAfamilies.org, 650 J Street, Suite 205, Lincoln, NE 68508, 800-735-0329.

Stepfamily Living, www.steplife.com

Libros y recursos de estudio

Barnes, Bob, *Winning the Heart of Your Stepchild* [Gane el corazón de su hijastro], Zondervan, Grand Rapids, MI, 1992.

Deal, Ron, L. *Building A Successful Stepfamily* [Edificando con éxito una familia reconstituida], Seminario en audio, FamilyLife, Little Rock, AR, 2001. Presentación de más de nueve horas de un material en seis audiocasetes con un manual de estudio acompañante. Un recurso excelente para individuos y grupos. Ordénelo de *www.SuccessfulStepfamilies.com.*

____. *7 STEPS to Stepfamily Success* [7 pasos para el éxito de una familia reconstituida], seminario en video. Esta presentación de 75 minutos capta los elementos clave bosquejados en este libro. Se puede usar para grupos educativos. Ordénelo de *www.SuccessfulStepfamilies.com*, (2000).

Douglas, Edward y Sharon Douglas, *The Blended Family: Achieving Peace and Harmony in the Christian Home* [La familia combinada: Logrando paz y armonía en el hogar cristiano], Providence House Publishers, Franklin, TN, 2000.

Dunn, Dick, *New Faces in the Frame: A Guide to Marriage and Parenting in the*

Blended Family [Nuevas caras en el marco: Una guía para el matrimonio y la crianza de los hijos en la familia combinada], LifeWay Press, Nashville, TN, 1997. Un currículo de estudio bíblico de doce semanas para grupos de adultos.

Lauer, Robert y Jeannette Lauer, *Becoming Family: How to Build a Stepfamily That Really Works* [Ser una familia: Cómo formar una familia reconstituida que realmente funcione], Augsburg Fortress, Minneapolis, MN, 1999.

Leman, Kevin, *Bringing Peace and Harmony to the Blended Family* [Trayendo paz y armonía a la familia reconstituida], Sampson Ministry Resources, Dallas, TX, 2000.

Nelsen, Jane, Cheryl Erwin y Stephen Glenn, *Positive Discipline for Your Stepfamily: Nurturing Harmony, Respect, and Joy in Your New Home* [Disciplina positiva para su familia reconstituida: Cuide la armonía, respeto y gozo en su nuevo hogar], Prima Publishing, Roseville, CA, 2000.

Pratt, Lonni Collins, *Making Two Halves a Whole: Studies for Parents in Blended Families* [Cómo hacer un todo de dos mitades: Estudios para padres en familias reconstituidas], David C. Cook, Colorado Springs, 1995. Un currículo de estudio bíblico de trece semanas para grupos de adultos.

Smith-Broersma, Margaret, *Devotions for the Blended Family* [Devociones para la familia reconstituida], Kregel, Grand Rapids, MI, 1994.

____. *Devotions for Couples in Blended Families* [Devociones para parejas en familias reconstituidas], Kregel, Grand Rapids, MI, 1996.

Sposto, Steve y Dena, *Fruits of the Spirit, The Stepfamily Spiritual Journey* [Frutos del Espíritu, el peregrinaje espiritual de la familia reconstituida]. Un material para grupos pequeños autopublicado por *Stepfamily Living, www.steplife.com,* 2002.

Townsend, L.L, *Pastoral Care With Stepfamilies: Mapping the Wilderness* [Cuidado pastoral para la familia reconstituida: Hacer el mapa del desierto], Chalice Press, St. Louis, MO, 2000.

Visher, E. y J. Visher, *Stepping Together: Creating Strong Stepfamilies* [Dando pasos juntos: Cómo crear una familia reconstituida fuerte], Brunner/Mazel, New York, NY, 1997. Un currículo para grupos de familias reconstituidas disponible en *Stepfamily Association of America*. También está disponible un suplemento cristiano por Vannesa Henneke.

LA FORMACIÓN DE SU FAMILIA RECONSTITUIDA

Si está buscando un seminario en vivo o materiales más profundos para familias reconstituidas, por favor visite *www.SuccessfulStepfamilies.com.*

Un seminario en audio para un estudio en el hogar: "Building a Successful Stepfamily" [Edificando con éxito una familia reconstituida] también está disponible de Ron L. Deal. Mediante este seminario aprenderá acerca de expectativas realistas: Cómo "cocinar" una familia reconstituida, cómo ayudar a los hijos a adaptarse a los padrastros y a las madrastras y vivir en dos hogares, cómo mejorar sus relaciones con el ex cónyuge y los mejores papeles para los padres y padrastros al criar hijos saludables.

También está disponible *Smart Steps,* [Pasos inteligentes] un currículo dinámico e interactivo de doce horas de duración para adultos e hijos que viven en familias reconstituidas, por Francesca Adler-Baeder, Ph.D., junto con *Cornell Cooperative Extension y Stepfamily Association of America*, con un suplemento cristiano por Ron L. Deal.

Notas

Capítulo uno

[1]Hetherington, E.M. y J. Kelly, *For Better or For Worse. Divorce Reconsidered* (New York: W.W. Norton & Company, 2002).

[2]Bray, James, *Stepfamilies: Love, Marriage, and Parenting in the First Decade* (New York: Broadway Books, 1998), p. 12.

[3]Ibíd., p. 3.

[4]El término *segunda mitad* proviene de un libro de los amigos David y Claudia Arp, *The Second-Half of Marriage: Facing the Eight Challenges of Every Long-Term Marriage* (Grand Rapids: Zondervan Publishing, 1996).

Capítulo dos

[1]Blackaby, H. T. y C. V. King, *Mi experiencia con Dios: Conocer y hacer la voluntad de Dios* (Nashville: LifeWay Press, 1990), pp. 108-125.

[2]Estoy muy consciente de que algunos matrimonios son extremadamente peligrosos debido al abuso físico o sexual hacia un cónyuge o los hijos. El asunto de la perseverancia en las circunstancias malignas y peligrosas cambia dramáticamente. Yo no animaría a nadie en peligro físico a quedarse en una situación donde el pacto del matrimonio se ha quebrantado y hay pocas esperanzas de que el matrimonio se reconcilie. Si se encuentra en dichas circunstancias, por favor, busque ayuda profesional de inmediato.

[3]Bray, James, *Stepfamilies: Love, Marriage, and Parenting in the First Decade.*

[4]Papernow, Patricia, *Becoming a Stepfamily: Patterns of Development in Remarried Families* (New York: Gardner Press, 1993), p. 387.

[5]Ibíd., p. 387.

[6]Ibíd., pp. 330, 331.

Capítulo cuatro

[1]Swallow, Wendy, *The Triumph of Love Over Experience: A Memoir of Remarriage*, (New York: Hyperion, 2004), pp. 1, 2.

[2]Visher, Emily B. y John S., *Stepfamilies: Myths and Realities*, (Secaucus: Citadel Press, 1979).

Capítulo cinco

[1]Basado en la información del Buró del Censo de los EE.UU. de A. en 1985.

[2]Buró de estadísticas de los EE.UU. de A., 1995.

[3]Norton, A. J. y L. E. Miller, "Marriage, Divorce, and Remarriage in the 1990s". *Current Population Reports (Series P23-180)*, (Washington D.C: Government Printing Office, 1992).

[4]Hetherington, E. M. y J. Kelly, *For Better or For Worse: Divorce Reconsidered.*

[5]Osburn, Carroll D., *The Peaceable Kingdom: Essays Favoring Non-Sectarian Christianity* (Abilene: Restoration Perspectives, 1993), pp. 127, 128.

[6]Reimpreso con permiso de Max Lucado, *And the Angels Were Silent*. [Y los ángeles

se mantuvieron en silencio] (Nashville: W. Publishing, una división de Thomas Nelson, Inc., 1992. Derechos reservados).

[7]Fuente desconocida; historia que usó Max Lucado.

[8]Gottman, John, *Why Marriages Succeed or Fail* (New York: Simon & Schuster, 1994).

[9]Patricia Papernow, *Becoming a Stepfamily*, p. 54.

Capítulo seis

[1]Lowery, Carol R., "Psychotherapy With Children of Divorced Families", en M. Textor, ed., *The Divorce and Divorce Therapy Handbook* (Northvale: Jason Aronson, Inc., 1989), pp. 225-241.

[2]Horn, W. E., "A Misconception About Divorce", columna de consejos de un padre en el periódico *Washington Times* el 29 de agosto de 2000. Ver también, P. E. Fagan y R. Rector, "The Effects of Divorce on America" (Washington, D.C: The Heritage Foundation, Backgrounder Executive Summary, Junio 5, 2000).

[3]Wallerstein, J., *The Unexpected Legacy of Divorce: A Twenty-Five-Year Landmark Study* (New York: Hyperion Books, 2000).

[4]Hetherington, E. M. y J. Kelly, *For Better or For Worse: Divorce Reconsidered*, p. 228.

[5]Bray, J. H., "Children in Stepfamilies: Assessment and Treatment Issues" en D. K. Huntely, ed., *Understanding Stepfamilies: Implications for Assessment and Treatment* (Alexandria: American Counseling Association , 1995), pp. 59-72.

[6]_____. "Children's Development During Early Remarriage" en E. M. Hetherington y J. Arasteh, eds., *Impact of Divorce, Single Parenting, and Stepparenting on Children*, (Hillsdale: Erlbaum, 1988), pp. 279-298.

[7]Haurin, R. J., "Patterns of Childhood Residence and the Relationship to Young Adult Outcomes" , en *Journal of Marriage and the Family*, 1992, pp. 846-860.

[8]Sandefur, G. D., S. S. McLanahan, y R. A. Wojtkiewicz, "The Effects of Parental Marital Status During Adolescence on High School Graduation" en *Social Forces*, 1992, pp. 103-121.

[9]Aquilino, W. S., "Family Structure and Home-Leaving: A Further Specification of the Relationship" en *Journal of Marriage and the Family*, 1991, pp. 999-1010.

[10]Thornton, A., "Influence of the Marital History of Parents on the Marital and Cohabitational Experiences of Children" en *American Journal of Sociology*, 1991, pp. 868-94.

[11]Hetherington, E. M., "Families, Lies, and Videotapes" en *Journal of Research on Adolescence*, 1991, pp. 323-348.

[12]Papernow, Patricia, *Becoming a Stepfamily*.

[13]Bray, James, *Stepfamilies: Love, Marriage, and Parenting in the First Decade*, p. 83.

[14]Worthen, Tom, ed., *Broken Hearts' Healing: Young Poets Speak Out on Divorce*, versión condensada, (Logan: Poet Tree Press, 2001), p. 27. Usado con permiso.

[15]Papernow, Patricia, *Becoming a Stepfamily*.

[16]Worthen, Tom, ed., *Broken Hearts' Healing: Young Poets Speak Out on Divorce*, p. 19. Usado con permiso.

[17]Visher, Emily y John, *How to Win As a Stepfamily* (New York: Brunner/Mazel, 1996), pp. 110-112.

[18]Adaptado de Everett y Volgy, *Healthy Divorce* (San Francisco: Jossey-Bass, Inc , 1994) y Visher y Visher, *How to Win As a Stepfamily*.

[19]Lista para el tema No. 12 desarrollado por M. Engel, "President's Message" en *Stepfamilies*, Vol. 18, No. 2, 1998.

[20]Ahrons, Constance, *The Good Divorce: Keeping Your Family Together When Your Marriage Comes Apart* (New York: Harper Collins, 1994), pp. 55-56. Usado con permiso de Harper Collins Publishers, Inc.

[21]Ibíd., p. 57.

[22]Ibíd., pp. 52-57.

[23]Visher, Emily y John Visher, *How to Win As a Stepfamily*, p. 93.

[24]Rackley, V, "Forgiveness in Relationships", comunicación personal en la transmisión sobre *LifeTalk* con Ron L. Deal, Jonesboro: KBTM 1230 radio AM, 1997.

[25]Papernow, Patricia, "Dealing Across Households: Scripts to Get by On" casetes grabados *Stepfamily Association of America* , Williamsburg, 1995. Usado con permiso.

[26]Estoy muy agradecido a la doctora Papernow por su ayuda con estos manuscritos. Son una herramienta maravillosa, espero que le bendigan.

Capítulo siete

[1]Hoffman, R. M., "Why Is Stepmothering More Difficult Than Stepfathering?", en *Stepfamilies*, www.saafamilies.org (verano de 1995).

[2]McBride, Jean, *Encouraging Words for New Stepmothers* (Fort Collins: CDR Press, 2001), p. xv.

[3]Lauer, R. H. y J. C. Lauer, *Becoming Family: How to Build a Stepfamily That Really Works* (Minneapolis: Augsburg Fortress, 1999), p. 147.

[4]Deal, Ron L., "Raising Children in Stepfamilies", en el libro de David y Jan Stoop, eds., *The Complete Parenting Book: Practical Help From Leading Experts* (Grand Rapids: Fleming H. Revell, una división de Baker Publishing Group, 2004), pp. 427-441. Usado con permiso.

[5]Engel, Margorie, *Stepfamily Association of American Training Institute* (Kansas City, MO, Abril, 1999).

[6]Fine, M., "The Role of the Stepparent: How Similar are the Views of Stepparents, Parents, and Stepchildren?" en *Stepfamilies*, www.saafamilies.org (otoño de 1997).

[7]Bray, James, *Stepfamilies: Love, Marriage, and Parenting in the First Decade.*

[8]Ibíd.

[9]Pasley, K., D. Dollahite y M. Ihinger-Tallman, "What We Know About the Role of the Stepparent",en *Stepfamilies*, www.saafamilies.org, (2000).

[10]Bray, James, *Stepfamilies: Love, Marriage, and Parenting in the First Decade.*

[11]Pasley, K., "What is Effective Stepparenting?", en *Stepfamilies*, www.saafamilies.org (verano de 1994).

[12]Pasley, K., D. Dollahite y M. Ihinger-Tallman, "What We Know About the Role of the Stepparent".

[13]Gamache, Susan, *Building Your Stepfamily: A Blueprint for Success*, (Vancouver: BC Council for Families).

[14]Visher, E. B., y J. S. Visher, *Old Loyalties, New Ties: Therapeutic Strategies With Stepfamilies* (New York: Bruner Mazel, 1998), pp. 212-216.

[15]Mientras que el padrastro está formando lazos emocionales con los hijastros, él o ella todavía tienen asuntos prácticos que atender. Por ejemplo, la falta de unidad legal con los hijastros hacen difícil el manejo de emergencias médicas. Es importante obtener permiso para tomar decisiones médicas; ver el Apéndice A.

[16]Bray, James, *Stepfamilies: Love, Marriage, and Parenting in the First Decade.*
[17]Basado en el trabajo de la doctora Susan Gamache in *Building Your Stepfamily: A Blueprint for Success.*
[18]Gamache, Susan, "Parental status: A new construct describing adolescent perceptions of stepfathers", disertación para su título de doctorado (University of British Columbia, 2000).
[19]M. A., Fine, "The Stepfather and Stepchild Relationship", presentado en *Stepfamily Association of America Training Institute* (Kansas City, Mo., Abril de 1999).
[20]Hetherington, E. M., y I. Kelly, *For Better or For Worse*, pp. 201, 202.

Capítulo ocho

[1]Emery, R., *Renegotiating Family Relationships: Divorce, Child Custody, and Mediation* (New York: Guilford Press, 1994), pp. 26-28.
[2]Visher, E. B., y J. S. Visher, *How to Win As a Stepfamily*, pp. 97-100.
[3]Pasley, K., "Relations Across the Generations: The Complications of Divorce and Remarriage", en *Stepfamilies*, www.saafamilies.org, (primavera de 1995).
[4]Visher, E. B., y J. S. Visher, *Old Loyalties, New Ties: Therapeutic Strategies With Stepfamilies.*
[5]Adaptado de Visher y Visher, *Old Loyalties, New Ties: Therapeutic Strategies with Stepfamilies.*
[6]Papernow, Patricia, *Dealing Across Households: Scripts to Get by On*, casete grabado.
[7]Leman, K., *Living in a Stepfamily Without Getting Stepped On: Helping Your Children Survive the Birth Order Blender* (Nashville:Thomas Nelson, 1994).
[8]Parece que ambos lados pueden ser correctos. Los estudios informales muestran que las parejas que favorecen unir su dinero en un "fondo común" no están más o menos satisfechas con la administración de su dinero que aquellos que mantienen su dinero separado. En cualquiera de los casos, las realidades legales del matrimonio son tan obligatorias que no es necesario unir los fondos para hacer que las finanzas de la pareja se eslabonen y sean interdependientes.
[9]Engel, Margorie, *Managing Stepfamily Money: Yours, Mine, and Ours* (Lincoln: Stepfamily Association of America Press, 2000). Usado con permiso.
[10]Ibíd.

Capítulo nueve

[1]Giles-Sims, J., "Current Knowledge About Child Abuse in Stepfamilies", en *Stepfamilies: History, Research, and Policy*, ed. M. Sussman y I. Levin (New York: The Haworth Press, 1997).
[2]Adler-Baeder, Francesca, comunicación personal, (Junio de 2001).
[3]Hetherington, E. M., y J. Kelly, *For Better or For Worse: Divorce Reconsidered,* p. 198.
[4]Esto no es para implicar de forma alguna que las víctimas hacen que los transgresores abusen de ellos. Los transgresores son los únicos a quienes se debe culpar por sus acciones.
[5]Chapell, Bryan, *Each for the Other: Marriage As It's Meant to Be* (Grand Rapids: Baker Books,1998), p. 35.
[6]Deal, Ron L., "Fathers: Our First Impression of God", *Today's Father* 5 no. 1 (1997), (Shawnee Mission: National Center for Fathering).

[7]Lewis, D. K., C. H. Dodd, y D. L. Tippens, *The Gospel According to Generation X: The Culture of Adolescent Belief* (Abilene: ACU Press, 1995).
[8]Hetherington, E. M., y J. Kelly, *For Better or For Worse: Divorce Reconsidered.*
[9]Ibíd., pp. 271-72.
[10]Marquardt, E., "Children of Divorce: Stories of Exile", *The Christian Century*, Febrero de 2001.
[11]Westerhoff, J. H. III, *Will Our Children Have Faith?* (San Francisco: Harper and Row, 1976).

Capítulo once

[1]Browning, S., "Why Didn't Our Two Years of Dating Make the Remarriage Easier?", en *Stepfamilies*, www.saafamilies.org, (verano de 2000), p. 6.
[2]El doctor Roger Coleman creó un medallón que se le puede dar a los hijos durante la ceremonia de la boda. El acto les vuelve a asegurar a los hijos su lugar en la nueva familia y simbólicamente representa el compromiso que los padrastros hacen para cuidar de sus hijastros. Un recurso maravilloso para las parejas comprometidas: www.familymedallion.com.
[3]Gamache, Susan J., es una terapeuta para individuos, matrimonios y familias en la práctica privada en Vancouver, British Columbia. Ella es la autora de *Building Your Stepfamily: A Blueprint for Success* y una miembro de la junta de *Stepfamily Association of America.*
[4]Everett, Craig A., es un terapeuta de matrimonio y familia en la práctica privada y co-director del *Arizona Institute for Family Therapy*, en Tucson, Arizona. Él es co-autor de *Healthy Divorce: Fourteen Stages of Separation, Divorce, and Remarriage*, Jossey-Bass, 1994/1998.
[5]Adler-Baeder, Francesca, Profesora Asistente y por extensión de especialistas para niños, jóvenes y familias, Departamento de estudios de familia y del desarrollo humano, (Alabama: Universidad de Auburn).
[6]Everett, Sandra Volgy, es sicóloga clínica y de niños, terapeuta familiar en práctica privada y co-directora del Instituto Arizona para terapia familiar en Tucson, Arizona. Ella es co-autora de *Healthy Divorce: Fourteen Stages of Separation, Divorce, and Remarriage* (San Francisco: Jossey-Bass, 1994/1998).
[7]McBride, Jean, es presidente y CEO de *The Center for Divorce & Remarriage, Inc.* y la *CDR Press.* Ella tiene su práctica privada en Fort Collins, Colorado, donde se especializa en divorcios y segundas nupcias. Jean es la autora de *Encouraging Words for New Stepmothers, Hopeful Steps: A Gentle Guide for the Stepfamily Journey*, (cintas de audio), y *Quick and Easy Brochures About Divorce.* Jean sirve en la junta de directores de *Stepfamily Association of America.*

Capítulo doce

[1]Quiero aclarar que no estoy sugiriendo que las familias reconstituidas sean un error. No lo es. El error consiste en cómo la gente maneja la dinámica de la familia reconstituida.
[2]Stahmann, R. F., y W. Hiebert, *Premarital and Remarital Counseling* (San Francisco: Jossey-Bass, 1997).
[3]Hetherington, E.M., y J. Kelly, *For Better or For Worse: Divorce Reconsidered.*
[4]Bumpass, L. L., R. K. Raley y J. A. Sweet, "The Changing Character of Stepfamilies:

Implications of cohabitation and nonmarital childbearing", *Demography* 32, 1995, pp. 425-36. Los cálculos actuales señalan que el 25 por ciento de las familias reconstituidas en realidad son parejas que cohabitan.

[5]Larson, J., "Understanding Stepfamilies", *American Demographics* 14, 1992, p. 360.

[6]Visher, E. B., y J. S. Visher, "Stepparents, the Forgotten Family Member", Segundo congreso mundial de la ley de la familia y los derechos de los niños y jóvenes, Junio de 1997.

[7]Norton, A. J., y L. E. Miller, "Marriage, Divorce, and Remarriage in the 1990s", Current Population Reports (Series P23-180), (Washington, D.C: Government Printing Office, 1992).

[8]Yankeelov, E. A., y D. R. Garland, "The families in our congregations: Initial research findings", *Family Ministry: Empowering Through Faith* 12 , 1988, 3, pp. 23-56.

[9]Agradezco a la doctora Susan Gamache haberme dado esta analogía.

[10]Townsend, L.L., *Pastoral Care With Stepfamilies: Mapping the Wilderness*, (St. Louis: Chalice Press, 2000).

[11]Stahmann, R. E., y W. Hiebert, *Premarital and Remarital Counseling*, (San Francisco: Jossey-Bass, 1997).

[12]Olson, D., PREPARE/ENRICH (Minneapolis: Life Innovations). Disponible en el 1-800-331-1661 o www.lifeinnovations.com

[13]No todos los terapeutas fueron creados iguales. Una cantidad sorprendente no está capacitada en las dinámicas de la familia reconstituida y puede hacer más daño que bien. Para encontrar un terapeuta en quien pueda confiar, haga estas preguntas: (1) ¿Qué preparación específica ha tenido en la terapia para familias reconstituidas? (2) ¿Cómo trataría la situación de una familia reconstituida de manera diferente a una familia biológica? (3) ¿Qué libros recomienda acerca de este tema? (4) ¿Es usted cristiano y qué diferencia hace esto en su consejería? Si el consejero no puede contestar estas preguntas o tiene poca preparación específica, no lo recomiende.

[14]Dunn, Dick, comunicación personal, 2001.

Apéndice A: Permiso médico para tratar a un niño

[1]Esta información apareció por primera vez en *The Divorce Decisions Workbook* (McGraw-Hill) por la doctora Margorie Engel. La autora otorgó permiso para usarlo. (New York, 1992).